# The Modern
# Student's Library
## *FRENCH SERIES*

The Modern Student's Library now includes a series of volumes in French—novels, short stories, plays, and essays. These have been selected from the works of the great French writers to suit the special needs of the student and the general reader. Each volume contains an introduction and brief notes by a leading American authority.

The French Series is under the general editorship of Horatio Smith, Professor of French Language and Literature at Brown University.

[*For a complete list of* The Modern Student's Library *see the pages following the text*]

# CHARLES SCRIBNER'S SONS

# CORNEILLE

## LE CID — HORACE — POLYEUCTE
## LE MENTEUR

# CORNEILLE

## LE CID — HORACE — POLYEUCTE
## LE MENTEUR

*Polyeuctus- Roman centurian and saint*

EDITED BY

### C. H. C. WRIGHT

PROFESSOR OF THE FRENCH LANGUAGE AND LITERATURE
IN HARVARD UNIVERSITY

## CHARLES SCRIBNER'S SONS

NEW YORK    CHICAGO    BOSTON    ATLANTA
SAN FRANCISCO    DALLAS

# CONTENTS

76918

# INTRODUCTION

The French are pre-eminently a dramatic people and have, from the earliest times, taken a great interest in the theatre. In spite of the erroneous statements of Boileau's *Art poétique* concerning the abhorrence of "our pious forefathers" for the stage, the mediæval mysteries, as forms of community drama, attracted the intense interest of whole cities during the long weeks of preparation and of performance. In the sixteenth century the humanistic poets of the Pléiade tried ineffectively to revive the multiform beauty of Greek tragedy. In the seventeenth century, tragedy and epic were ranked together as the two great forms of heroic poetry and, to many, tragedy came first of the two in honor. It certainly produced the only masterpieces.

But it would be a mistake to think the seventeenth century dominated by the classical tragedy alone, or that, just because Corneille and Racine are called the two great masters of seventeenth-century classicism, there is little difference between their plays. It seems absurd, were it not sometimes necessary, to be reminded that a century meant a hundred years then as now, and that the plays of the first half were very different from those of the second part. Nay, more, though the lives of Corneille and Racine overlapped, yet, as men of letters, they belong to two different generations, and Corneille is very far from being the complete classicist. The first half of the seventeenth century was a period of adventure and of romance, and the early plays of Corneille are typical of that age. If his

ix

works become technically "classical," it is because he yields somewhat to the criticism of the "regulars."

Pierre Corneille was the eldest of a large family of brothers and sisters. One of his brothers, Thomas, was also a well-known playwright, and one of his sisters became the mother of the famous Fontenelle. He was born at Rouen, in 1606, and was a characteristic example of the canny, subtle-minded, legalistic Norman race to which he belonged. He was educated by the Jesuits, themselves no mean adepts in the art of dialectic. Trained for the law, he in fact occupied for many years a post in the minor magistracy of his native town. He was a pious churchwarden of his parish, little gifted with easy flow of speech, and vastly more at home in his provincial city than in Paris, where he at times sojourned and where he died. It would be difficult to conceive a man of his sedate temperament and education as author of a dashingly romantic play like *le Cid,* did we not infer from his first comedy, *Mélite,* that he had been as susceptible in matters of the heart as most young men. It is also for some an unexpected discovery that this great master of tragedy began his dramatic career with a group of amiable comedies.

The French theatre in the early seventeenth century was in a very incoherent condition. The tragedies and comedies of the Pléiade, quite apart from the problem whether they were actually frequently performed, had had no general hold on the people, and the plays which succeeded the old mysteries at the Hôtel de Bourgogne were (amorphous) and ineffective. It was Alexandre Hardy who, above all others, gave in his abundant plays new vitality to the drama. His works were devoid of literary qualities, but they apparently had life for the spectators. As the years went by, certain types succeeded each other in accordance with changing enthusiasms and fashions in taste. The pastoral play had its time, because pastoral fiction was for a period all the rage. Reaction against the civil wars of the sixteenth century, and the portrayal in literature of the theories of good manners of Italian social life had fostered interest in an impossible imaginary world. These landscapes of eternal spring formed a setting where moved polite ladies and gentlemen slightly masked by quaint poetical names of shepherds and shepherdesses. The love-scenes, in which were portrayed fidelity, jealousy and hardheartedness, gave a chance to replace crude realism with literary graces and the adornments of poetical sentiment. Even when the pastoral lost its freshness many of its devices and dramatic *motifs* remained and are found in Corneille's comedies.

Then the tragi-comedy had its period of huge success. This was a play of love and wild adventure as contrasted with the placidity of the pastoral, though the knightly cavalier of tragi-comedy was a no less faithful and gentlemanly suitor than the shepherd of the pastoral. It welcomed the boisterous incidents and high flown language of the Spanish drama. It broadened the horizon of the French stage though it paid little heed to plausibility.

Again, formal comedy once more came into vogue, with its regular acts and its conventional types inherited from the past traditions of classical plays. But the comedies were works almost entirely of complicated intrigue, without character-delineation, and often not much more decent than the perennially popular farces which had long held the stage, and which had been largely responsible for the fact that the theatre was not considered a proper resort for a woman of refinement.

Finally, it should be remembered that these divisions of the drama must not be taken too absolutely, when we come across such a hybrid as Théophile's "pastoral tragedy" on the sad loves of Pyramus and Thisbe, though Polonius's enumeration in *Hamlet* of multiple dramatic forms was hardly paralleled on the French stage.

It was at this juncture that Corneille ventured upon dramatic composition. A peculiarity of his situation was that he began to write when the theatre was in a state of flux. His own inclination was to develop current *genres,* such as comedy and tragi-comedy, giving to the former more elegance and polish, to the latter more poetry and imagination. But he had the misfortune to clash with another dramatic tendency, of which we have said little because it had hitherto been unimportant. He encountered the doctrine of the neo-Aristotelian "regulars," who under the patronage of Richelieu were to advocate the technical tragedy. Tragedy purported to be modelled after ancient patterns, and dutifully followed specific disciplinary rules of dramatic art in order to make the stage more realistic, or at any rate more in harmony with the laws of human nature, more *vraisemblable.* This must have been obnoxious to Corneille who, in his plays, delighted to portray the heroic and, therefore, the exceptional in human nature, instead of what men have in common. But his cautious Norman disposition may have hindered the independence of his action, and he yielded to his critics on many of the points at issue. He did so often with advantage to his art. It may be a question how far Corneille was conscious of being over-ruled. It is even argued by as competent an authority as Professor Lancaster, in his history of the French drama of the seventeenth century, that the traditional view is wrong, because Corneille accepted the rules so early. But the whole spirit of his plays proves that he inclined temperamentally more to what we call the romantic than the classical.

In 1629 Corneille brought out his first comedy, *Mélite*. This play and others of the same general type have won for him the position of the best writer of comedies before Molière. They do not deserve the supercilious comment of La Harpe: "On me dispensera sans doute de parler des premières comédies de Corneille. On se souvient seulement qu'il les a faites, et que, sans rien valoir, elles valent mieux que celles de son temps." Corneille himself later adopted an unnecessarily apologetic attitude concerning them and spoke of them as though they were youthful indiscretions and the blundering experiments of a provincial muse. *Mélite* is not what we designate a "funny" play. It did not rely on coarse rough-and-tumble incidents. It gave a picture of manners, and its chief merit is that it brings comedy nearer to life and away from hackneyed stage fashions. The story goes that there is an element of truth in the love-plot, and that Corneille was partly dramatizing one of his own youthful affairs of the heart. The style shows many prettinesses of speech in the way of *pointes*, and some of the bombastic phrases of tragicomedy. The plot contains the traditional amorous sequence of jealous or of unrequited loves dear to the pastoral plays, the pairing of lovers at the end is subordinated to the mechanical working-out of the play rather than to true psychology, and Corneille uses the device of love-insanity which in the seventeenth century was frequent on the stage, as in Racine's *Andromaque*. But so different was *Mélite* from the current comedies that this work by a young provincial author won the approval of Mondory, a practised actor and manager, who took it successfully to Paris.

Another dramatic convention, favored by the "regulars," was coming back into vogue, after a lapse of disuse, which Corneille had not employed in *Mélite* because, he tells us, he had not then known of its existence. This was the rule of the unities. Corneille now undertook to write his tragi-comedy *Clitandre,* a play quite in accordance with the rules but which, he adds with conscious or unconscious humor, should be in other respects worthless, "wherein I succeeded perfectly." Corneille was now gradually acquiring skill and effectiveness in dramatic composition. Though his comedies are still somewhat unnatural because of the subordination of love to the mechanics of the play and because of the often simpering style, they mark an obvious advance toward the smart comedy of manners in real life. Meanwhile Corneille tried his hand at tragedy, achieving in *Médée* a rhetorical Senecan drama. The influence of Spain in the direction of freedom of plot and incident was also making itself felt, and with the tragi-comedy *l'Illusion comique* (The "Dramatic Illusion") Corneille produced what he himself called an *étrange monstre.*

It is customary to speak of the *Cid* as the first play of Corneille's second period, which includes his tragic masterpieces. In a certain sense this is true because, with the *Cid,* Corneille becomes the outstanding figure in the dramatic literature of his age, and the play is associated with the other great works which follow. In another sense nothing could be more inaccurate because, after all, the *Cid* is not the first of Corneille's great tragedies. It does not stand at the beginning of that *genre* for which French classicism is chiefly noted. It is, on the contrary, the culmination of tragi-comedy, which was thereafter destined before very long to fade.

Note the conditions at the time when Corneille brought out *le Cid*. There are two outstanding tendencies in the drama, freedom and discipline, which correspond to impulses of human nature. As we have seen, the literature of the early seventeenth century had enjoyed liberty almost to the negation of positive aesthetic laws, and it was against this disorder that Malherbe reacted in the case of lyric poetry. In the drama, in spite of the recurrence of conventional themes, repeated presumably because they found constant favor, writers had followed their fancy regardless of lack of plausibility in their plots. In fact, the more remote were these plots from everyday life, the more they stimulated the imagination and carried the spectators into a cloud world of romance. Hence the magic fountains and mirrors, the hermit sages, the wilful satyrs of the pastoral, or the dashing adventures of heroes of tragi-comedy upholding love and honor. Moreover, in the actual scenic performance of plays there still survived a custom, handed on from the Middle Ages, known as the "simultaneous" stage-setting, the *décor multiple* or *simultané*. In the mediæval mystery plays, acted as huge community dramas, it had been necessary to prepare the scenery for the whole performance beforehand. The stage, therefore, displayed a big area, at the back and sides of which were disposed various structures or *mansions,* symbolizing different localities, and the spectator was expected to connect the action of the play at any moment with the appropriate fraction of background. In the time of Corneille plays were given indoors in a restricted area, but the old system had in a sense survived and did not seem incongruous to people who had inherited these age-long traditions. Moreover, the convention had the great advantage for the playwright that it gave him freedom to range over time and space. This had, on the other hand, its danger of encouraging incident to the detriment of a concise presentation of one problem.

But the school which advocated restraint was now making itself heard and the spirit of discipline was felt. The first half of the seventeenth century illustrates the growing force of organization and of centralization of which Richelieu is the great exponent in politics. In the social and moral world there is rivalry between the orthodox conservatives and the "libertines." In literature, particularly in the drama, which was getting more attention than ever, in part probably because of Richelieu's patronage, the partisans of rigid rules of art grew assertive. The triumph of the regular classical tragedy in the seventeenth century, and its acceptance as one of the two highest forms of heroic art were favored by the influence of Richelieu.

Consequently, we now hear much of the "regulars," the *doctes*. It will be remembered that the dramatists of the Pléiade, in the sixteenth century, under the influence of the neo-Aristotelians of the Italian Renaissance, tried to write plays that were "regular" and observed certain laws, particularly those unities of time, place and action which the moderns read into the precepts of Aristotle's *Poetics*. But they were, for the most part, unskilled in dramatic practice. They did not always carry out the unities consistently. In a technical sense their plays sometimes violated the unity of action itself and consisted of a succession of almost disconnected scenes. Action, in the broader sense of dramatic movement, they lacked entirely.

So the seventeenth-century regulars disregarded what their sixteenth-century predecessors had done and started afresh. They soon showed one great improvement. They tried to make the drama a better portrayal of life. Instead of patchy scenes of monologue and dialogue they aimed at a truthful presentation of a theme developed in accordance with the laws of human reason. This as we have said was called *vraisemblance*. The sixteenth-century writers had encountered the idea in the neo-Aristotelian critics of their time but had not made full use of it. The seventeenth-century theorists, with a deeper critical sense, emphasized this factor in dramatic composition. It became to them the fundamental feature, and the three unities were to them an important way of carrying out verisimilitude, though we discern today how much they over-emphasized these rules and gave to them a factitious value. They revived the teachings of the sixteenth-century Julius Cæsar Scaliger and of his early seventeenth-century follower, the Dutchman Heinsius. They attacked the irregularity of the current drama and, in so doing, they failed, because of their cult of technical rules, to appreciate what merits this drama possessed.

At this juncture Corneille brought out the *Cid* and won the triumphant success that annoyed those contemporary playwrights who had hitherto graciously welcomed him to their guild but now saw in him a dangerous rival. Mairet and Scudéry especially were jealous. Scudéry, not long before, had greeted the growing reputation of Corneille with such phrases as "Le soleil est levé, retirez-vous, étoiles." But conditions were now different. It was difficult to patronize the author of the most popular play of the day. So resort was had to carping criticism and efforts to prejudice the great dispenser of favors, Richelieu, against him.

The *Cid* was, indeed, more vulnerable to the attacks of faultfinders than if it had been a routine production.

It was, to all intents and purposes, a tragi-comedy, a poetic drama of love and poetic achievement, with a happy ending. But it had been constructed according to the *general* traditions of the multiple stage-setting, against which the new school of "regulars" was becoming vocal, and it was difficult to compress the plot within the limits of the unity of time, which Corneille tried to accept. Moreover, it was accused of immorality. Love in literature, though described as profound, was extremely sedate, and continued to be so for some time through Mlle de Scudéry's novels of preciosity. There had grown up in pastoral play, in tragi-comedy, in lyric verse, in fiction and in the conversations of polite society, a conventional jargon of love-making or *galanterie,* which afforded great opportunity for sophisticated and unreal analysis of the feelings, and a chance for written and verbal smartness.

Except that he still kept in their most poetical form the reticences of conventional polite language, Corneille swept away the unrealities of literary courting and substituted for them *l'amour passion.* He replaced an untruthful psychology by greater realism, though his portrayal of emotion was crude in comparison with Racine's subtle analyses of the human heart. But Corneille sufficiently violated conventional "morals" to lay himself open to attack. Then, when the young author, in a moment of pardonable elation, bragged in some verses of his success, Mairet and especially Scudéry took active measures. These came to a head with Scudéry's hostile *Observations sur le Cid,* in which he grouped all his unfavorable criticisms of the play. For instance, the plot was basically and structurally worthless; it violated morals and taste as well as the rules of dramatic art by portraying a lascivious girl in love with her father's murderer, and by heaping innumerable quarrels, duels and battles upon each other within twenty-four hours' time; it contained many petty blemishes and sins against good judgment in individual instances; it had a great many poor verses; finally, all its good qualities were unoriginal and stolen from the Spanish author from whom Corneille had adapted his drama.

Scudéry, by crystallizing the charges against the *Cid,* brought the discussion into the open. There followed a series of documents for or against the play, until finally, with the encouragement of Richelieu, it was brought before the judgment of the Academy, recently established under the patronage of the Cardinal.

The attitude of Richelieu in this whole matter is controversial and he has in the past usually been portrayed as a vindictive enemy of Corneille for both personal and political reasons. This seems corroborated by Boileau's words later in his ninth Satire:

En vain contre le *Cid* un ministre se ligue:
Tout Paris pour Chimène a les yeux de Rodrigue.

It was argued that Richelieu had been dissatisfied with Corneille when the latter for a time had been one of a group of authors whom the Cardinal brought together as literary collaborators and in order to write plays under his direction. It was also pointed out that the *Cid* glorified Spain, against which country the French were at war, that it also glorified duelling that Richelieu was trying to stamp out among the French nobility. Charles Sorel, in his *Bibliothèque française* says that a reason why Richelieu preferred Corneille's rival and critic, Georges de Scudéry, was that Scudéry's *Amour tyrannique* exalted the absolute authority of kings and that *le Cid* had "quelques paroles qui choquaient les grands ministres." It is probable that Richelieu's attitude to Corneille was not one of active hostility, inasmuch as later marks of favor were bestowed on him and his father, but that the play was not of a kind to appeal to the Cardinal as partisan of the new regular tragedy and of the spirit of organization and discipline in dramatic craftsmanship. Modern French critics, with better perspective, have been able to see in Corneille's work the germs of psychological *vraisemblance* and the beginning of the French classical drama. Richelieu and ill-disposed contemporaries were inclined to emphasize blemishes inherited from past tradition. In the back of Richelieu's mind there was in all probability a *partly unconscious* prejudice against the great triumph of a work with which he was not in sympathy.

Once the *Cid* had been submitted to the Academy Jean Chapelain became the outstanding figure in the controversy. He was the leading spirit in the committee appointed to examine the play, and the final verdict, the *Sentiments de l'Académie,* is largely the result of his efforts. This verdict is a work of judicious hedging, though we need not question the integrity of the judges. Scudéry's accusation that the plot is defective to the degree of worthlessness is rejected. On the other hand, he is upheld in many charges as to the verisimilitude of the character of Chimène and the cramming of incidents into a short time. It was felt, especially, that Chimène was an undutiful daughter in loving one who had caused her father's death. This might be within the range of human experience possible, but it was not *vraisemblable* or plausible according to seventeenth-century standards. As to minor details Scudéry's charges were sometimes accepted and sometimes rejected. But as a general conclusion, the Academy, in view of the undeniably enthusiastic reception of the play and with natural patriotism, pronounced that Corneille had improved upon

his Spanish model and had written a work of great
vigor and charm.

Corneille's extremely sensitive nature was much troubled by the criticism of the *Cid,* though he was too
proud openly to admit it. He waited several years and
then, with *Horace,* he brought out a play which was
technically an absolutely regular classical tragedy. Corneille kept the soaring rhetoric, which was the expression of his own poetic spirit, and which, in so many of
his plays continued to profit from Spanish grandilo-
quence. But, instead of devoting this play to the delinea-
tion of romantic chivalry, he expounded the theory of
morals then current among the intellectuals. This was
a Christianized Neo-Stoicism, which exalted the heroism
of rationalized duty pursued at all hazards and costs.
In *Horace* and in succeeding plays Corneille built up
his well-recognized type of the noble character, the
familiar "Cornelian" hero and heroine, guided by Reason and Duty. In so doing he enormously complicated
his own task. The Cid is the exceptional warrior among
men, but the love of Rodrigue and of Chimène turns
upon emotion as well as upon duty. In *Horace* Corneille
tries to motivate a play drawn like *le Cid* from a cruder
and more barbarous age of mankind. In this case he
squeezes human nature out of his hero and attempts to
make equivalent in one character duty to the honor of
one's country and duty to one's own honor. As a result
Zoilus-critics accused Corneille again of *invraisemblance*
in the murder by the hero of his sister, whose grief for
her lover's death made her curse the land responsible
for his fall. At any rate, with *le Cid* and *Horace* Corneille's typical hero and heroine have taken form and
the danger which he runs in his later plays is the exaggeration of their qualities.

We see now very plainly how these heroes were in-

stituted, by what literary sources they were shaped and
how far they reflected or influenced current ideas. Corneille was fond of incident. He not only liked to have
something going on in his plays, in accordance with
prevailing fashions of French and Spanish fiction and
drama, but he was also fond of matching and balancing
the parts of his play to show his structural ingenuity
and to satisfy his pride in dramatic invention.

From Spain, too, as well as from the musketeer-
spirit of contemporary French fashions, he had got
encouragement in glorifying honor, the *point d'honneur,*
which in the abstract was the ideal of lofty duty in-
cumbent upon one regardless of praise or censure, but
which in real life was too often based on selfishness or
on false conceptions of pride and fancied slights to
one's honor. This is the *gloire* of the Cornelian hero.
As Corneille yields to the strictures upon the *Cid*
and tries to make concessions to the *doctes,* the classical
influences increase. One of the traditional themes of
tragedy as conceived by the critics, even when in the
Middle Ages no tragedies were written, had been the
tragic fate or, at any rate, a supreme crisis in the life
of one great in character or station, and the writers
who sought the favor of Richelieu had, in accordance
with tradition, dramatized events from ancient history
or legend. Mairet, in particular, had not long before,
in 1634, composed the first regular tragedy of the seventeenth century, his *Sophonisbe* based on Roman history. Corneille follows Mairet's example. He writes a
play drawn from Roman history, and in the curses of
Camille against her country even shows the influence
of Mairet's maledictions of Massinissa against Rome.
But a consequence of shifting from romantic to historical drama was a greater emphasis on character-
motivation and the rationalizing of the emotions of the

*dramatis personæ.* This involved developing the psychology of the characters, and Corneille was not a subtle psychologist. He painted best with a broad brush, and could do so without lacking effectiveness. Here came in very handily, as we have pointed out, the current Neo-Stoicism which enabled Corneille to create impressive rôles of men and women, whose strength of character and will-power (*volonté*) made them overcome obstacles, and whose reason could justify their decisions and be victorious over the emotions. The stoical hero is impressive in literature, and stoicism lends itself to the portrayal of the superman. The danger, as Corneille was destined to find, was that in order to heighten the feeling of wonder, awe and admiration (*merveille*) in the spectator, the author tended to exaggerate his superman into something inhuman. This is already the case in the hero of *Horace.*

With *Horace* Corneille became that for which he was destined to be chiefly known and admired, the writer of historical tragedies preferably drawn from the annals of Rome.

*Horace* having met with favor, Corneille tried again the experiment of a play from Roman history. Stimulated perhaps by the fact that his rival Scudéry had written a tragedy on the death of Cæsar, a favorite subject since the days of the humanistic tragedians of the Renaissance, Corneille wrote *Cinna, ou la Clémence d'Auguste* which, like the plays on the death of Cæsar, is a conspiracy drama. We have the testimony of Boileau's seventh epistle ("Au *Cid* persécuté *Cinna* doit sa naissance") that this play, like *Horace,* had definitely resulted from the criticism of the *Cid.* But the play had its share of "actuality," inasmuch as in the early seventeenth century, down to the end of the Fronde, conspiracies against Richelieu and Mazarin, often manipulated by women, succeeded each other un-interruptedly. The proud heroine Émilie, urging her lover to murder Augustus, was a figure with counter-parts in modern life. But not only does Corneille in-troduce in this play an element of modernity, he is gradually working out a broader conception of the (*dé-noûment*) of tragedy, which he uses again in some of his later plays, such as *Pompée* and (*Nicomède.*) He feels that a tragedy, if only it be sufficiently impressive, need not necessarily have a disastrous ending. The feeling of *merveille* called for by the critics can be aroused by the spectacle of a noble deed resulting well, as satisfac-torily as by disaster and death. To Corneille the nobil-ity of Augustus in granting pardon to the conspirators against his life justifies the play as a tragedy.

In (*Polyeucte*) Corneille makes an interesting and suc-cessful experiment in combining ancient and modern themes. He starts with the story of an early Christian martyr, in spite of the fact that religious plots, though such favorites in the mediæval mysteries, were now the exception rather than the rule. Polyeucte is ready to sacrifice everything for his new religion, even the dear-est ties of family affection. Upon this story Corneille grafts that phase of a modern love-plot which has com-mended itself so often to writers, namely, the relations of the woman, the husband and the lover,—in the jar-gon of modern journalism, the "eternal triangle." Ob-viously, Corneille's solution can only be the triumph of reason and duty over passion. Pauline, in spite of a rekindled love for her former suitor, whom she had re-jected in obedience to her father, is faithful to her husband. In fact, the more Polyeucte is disposed to sacrifice her to his new faith, the more she recognizes the greatness of his sacrifice and the greatness of his character, and the more her love and admiration for him increase.

In *Polyeucte,* which many people consider Corneille's masterpiece, he reached the perfection of his art. He wrote many other tragedies, some of them very good, not to mention *le Menteur,* his best comedy, but they are apt to show imperfections in the overstraining of certain qualities. *Le Menteur* is a praiseworthy anticipation of comedy as it will be in the hands of Molière, entertaining and witty, with amusing situations and some individualized characters. But the action of *Pompée* drags, and *Rodogune* is a turgid play constructed in view of a melodramatic but effective last act. In this play Corneille has carried the exaltation of the vigorous will (here devoted to evil purposes) to extremes. The villainy of the wicked queen, Cléopâtre, ready to murder her own children if by so doing she can wreak vengeance on a rival, not merely sins against the pettifogging regulations of contemporary critics but is *invraisemblable* to us as well. But Corneille had not chosen this path at random. Before he has done with the drama in his critical writings we find him of the opinion that the subject of a good tragedy need *not* be *vraisemblable.* In certain other respects Corneille also ran close to the danger line. His *Théodore,* a companion play to *Polyeucte,* with a religious theme in which the martyr was a woman instead of a man, shocked even more than the other tragedy the susceptibilities of those who objected to such plays on the profane stage. *Héraclius,* it is true, enjoyed a vogue which kept it in the repertory until the nineteenth century, but Corneille admitted, not without some pride in his own ingenuity of invention, that because of the complex plot it had to be seen or read more than once to be fully understood. So it is not entirely surprising that, in spite of an election to the Academy in 1647, Corneille experienced a setback in the failure of *Pertharite* in 1652. *King of Lombards 7th cent.*

Corneille, it will be remembered, was extremely thin-skinned, so that now, a man under fifty, to all intents and purposes he gave up the stage. Living in his home town, Rouen, or on his country farm near by, at Petit-Couronne, he devoted himself to poetry and especially to a verse-translation of the *Imitation of Christ*. But he retained many admirers who always hoped that he could renew triumphs like the *Cid* and *Horace,* and who encouraged him to try again. So it was that, in 1659, he brought out *Œdipe,* which was greeted with an enthusiasm that now seems to us forced. Now begin the plays of the period which has been somewhat severely designated as Corneille's "decadence." The cruel epigrams of Boileau on *Agésilas* and *Attila* have been applied in spirit to all the plays, and he has been portrayed as a worn-out writer reduced to poverty. As a matter of fact, the plays of Corneille were no worse than those of any author who goes on writing after his great successes are over. He kept admirers to the end, among them Mme de Sévigné, and this in spite of the disheartening rivalry of the upstart Racine, young enough to be his own son, who expressed better than Corneille the spirit of the new age, whose *Bérénice* was better than Corneille's *Tite et Bérénice,* but whose *Andromaque* borrowed hints from Corneille's *Pertharite.* To the last Corneille's plays contain flashes of his old heroic rhetoric and impressive portrayal. Not one of his dramas should be despised, even though his heroes tended to become intellectual abstractions or the mouthpiece of moral and historical theories rather than human beings. But even near the end of his literary career Corneille's *Psyché,* written in collaboration with Molière and Quinault, has imagination and poetic fancy. During the last ten years of his life, from *Suréna* (1674) to 1684, Corneille had nothing to do with the stage.

Today we can give a fair verdict upon the achievements of Corneille and understand the reason for his weaknesses and failures. Though he has so often been called the first great classical dramatist in point of time of the seventeenth century, he was not in spirit the true classicist and he won his great triumphs long before 1660. He was dragooned into a school which was somewhat out of sympathy with his own inclinations, and only his transcendent genius permitted him to adapt himself so well. His taste was for the grandiose and a portrayal of the exceptional, rather than of the average man. His poetry is impressive by its sonorous beauty and the effectiveness with which he could make it the vehicle of dashing phrases and heroic maxims. The *sentiments cornéliens* are proverbial. We are told that Corneille at one time had in mind the composition of an epic poem. It is a pity that he never carried out the project. Corneille, like Milton, would have shown what can be done in modern times with the humanistic epic. As a painter of character Corneille is not superficial but sculpturesque. He yields to the growing desire for rationalism and analysis, but in his masterpieces his psychology is primitive and far from sophisticated. Thereby his men and women lose nothing in impressiveness, though, once again, they are superhuman rather than normal, and as time goes on, they tend to become dramatic abstractions. Corneille had, after all, a varied and supple genius. He wrote not only technically correct tragedies like *Horace,* but romantic tragi-comedies like *le Cid,* excellent comedies of life like *le Menteur,* effective melodramas like *Rodogune,* poetic fantasies like *Psyché* and heroic comedies like *Don Sanche.* In this last he dramatizes a favorite literary theme of the day, the valiant warrior of unknown origin loved by ladies far above him in station, but who turns out to be a prince as noble in rank as they.

The sure test of the greatness of Corneille is the vitality of his masterpieces even today and the admiration in which they are held by the French. Racine is admittedly a poet of greater delicacy and a dramatist with a more profound psychology. But the (tirades) of Corneille are those the French schoolboy learns to declaim, and Corneille's noble maxims of honor and duty are still preached by his people. A striking proof of the fundamental truth of Corneille's heroics beneath their apparent artificiality was the transformation in significance which *Horace* underwent in the World War. Critics had hitherto stressed the ferocity of the hero Horace, and sympathy had generally gone out rather to the more humane and softer (Curiace.) In 1914, after the first panic in Paris and the closing of the theatres, when they were reopened the first play given at the Théâtre-Français was *Horace*. Under the stress of war and the need of stoicism and martial virtues, the play took on a new meaning. Curiace seemed to many spectators weak and wavering. Sympathy went forth to Horace the upholder at all costs of his country. Moreover, the device by which Horace separated his adversaries and killed them in turn was identical with the strategy which (Joffre) had a few days before carried out in the first battle of the (Marne.) *Horace* had become a poetic and dramatic expression of the living patriotism of the French.

C. H. C. WRIGHT.

# BIBLIOGRAPHY

Æ. Picot, *Bibliographie Cornélienne,* 1876.
P. Le Verdier et E. Pelay, *Additions à la Bibliographie Cornélienne,* 1908.

———

*Œuvres de P. Corneille,* édition par Ch. Marty-Laveaux, 12 vols., 1862-1868. Series of the *Grands Ecrivains de la France.*

The preceding remains the standard library edition. There are numerous school editions and *éditions classiques* of the different important plays in France, America and England. Almost every reputable Paris educational firm issues commendable school texts of the chief plays of Corneille. See especially, F. Hémon, *Théâtre de Pierre Corneille,* 4 vols., and L. Petit de Julleville, *Théâtre choisi de Pierre Corneille.* Cf. editions of one or another of the plays included in the present volume by E. G. W. Braunholtz, G. N. Henning, J. E. Matzke, W. A. Nitze and S. L. Galpin, C. Searles.

G. Collas, *Les Sentiments de l'Académie française sur la tragi-comédie du Cid,* 1912.
A. Gasté, *La Querelle du Cid* (documents), 1898.
C. Searles, *Les Sentiments de l'Académie française sur le Cid,* edited with an introduction, 1916.

———

J. Calvet, *Polyeucte de Corneille, étude et analyse,* n.d.
P. Déroulède, *Corneille et son œuvre* ("un aperçu des multiples raisons sur lesquelles est fondée mon inébranlable admiration pour l'œuvre et pour l'ouvrier") 1911.

A. Dorchain, *Corneille*, 1918.

E. Faguet, *En lisant Corneille*, 1913.

F. Hémon, *Corneille*, in *Cours de littérature*, n.d.

G. Lanson, *Corneille*, 1898.

J. Lemaître, *Corneille et la Poétique d'Aristote*, 1888.

H. Lyonnet, *Le Cid de Corneille*, 1929.

G. Reynier, *Le Cid de Corneille, étude et analyse*, n.d.

L. M. Riddle, *The Genesis and Sources of Pierre Corneille's Tragedies from Médée to Pertharite*, Baltimore, 1926.

———

H. C. Lancaster, *A History of French Dramatic Literature in the Seventeenth Century*, 4 vols., Baltimore, 1929-1932.

# LE CID

## TRAGÉDIE

# A MADAME DE COMBALET

## (1637)

MADAME,

Ce portrait vivant que je vous offre représente un héros assez reconnaissable aux lauriers dont il est couvert. Sa vie a été une suite continuelle de victoires; son corps, porté dans son armée, a gagné des batailles après sa mort; et son nom au bout de six cents ans vient encore de triompher en France. Il y a trouvé une réception trop favorable pour se repentir d'être sorti de son pays, et d'avoir appris à parler une autre langue que la sienne. Ce succès a passé mes plus ambitieuses espérances, et m'a surpris d'abord; mais il a cessé de m'étonner depuis que j'ai vu la satisfaction que vous avez témoignée quand il a paru devant vous. Alors j'ai osé me promettre de lui tout ce qui en est arrivé, et j'ai cru qu'après les éloges dont vous l'avez honoré, cet applaudissement universel ne lui pouvoit manquer. Et véritablement, Madame, on ne peut douter avec raison de ce que vaut une chose qui a le bonheur de vous plaire: le jugement que vous en faites est la marque assurée de son prix; et comme vous donnez toujours libéralement aux véritables beautés l'estime qu'elles méritent, les fausses n'ont jamais le pouvoir de vous éblouir. Mais votre générosité ne s'arrête pas à des louanges stériles pour les ouvrages qui vous agréent; elle prend plaisir à s'étendre utilement sur ceux qui les produisent, et ne dédaigne point d'employer en leur faveur ce grand crédit que votre qualité et vos vertus vous ont acquis. J'en ai ressenti des effets qui me sont

3

trop avantageux pour m'en taire, et je ne vous dois pas moins de remercîments pour moi que pour *le Cid.* C'est une reconnoissance qui m'est glorieuse, puisqu'il m'est impossible de publier que je vous ai de grandes obligations, sans publier en même temps que vous m'avez assez estimé pour vouloir que je vous en eusse. Aussi, Madame, si je souhaite quelque durée pour cet heureux effort de ma plume, ce n'est point pour apprendre mon nom à la postérité, mais seulement pour laisser des marques éternelles de ce que je vous dois, et faire lire à ceux qui naîtront dans les autres siècles la protestation que je fais d'être toute ma vie,

**MADAME,**

Votre très humble, très obéissant et très
obligé serviteur,
CORNEILLE.

# AVERTISSEMENT

(1648)

## MARIANA

Lib. IX° de la *Historia d'España,* cap. v°.

"Avia pocos dias antes hecho campo con don Gomez conde de Gormaz. Venciòle y diòle la muerte. Lo que resultò deste caso, fué que casò con doña Ximena, hija y heredera del mismo conde. Ella misma requiriò al Rey que se le diesse por marido, ca estaba muy prendada de sus partes, o le castigasse conforme a las leyes, por la muerte que diò a su padre. Hizòse el casamiento que a todos estaba a cuento, con el qual por el gran dote de su esposa, que se allegò al estado que el tenia de su padre, se aumentò en poder y riquezas."

Voilà ce qu'a prêté l'histoire à D. Guillen de Castro,

qui a mis ce fameux événement sur le théâtre avant
moi. Ceux qui entendent l'espagnol y remarqueront
deux circonstances : l'une, que Chimène ne pouvant
s'empêcher de reconnoître et d'aimer les belles qualités
qu'elle voyoit en don Rodrigue, quoiqu'il eût tué son
père (*estaba prendada de sus partes*), alla proposer elle-
même au Roi cette généreuse alternative, ou qu'il le
lui donnât pour mari, ou qu'il le fît punir suivant
les lois ; l'autre, que ce mariage se fit au gré de
tout le monde (*a todos estaba a cuento*). Deux chro-
niques du Cid ajoutent qu'il fut célébré par l'arche-
vêque de Séville, en présence du Roi et de toute sa
cour ; mais je me suis contenté du texte de l'historien,
parce que toutes les deux ont quelque chose qui sent
le roman, et peuvent ne persuader pas davantage que
celles que nos François ont faites de Charlemagne et de
Roland. Ce que j'ai rapporté de Mariana suffit pour
faire voir l'état qu'on fit de Chimène et de son mariage
dans son siècle même, où elle vécut en un tel éclat, que
les rois d'Aragon et de Navarre tinrent à honneur
d'être ses gendres, en épousant ses deux filles. Quelques-uns ne l'ont pas si bien traitée dans le nôtre ; et
sans parler de ce qu'on a dit de la Chimène du théâtre,
celui qui a composé l'histoire d'Espagne en françois l'a
notée dans son livre de s'être tôt et aisément consolée
de la mort de son père, et a voulu taxer de légèreté
une action qui fut imputée à grandeur de courage par
ceux qui en furent les témoins. Deux romances espagnols, que je vous donnerai ensuite de cet *Avertisse-
ment,* parlent encore plus en sa faveur. Ces sortes de
petits poëmes sont comme des originaux décousus de
leurs anciennes histoires, et je serois ingrat envers la
mémoire de cette héroïne, si, après l'avoir fait connoître en France, et m'y être fait connoître par elle,
je ne tâchois de la tirer de la honte qu'on lui a voulu

faire, parce qu'elle a passé par mes mains. Je vous donne
donc ces pièces justificatives de la réputation où elle a
vécu, sans dessein de justifier la façon dont je l'ai fait
parler françois. Le temps l'a fait pour moi, et les tra-
ductions qu'on en a faites en toutes les langues qui servent aujourd'hui à la scène, et chez tous les peuples où
l'on voit des théâtres, je veux dire en italien, flamand et
anglois, sont d'assez glorieuses apologies contre tout ce
qu'on en a dit. Je n'y ajouterai pour toute chose qu'en-
viron une douzaine de vers espagnols qui semblent faits
exprès pour la défendre. Ils sont du même auteur qui
l'a traitée avant moi, D. Guillen de Castro, qui, dans
une autre comédie qu'il intitule *Engañarse engañando,*
fait dire à une princesse de Béarn :

> *A mirar*
> *bien el mundo, que el tener*
> *apetitos que vencer,*
> *y ocasiones que dexar,*
>     *Examinan el valor*
> *en la muger, yo dixera*
> *lo que siento, porque fuera*
> *luzimiento de mi honor.*
>     *Pero malicias fundadas*
> *en honras mal entendidas,*
> *de tentaciones vencidas*
> *hacen culpas declaradas:*
>     *Y asi, la que el desear*
> *con el resistir apunta,*
> *vence dos veces, si junta*
> *con el resistir el callar.*

C'est, si je ne me trompe, comme agit Chimène dans
mon ouvrage, en présence du Roi et de l'Infante. Je dis
en présence du Roi et de l'Infante, parce que quand elle

est seule, ou avec sa confidente, ou avec son amant,
c'est une autre chose. Ses mœurs sont inégalement
égales, pour parler en termes de notre Aristote, et
changent suivant les circonstances des lieux, des personnes, des temps et des occasions, en conservant toujours le même principe.

Au reste, je me sens obligé de désabuser le public de
deux erreurs qui s'y sont glissées touchant cette tragédie, et qui semblent avoir été autorisées par mon
silence. La première est que j'aie convenu de juges touchant son mérite, et m'en sois rapporté au sentiment
de ceux qu'on a priés d'en juger. Je m'en tairois
encore, si ce faux bruit n'avoit été jusque chez M. de
Balzac dans sa province, ou, pour me servir de ses
paroles mêmes, dans son désert, et si je n'en avois
vu depuis peu les marques dans cette admirable lettre
qu'il a écrite sur ce sujet, et qui ne fait pas la moindre
richesse des deux derniers trésors qu'il nous a données.
Or comme toute ce qui part de sa plume regarde toute
la postérité, maintenant que mon nom est assuré de
passer jusqu'à elle dans cette lettre incomparable, il
me seroit honteux qu'il passât avec cette tache, et
qu'on pût à jamais me reprocher d'avoir compromis de
ma réputation. C'est une chose qui jusqu'à présent est
sans exemple; et de tous ceux qui ont été attaqués
comme moi, aucun que je sache n'a eu assez de foiblesse pour convenir d'arbitres avec ses censeurs; et
s'ils ont laissé tout le monde dans la liberté publique
d'en juger, ainsi que j'ai fait, ç'a été sans s'obliger, non
plus que moi, à en croire personne; outre que dans la
conjoncture où étoient lors les affaires du *Cid,* il ne
falloit pas être grand devin pour prévoir ce que nous en
avons vu arriver. A moins que d'être tout à fait stupide, on ne pouvoit pas ignorer que comme les ques-
tions de cette nature ne concernent ni la religion ni

l'État, on en peut décider par les règles de la prudence humaine, aussi bien que par celles du théâtre, et tourner sans scrupule le sens du bon Aristote du côté de la politique. Ce n'est pas que je sache si ceux qui ont jugé du *Cid* en ont jugé suivant leur sentiment ou non, ni même que je veuille dire qu'ils en aient bien ou mal jugé, mais seulement que ce n'a jamais été de mon consentement qu'ils en ont jugé, et que peut-être je l'aurois justifié sans beaucoup de peine, si la même raison qui les a fait parler ne m'avoit obligé à me taire. Aristote ne s'est pas expliqué si clairement dans sa *Poétique,* que nous n'en puissions faire ainsi que les philosophes, qui le tirent chacun à leur parti dans leurs opinions contraires; et comme c'est un pays inconnu pour beaucoup de monde, les plus zélés partisans du *Cid* en ont cru ses censeurs sur leur parole, et se sont imaginé avoir pleinement satisfait à toutes leurs objections, quand ils ont soutenu qu'il importoit peu qu'il fût selon les règles d'Aristote, et qu'Aristote en avoit fait pour son siècle et pour des Grecs, et non pas pour le nôtre et pour des François.

Cette seconde erreur, que mon silence a affermie, n'est pas moins injurieuse à Aristote qu'à moi. Ce grand homme a traité la poétique avec tant d'adresse et de jugement, que les préceptes qu'il nous en a laissés sont de tous les temps et de tous les peuples; et bien loin de s'amuser au détail des bienséances et des agréments, qui peuvent être divers selon que ces deux circonstances sont diverses, il a été droit aux mouvements de l'âme, dont la nature ne change point. Il a montré quelles passions la tragédie doit exciter dans celles de ses auditeurs; il a cherché quelles conditions sont nécessaires, et aux personnes qu'on introduit, et aux événements qu'on représente, pour les y faire naître; il en a laissé des moyens qui auroient produit leur

effet partout dès la création du monde, et qui seront
capables de le produire encore partout, tant qu'il y
aura des théâtres et des acteurs; et pour le reste, que
les lieux et les temps peuvent changer, il l'a négligé,
et n'a pas même prescrit le nombre des actes, qui n'a
été réglé que par Horace beaucoup après lui.

Et certes, je serois le premier qui condamnerois *le Cid,*
s'il péchoit contre ces grandes et souveraines maximes
que nous tenons de ce philosophe; mais bien loin d'en
demeurer d'accord, j'ose dire que cet heureux poème
n'a si extraordinairement réussi que parce qu'on y voit
les deux .maîtresses conditions (permettez-moi cet
épithète) que demande ce grand maître aux excellentes
tragédies, et qui se trouvent si rarement assemblées dans
un même ouvrage, qu'un des plus doctes commentateurs
de ce divin traité qu'il en a fait, soutient que toute l'antiquité ne les a vues se rencontrer que dans le seul
*Œdipe.* La première est que celui qui souffre et est
persécuté ne soit ni tout méchant ni tout vertueux,
mais un homme plus vertueux que méchant, qui par
quelque trait de foiblesse humaine qui ne soit pas un
crime, tombe dans un malheur qu'il ne mérite pas;
l'autre, que la persécution et le péril ne viennent point
d'un ennemi, ni d'un indifférent, mais d'une personne
qui doive aimer celui qui souffre et en être aimée. Et
voilà, pour en parler sainement, la véritable et seule
cause de tout le succès du *Cid,* en qui l'on ne peut
méconnoître ces deux conditions, sans s'aveugler soi-
même pour lui faire injustice. J'achève donc en m'ac-
quittant de ma parole; et après vous avoir dit en passant ces deux mots pour le Cid du théâtre, je vous
donne, en faveur de la Chimène de l'histoire, les deux
romances que je vous ai promis.

J'oubliois à vous dire que quantité de mes amis
ayant jugé à propos que je rendisse compte au public

de ce que j'avois emprunté de l'auteur espagnol dans cet ouvrage, et m'ayant témoigné le souhaiter, j'ai bien voulu leur donner cette satisfaction. Vous trouverez donc tout ce que j'en ai traduit imprimé d'une autre lettre, avec un chiffre au commencement, qui servira de marque de renvoi pour trouver les vers espagnols au bas de la même page. Je garderai ce même ordre dans *la Mort de Pompée,* pour les vers de Lucain, ce qui n'empêchera pas que je ne continue aussi ce même changement de lettre toutes les fois que nos acteurs rapportent quelque chose qui s'est dit ailleurs que sur le théâtre, où vous n'imputerez rien qu'à moi si vous n'y voyez ce chiffre pour marque, et le texte d'un autre auteur au-dessous.

## ROMANCE PRIMERO

*Delante el rey de Leon*
*doña Ximena una tarde*
*se pone á pedir justicia*
*por la muerte de su padre.*

    *Para contra el Cid la pide,*
*don Rodrigo de Bivare,*
*que huerfana la dexó,*
*niña, y de muy poca edade.*

    *Si tengo razon, ó non,*
*bien, Rey, lo alcanzas y sabes,*
*que los negocios de honra*
*no pueden disimularse.*

    *Cada dia que amanece,*
*veo al lobo de mi sangre,*
*caballero en un caballo,*
*por darme mayor pesare.*

    *Mandale, buen rey, pues puedes,*
*que no me ronde mi calle:*

que no se venga en mugeres
el hombre que mucho vale.

Si mi padre afrentó al suyo,
bien ha vengado á su padre,
que si honras pagaron muertes,
para su disculpa basten.

Encomendada me tienes,
no consientas que me agravien,
que el que á mi se fiziere,
á tu corona se faze.

— Calledes, doña Ximena,
que me dades pena grande,
que yo daré buen remedio
para todos vuestros males.

Al Cid no le he de ofender,
que es hombre que mucho vale,
y me defiende mis reynos,
y quiero que me los guarde.

Pero yo faré un partido
con él, que no os esté male,
de tomalle la palabra
para que con vos se case.

Contenta quedó Ximena
con la merced que le faze,
que quien huerfana la fizo
aquesse mismo la ampare.


## ROMANCE SEGUNDO

A Ximena y á Rodrigo
prendió el Rey palabra y mano,
de juntarlos para en uno
en presencia de Layn Calvo.
Las enemistades viejas
con amor se conformaron,

*que donde preside el amor*
*se olvidan muchos agravios....*

   *Llegaron juntos los novios,*
*y al dar la mano, y abraço,*
*el Cid mirando á la novia,*
*le dixo todo turbado:*

   *Maté á tu padre, Ximena,*
*pero no á desaguisado,*
*matéle de hombre á hombre,*
*para vengar cierto agravio.*

   *Maté hombre, y hombre doy:*
*aqui estoy á tu mandado,*
*y en lugar del muerto padre*
*cobraste un marido honrado.*

   *A todos pareció bien;*
*su discrecion alabaron,*
*y asi se hizieron las bodas*
*de Rodrigo el Castellano.*

## EXAMEN

(1660)

Ce poème a tant d'avantages du côté du sujet et des pensées brillantes dont il est semé, que la plupart de ses auditeurs n'ont pas voulu voir les défauts de sa conduite, et ont laissé enlever leurs suffrages au plaisir que leur a donné sa représentation. Bien que ce soit celui de tous mes ouvrages réguliers où je me suis permis le plus de licence, il passe encore pour le plus beau auprès de ceux qui ne s'attachent pas à la dernière sévérité des règles; et depuis cinquante ans qu'il tient sa place sur nos théâtre, l'histoire ni l'effort de l'imagination n'y ont rien fait voir qui en ait effacé l'éclat. Aussi a-t-il les deux grandes conditions que demande

Aristote aux tragédies parfaites, et dont l'assemblage se rencontre si rarement chez les anciens ni chez les modernes; il les assemble même plus fortement et plus noblement que les espèces que pose ce philosophe. Une maîtresse que son devoir force à poursuivre la mort de son amant, qu'elle tremble d'obtenir, a les passions plus vives et plus allumées que tout ce qui peut se passer entre un mari et sa femme, une mère et son fils, un frère et sa sœur; et la haute vertu dans un naturel sensible à ces passions, qu'elle dompte sans les affoiblir, et à qui elle laisse toute leur force pour en triompher plus glorieusement, a quelque chose de plus touchant, de plus élevé et de plus aimable que cette médiocre bonté, capable d'une foiblesse, et même d'un crime, où nos anciens étoient contraints d'arrêter le caractère le plus parfait des rois et des princes dont ils faisoient leurs héros, afin que ces taches et ces forfaits, défigurant ce qu'ils leur laissoient de vertu, s'accommodassent au goût et aux souhaits de leurs spectateurs, et fortifiassent l'horreur qu'ils avoient conçue de leur domination et de la monarchie.

Rodrigue suit ici son devoir sans rien relâcher de sa passion; Chimène fait la même chose à son tour, sans laisser ébranler son dessein par la douleur où elle se voit abîmée par là; et si la présence de son amant lui fait faire quelque faux pas, c'est une glissade dont elle se relève à l'heure même; et non seulement elle connoît si bien sa faute qu'elle nous en avertit, mais elle fait un prompt désaveu de tout ce qu'une vue si chère lui a pu arracher. Il n'est point besoin qu'on lui reproche qu'il lui est honteux de souffrir l'entretien de son amant après qu'il a tué son père; elle avoue que c'est la seule prise que la médisance aura sur elle. Si elle s'emporte jusqu'à lui dire qu'elle veut bien qu'on sache qu'elle l'adore et le poursuit, ce n'est point une résolution si ferme, qu'elle l'empêche de cacher son amour de tout son possible lorsqu'elle est en la présence du Roi. S'il lui échappe de l'encourager au combat contre don Sanche par ces paroles:

Sors vainqueur d'un combat dont Chimène est le prix,

elle ne se contente pas de s'enfuir de honte au même moment; mais sitôt qu'elle est avec Elvire, à qui elle ne déguise rien de ce qui se passe dans son âme, et que la vue de ce cher objet ne lui fait plus de violence, elle forme un souhait plus raisonnable, qui satisfait sa vertu et son amour tout ensemble, et demande au ciel que le combat se termine

Sans faire aucun des deux ni vaincu ni vainqueur.

Si elle ne dissimule point qu'elle penche du côté de Rodrigue, de peur d'être à don Sanche, pour qui elle a de l'aversion, cela ne détruit point la protestation qu'elle a faite un peu auparavant, que malgré la loi de ce combat, et les promesses que le Roi a faites à Rodrigue, elle lui fera mille autres ennemis, s'il en sort victorieux. Ce grand éclat même qu'elle laisse faire à son amour après qu'elle le croit mort, est suivi d'une opposition vigoureuse à l'exécution de cette loi qui la donne à son amant, et elle ne se tait qu'après que le Roi l'a différée, et lui a laissé lieu d'espérer qu'avec le temps il y pourra survenir quelque obstacle. Je sais bien que le silence passe d'ordinaire pour une marque de consentement; mais quand les rois parlent, c'en est une de contradiction: on ne manque jamais à leur applaudir quand on entre dans leurs sentiments; et le seul moyen de leur contredire avec le respect qui leur est dû, c'est de se taire, quand leurs ordres ne sont pas si pressants qu'on ne puisse remettre à s'excuser de leur obéir lors-

que le temps en sera venu, et conserver cependant une
espérance légitime d'un empêchement, qu'on ne peut
encore déterminément prévoir.

Il est vrai que dans ce sujet il faut se contenter de
tirer Rodrigue de péril, sans le pousser jusqu'à son mariage avec Chimène. Il est historique, et a plu en son
temps; mais bien sûrement il déplairoit au nôtre; et
j'ai peine à voir que Chimène y consente chez l'auteur
espagnol, bien qu'il donne plus de trois ans de durée à
la comédie qu'il en a faite. Pour ne pas contredire l'histoire, j'ai cru ne me pouvoir dispenser d'en jeter quelque
idée, mais avec incertitude de l'effet; et ce n'étoit que
par là que je pouvois accorder la bienséance du théâtre
avec la vérité de l'événement.

Les deux visites que Rodrigue fait à sa maîtresse
ont quelque chose qui choque cette bienséance de la
part de celle qui les souffre; la rigueur du devoir vouloit qu'elle refusât de lui parler et s'enfermât dans son
cabinet, au lieu de l'écouter; mais permettez-moi de
dire avec un des premiers esprits de notre siècle, "que
leur conversation est remplie de si beaux sentiments,
que plusieurs n'ont pas connu ce défaut, et que ceux
qui l'ont connu l'ont toléré." J'irai plus outre et dirai
que tous presque ont souhaité que ces entretiens se
fissent; et j'ai remarqué aux premières représentations
qu'alors que ce malheureux amant se présentoit devant
elle, il s'élevoit un certain frémissement dans l'assemblée, qui marquoit une curiosité merveilleuse, et un
redoublement d'attention pour ce qu'ils avoient à se
dire dans un état si pitoyable. Aristote dit qu'il y a des
absurdités qu'il faut laisser dans un poème, quand on
peut espérer qu'elles seront bien reçues; et il est du
devoir du poète, en ce cas, de les couvrir de tant de
brillants, qu'elles puissent éblouir. Je laisse au jugement
de mes auditeurs si je me suis assez bien acquitté de

ce devoir pour justifier par là ces deux scènes. Les pensées de la première des deux sont quelquefois trop
spirituelles pour partir de personnes fort affligées ; mais
outre que je n'ai fait que la paraphraser de l'espagnol, si nous ne nous permettions quelque chose de
plus ingénieux que le cours ordinaire de la passion, nos
poèmes ramperoient souvent, et les grandes douleurs
ne mettroient dans la bouche de nos acteurs que des
exclamations et des hélas. Pour ne déguiser rien, cette
offre que fait Rodrigue de son épée à Chimène, et cette
protestation de se laisser tuer par don Sanche, ne me
plairoient pas maintenant. Ces beautés étoient de mise
en ce temps-là, et ne le seroient plus en celui-ci. La
première est dans l'original espagnol, et l'autre est
tirée sur ce modèle. Toutes les deux ont fait leur effet
en ma faveur ; mais je ferois scrupule d'en étaler de
pareilles à l'avenir sur notre théâtre.

J'ai dit ailleurs ma pensée touchant l'Infante et le
Roi ; il reste néanmoins quelque chose à examiner sur
la manière dont ce dernier agit, qui ne paroît pas assez
vigoureuse, en ce qu'il ne fait pas arrêter le Comte
après le soufflet donné, et n'envoie pas des gardes à
don Diègue et à son fils. Sur quoi on peut considérer
que don Fernand étant le premier roi de Castille, et
ceux qui en avoient été maîtres auparavant lui n'ayant
eu titre que de comtes, il n'étoit peut-être pas assez
absolu sur les grands seigneurs de son royaume pour
le pouvoir faire. Chez don Guillen de Castro, qui a
traité ce sujet avant moi, et qui devoit mieux connoître
que moi quelle étoit l'autorité de ce premier monarque
de son pays, le soufflet se donne en sa présence et en
celle de deux ministres d'État, qui lui conseillent, après
que le Comte s'est retiré fièrement et avec bravade, et
que don Diègue a fait la même chose en soupirant, de
ne le pousser point à bout, parce qu'il a quantité d'amis

dans les Asturies, qui se pourroient révolter, et prendre parti avec les Maures dont son État est environné. Ainsi il se résout d'accommoder l'affaire sans bruit, et recommande le secret à ces deux ministres, qui ont été seuls témoins de l'action. C'est sur cet exemple que je me suis cru bien fondé à le faire agir plus mollement qu'on ne feroit en ce temps-ci, où l'autorité royale est plus absolue. Je ne pense pas non plus qu'il fasse une faute bien grande de ne jeter point l'alarme de nuit dans sa ville, sur l'avis incertain qu'il a du dessein des Maures, puisqu'on faisoit bonne garde sur les murs et sur le port; mais il est inexcusable de n'y donner aucun ordre après leur arrivée, et de laisser tout faire à Rodrigue. La loi du combat qu'il propose à Chimène avant que de le permettre à don Sanche contre Rodrigue, n'est pas si injuste que quelques-uns ont voulu le dire, parce qu'elle est plutôt une menace pour la faire dédire de la demande de ce combat, qu'un arrêt qu'il lui veuille faire exécuter. Cela paroît en ce qu'après la victoire de Rodrigue il n'en exige pas précisément l'effet de sa parole, et la laisse en état d'espérer que cette condition n'aura point de lieu.

Je ne puis dénier que la règle des vingt et quatre heures presse trop les incidents de cette pièce. La mort du Comte et l'arrivée des Maures s'y pouvoient entresuivre d'aussi près qu'elles font, parce que cette arrivée est une surprise qui n'a point de communication, ni de mesures à prendre avec le reste; mais il n'en va pas ainsi du combat de don Sanche, dont le Roi étoit le maître, et pouvoit lui choisir un autre temps que deux heures après la fuite des Maures. Leur défaite avoit assez fatigué Rodrigue toute la nuit, pour mériter deux ou trois jours de repos, et même il y avoit quelque apparence qu'il n'en étoit pas échappé sans blessures, quoi-

que je n'en aie rien dit, parce qu'elles n'auroient fait
que nuire à la conclusion de l'action.

Cette même règle presse aussi trop Chimène de demander justice au Roi la seconde fois. Elle l'avoit fait
le soir d'auparavant, et n'avoit aucun sujet d'y re-
tourner le lendemain matin pour en importuner le
Roi, dont elle n'avoit encore aucun lieu de se plaindre,
puisqu'elle ne pouvoit encore dire qu'il lui eût manqué
de promesse. Le roman lui auroit donné sept ou huit
jours de patience avant que de l'en presser de nouveau; mais les vingt et quatre heures ne l'ont pas permis: c'est l'incommodité de la règle.

Passons à celle de l'unité de lieu, qui ne m'a pas
donné moins de gêne en cette pièce. Je l'ai placé
dans Séville, bien que don Fernand n'en ait jamais
été le maître; et j'ai été obligé à cette falsification,
pour former quelque vraisemblance à la descente des
Maures, dont l'armée ne pouvoit venir si vite par terre
que par eau. Je ne voudrois pas assurer toutefois que
le flux de la mer monte effectivement jusque-là; mais
comme dans notre Seine il fait encore plus de chemin
qu'il ne lui en faut faire sur le Guadalquivir pour battre
les murailles de cette ville, cela peut suffire à fonder
quelque probabilité parmi nous, pour ceux qui n'ont
point été sur le lieu même.

Cette arrivée des Maures ne laisse pas d'avoir ce défaut, que j'ai marqué ailleurs, qu'ils se présentent
d'eux-mêmes, sans être appelés dans la pièce, direc-
tement ni indirectement, par aucun acteur du premier
acte. Ils ont plus de justesse dans l'irrégularité de
l'auteur espagnol: Rodrigue, n'osant plus se montrer
à la cour, les va combattre sur la frontière; et ainsi
le premier acteur les va chercher, et leur donne place
dans le poème, au contraire de ce qui arrive ici, où
ils semblent se venir faire de fête exprès pour en être

battus, et lui donner moyen de rendre à son roi un
service d'importance, qui lui fasse obtenir sa grâce.
C'est une seconde incommodité de la règle dans cette
tragédie.

Tout s'y passe donc dans Séville, et garde ainsi quelque espèce d'unité de lieu en général; mais le lieu particulier change de scène en scène, et tantôt c'est le
palais du Roi, tantôt l'appartement de l'Infante, tantôt
la maison de Chimène, et tantôt une rue ou place
publique. On le détermine aisément pour les scènes
détachées; mais pour celles qui ont leur liaison ensemble, comme les quatre dernières du premier acte,
il est malaisé d'en choisir un qui convienne à toutes.
Le Comte et don Diègue se querellent au sortir du
palais; cela se peut passer dans une rue; mais après
le soufflet reçu, don Diègue ne peut pas demeurer en
cette rue à faire ses plaintes, attendant que son fils
survienne, qu'il ne soit tout aussitôt environné de
peuple, et ne reçoive l'offre de quelques amis. Ainsi il
seroit plus à propos qu'il se plaignît dans sa maison,
où le met l'Espagnol, pour laisser aller ses sentiments
en liberté; mais en ce cas il faudroit délier les scènes
comme il a fait. En l'état où elles sont ici, on peut dire
qu'il faut quelquefois aider au théâtre, et suppléer
favorablement ce qui ne s'y peut représenter. Deux
personnes s'y arrêtent pour parler, et quelquefois il
faut présumer qu'ils marchent, ce qu'on ne peut exposer sensiblement à la vue, parce qu'ils échapperoient
aux yeux avant que d'avoir pu dire ce qu'il est nécessaire qu'ils fassent savoir à l'auditeur. Ainsi, par une
fiction de théâtre, on peut s'imaginer que don Diègue
et le Comte, sortant du palais du Roi, avancent toujours en se querellant, et sont arrivés devant la maison
de ce premier lorsqu'il reçoit le soufflet qui l'oblige à
y entrer pour y chercher du secours. Si cette fiction

poétique ne vous satisfait point, laissons-le dans la
place publique, et disons que le concours du peuple
autour de lui après cette offense, et les offres de service que lui font les premiers amis qui s'y rencontrent
sont des circonstances que le roman ne doit pas oublier;
mais que ces menues actions ne servant de rien à la
principale, il n'est pas besoin que le poète s'en embarrasse sur la scène. Horace l'en dispense par ces
vers:

>   *Hoc amet, hoc spernat promissi carminis auctor;*
>   *Pleraque negligat.*

Et ailleurs:

>   *Semper ad eventum festinet.*

C'est ce qui m'a fait négliger, au troisième acte, de
donner à don Diègue, pour aide à chercher son fils,
aucun des cinq cents amis qu'il avoit chez lui. Il y a
grande apparence que quelques-uns d'eux l'y accom-
pagnoient, et même que quelques autres le cherchoient
pour lui d'un autre côté; mais ces accompagnements
inutiles de personnes qui n'ont rien à dire, puisque
celui qu'ils accompagnent a seul tout l'intérêt à l'action, ces sortes d'accompagnements, dis-je, ont toujours mauvaise grâce au théâtre, et d'autant plus que
les comédiens n'emploient à ces personnages muets que
leurs moucheurs de chandelles et leurs valets, qui ne
savent quelle posture tenir.

Les funérailles du Comte étoient encore une chose
fort embarrassante, soit qu'elles se soient faites avant
la fin de la pièce, soit que le corps ait demeuré en
présence dans son hôtel, attendant qu'on y donnât
ordre. Le moindre mot que j'en eusse laissé dire,
pour en prendre soin, eût rompu toute la chaleur de

l'attention, et rempli l'auditeur d'une fâcheuse idée.
J'ai cru plus à propos de les dérober à son imagination par mon silence, aussi bien que le lieu précis
de ces quatre scènes du premier acte dont je viens de
parler; et je m'assure que cet artifice m'a si bien
réussi, que peu de personnes ont pris garde à l'un ni
à l'autre, et que la plupart des spectateurs, laissant
emporter leurs esprits à ce qu'ils ont vu et entendu de
pathétique en ce poème, ne se sont point avisés de
réfléchir sur ces deux considérations.

J'achève par une remarque sur ce que dit Horace, que
ce qu'on expose à la vue touche bien plus que ce qu'on
n'apprend que par un récit.

C'est sur quoi je me suis fondé pour faire voir le
soufflet que reçoit don Diègue, et cacher aux yeux la
mort du Comte, afin d'acquérir et conserver à mon
premier acteur l'amitié des auditeurs, si nécessaire
pour réussir au théâtre. L'indignité d'un affront fait
à un vieillard, chargé d'années et de victoires, les jette
aisément dans le parti de l'offensé; et cette mort, qu'on
vient dire au Roi tout simplement sans aucune narration touchante, n'excite point en eux la commisé-
ration qu'y eût fait naître le spectacle de son sang, et
ne leur donne aucune aversion pour ce malheureux
amant, qu'ils ont vu forcé par ce qu'il devoit à son
honneur d'en venir à cette extrémité, malgré l'intérêt
et la tendresse de son amour.

# LE CID

## TRAGÉDIE

# PERSONNAGES

DON FERNAND, *premier roi de Castille.*
DONA URRAQUE, *infante de Castille.*
DON DIÈGUE, *père de don Rodrigue.*
DON GOMÈS, *comte de Gormas, père de Chimène.*
DON RODRIGUE, *amant de Chimène.*
DON SANCHE, *amoureux de Chimène.*
DON ARIAS,
DON ALONSE, } *gentilshommes castillans.*
CHIMÈNE, *fille de don Gomès.*
LÉONOR, *gouvernante de l'Infante.*
ELVIRE, *gouvernante de Chimène.*
UN PAGE *de l'Infante.*

La scène est à Séville.

# LE CID

## ACTE I

## SCÈNE PREMIÈRE

*Chimène, Elvire*

CHIMÈNE

Elvire, m'as-tu fait un rapport bien sincère?
Ne déguises-tu rien de ce qu'a dit mon père?

ELVIRE

Tous mes sens à moi-même en sont encor charmés:
Il estime Rodrigue autant que vous l'aimez,
Et si je ne m'abuse à lire dans son âme,                        5
Il vous commandera de répondre à sa flamme.

CHIMÈNE

Dis-moi donc, je te prie, une seconde fois
Ce qui te fait juger qu'il approuve mon choix:
Apprends-moi de nouveau quel espoir j'en dois prendre;
Un si charmant discours ne se peut trop entendre;             10
Tu ne peux trop promettre aux feux de notre amour
La douce liberté de se montrer au jour.
Que t'a-t-il répondu sur la secrète brigue
Que font auprès de toi don Sanche et don Rodrigue?
N'as-tu point trop fait voir quelle inégalité                 15
Entre ces deux amants me penche d'un côté?

ELVIRE

Non; j'ai peint votre cœur dans une indifférence
Qui n'enfle d'aucun d'eux ni détruit l'espérance,

25

Et sans les voir d'un œil trop sévère ou trop doux,
Attend l'ordre d'un père à choisir un époux.          20
Ce respect l'a ravi, sa bouche et son visage
M'en ont donné sur l'heure un digne témoignage,
Et puisqu'il vous en faut encor faire un récit,
Voici d'eux et de vous ce qu'en hâte il m'a dit :
"Elle est dans le devoir; tous deux sont dignes d'elle,  25
Tous deux formés d'un sang noble, vaillant, fidèle,
Jeunes, mais qui font lire aisément dans leurs yeux
L'éclatante vertu de leurs braves aïeux.
Don Rodrigue surtout n'a trait en son visage
Qui d'un homme de cœur ne soit la haute image,     30
Et sort d'une maison si féconde en guerriers,
Qu'ils y prennent naissance au milieu des lauriers.
La valeur de son père, en son temps sans pareille,
Tant qu'a duré sa force, a passé pour merveille;
Ses rides sur son front ont gravé ses exploits,      35
Et nous disent encor ce qu'il fut autrefois.
Je me promets du fils ce que j'ai vu du père;
Et ma fille, en un mot, peut l'aimer et me plaire."
Il alloit au conseil, dont l'heure qui pressoit
A tranché ce discours qu'à peine il commençoit;     40
Mais à ce peu de mots je crois que sa pensée
Entre vos deux amants n'est pas fort balancée.
Le Roi doit à son fils élire un gouverneur,
Et c'est lui que regarde un tel degré d'honneur :
Ce choix n'est pas douteux, et sa rare vaillance     45
Ne peut souffrir qu'on craigne aucune concurrence.
Comme ses hauts exploits le rendent sans égal,
Dans un espoir si juste il sera sans rival;
Et puisque don Rodrigue a résolu son père
Au sortir du conseil à proposer l'affaire,            50
Je vous laisse à juger s'il prendra bien son temps,
Et si tous vos désirs seront bientôt contents.

### CHIMÈNE

Il semble toutefois que mon âme troublée
Refuse cette joie, et s'en trouve accablée:
Un moment donne au sort des visages divers,          55
Et dans ce grand bonheur je crains un grand revers.

### ELVIRE

Vous verrez cette crainte heureusement déçue.

### CHIMÈNE

Allons, quoi qu'il en soit, en attendre l'issue.

## SCÈNE II

### *L'Infante, Léonor,* PAGE.

### L'INFANTE

Page, allez avertir Chimène de ma part
Qu'aujourd'hui pour me voir elle attend un peu tard,     60
Et que mon amitié se plaint de sa paresse.

*(Le Page rentre.)*

### LÉONOR

Madame, chaque jour même désir vous presse;
Et dans son entretien je vous vois chaque jour
Demander en quel point se trouve son amour.

### L'INFANTE

Ce n'est pas sans sujet: je l'ai presque forcée          65
A recevoir les traits dont son âme est blessée.
Elle aime don Rodrigue, et le tient de ma main,
Et par moi don Rodrigue a vaincu son dédain:
Ainsi de ces amants ayant formé les chaînes,
Je dois prendre intérêt à voir finir leurs peines.       70

LÉONOR

Madame, toutefois parmi leurs bons succès
Vous montrez un chagrin qui va jusqu'à l'excès.
Cet amour, qui tous deux les comble d'allégresse,
Fait-il de ce grand cœur la profonde tristesse,
Et ce grand intérêt que vous prenez pour eux          75
Vous rend-il malheureuse alors qu'ils sont heureux?
Mais je vais trop avant, et deviens indiscrète.

L'INFANTE

Ma tristesse redouble à la tenir secrète.
Écoute, écoute enfin comme j'ai combattu,
Écoute quels assauts brave encor ma vertu.          80
    L'amour est un tyran qui n'épargne personne:
Ce jeune cavalier, cet amant que je donne,
Je l'aime.

LÉONOR

        Vous l'aimez!

L'INFANTE

                Mets la main sur mon cœur,
Et vois comme il se trouble au nom de son vainqueur,
Comme il le reconnoît.

LÉONOR

                Pardonnez-moi, Madame,          85
Si je sors du respect pour blâmer cette flamme.
Une grande princesse à ce point s'oublier
Que d'admettre en son cœur un simple cavalier!
Et que diroit le Roi? que diroit la Castille?
Vous souvient-il encor de qui vous êtes fille?          90

L'INFANTE

Il m'en souvient si bien que j'épandrai mon sang
Avant que je m'abaisse à démentir mon rang.
Je te répondrois bien que dans les belles âmes

Le seul mérite a droit de produire des flammes;
Et si ma passion cherchoit à s'excuser,                    95
Mille exemples fameux pourroient l'autoriser,
Mais je n'en veux point suivre où ma gloire s'engage;
La surprise des sens n'abat point mon courage;
Et je me dis toujours qu'étant fille de roi,
Tout autre qu'un monarque est indigne de moi.             100
Quand je vis que mon cœur ne se pouvoit défendre,
Moi-même je donnai ce que je n'osois prendre.
Je mis, au lieu de moi, Chimène en ses liens,
Et j'allumai leurs feux pour éteindre les miens.
Ne t'étonne donc plus si mon âme gênée                     105
Avec impatience attend leur hyménée:
Tu vois que mon repos en dépend aujourd'hui.
Si l'amour vit d'espoir, il périt avec lui;
C'est un feu qui s'éteint, faute de nourriture;
Et malgré la rigueur de ma triste aventure,               110
Si Chimène a jamais Rodrigue pour mari,
Mon espérance est morte, et mon esprit guéri.

    Je souffre cependant un tourment incroyable:
Jusques à cet hymen Rodrigue m'est aimable;
Je travaille à le perdre, et le perds à regret;           115
Et de là prend son cours mon déplaisir secret.
Je vois avec chagrin que l'amour me contraigne
A pousser des soupirs pour ce que je dédaigne;
Je sens en deux partis mon esprit divisé:
Si mon courage est haut, mon cœur est embrasé;            120
Cet hymen m'est fatal, je le crains, et souhaite:
Je n'ose en espérer qu'une joie imparfaite.
Ma gloire et mon amour ont pour moi tant d'appas,
Que je meurs s'il s'achève ou ne s'achève pas.

LÉONOR

Madame, après cela je n'ai rien à vous dire,              125
Sinon que de vos maux avec vous je soupire:

Je vous blâmois tantôt, je vous plains à présent;
Mais puisque dans un mal si doux et si cuisant
Votre vertu combat et son charme et sa force,
En repousse l'assaut, en rejette l'amorce,          130
Elle rendra le calme à vos esprits flottants.
Espérez donc tout d'elle, et du secours du temps;
Espérez tout du ciel : il a trop de justice
Pour laisser la vertu dans un si long supplice.


                    L'INFANTE

Ma plus douce espérance est de perdre l'espoir.        135


                    LE PAGE

Par vos commandements Chimène vous vient voir.


                L'INFANTE, à *Léonor*

Allez, l'entretenir en cette galerie.


                    LÉONOR

Voulez-vous demeurer dedans la rêverie?


                    L'INFANTE

Non, je veux seulement, malgré mon déplaisir,
Remettre mon visage un peu plus à loisir.              140
Je vous suis.

            Juste ciel, d'où j'attends mon remède,
Mets enfin quelque borne au mal qui me possède:
Assure mon repos, assure mon honneur.
Dans le bonheur d'autrui je cherche mon bonheur:
Cet hyménée à trois également importe;                 145
Rends son effet plus prompt, ou mon âme plus forte.
D'un lien conjugal joindre ces deux amants,
C'est briser tous mes fers, et finir mes tourments.
Mais je tarde un peu trop: allons trouver Chimène,
Et par son entretien soulager notre peine.            150

## SCÈNE III

*Le Comte, Don Diègue*

#### LE COMTE

Enfin vous l'emportez, et la faveur du Roi
Vous élève en un rang qui n'étoit dû qu'à moi:
Il vous fait gouverneur du prince de Castille.

#### DON DIÈGUE

Cette marque d'honneur qu'il met dans ma famille
Montre à tous qu'il est juste, et fait connoître assez    155
Qu'il sait récompenser les services passés.

#### LE COMTE

Pour grands que soient les rois, ils sont ce que nous
      sommes:
Ils peuvent se tromper comme les autres hommes;
Et ce choix sert de preuve à tous les courtisans
Qu'ils savent mal payer les services présents.    160

#### DON DIÈGUE

Ne parlons plus d'un choix dont votre esprit s'irrite:
La faveur l'a pu faire autant que le mérite;
Mais on doit ce respect au pouvoir absolu,
De n'examiner rien quand un roi l'a voulu.
A l'honneur qu'il m'a fait ajoutez-en un autre;    165
Joignons d'un sacré nœud ma maison à la vôtre:
Vous n'avez qu'une fille, et moi je n'ai qu'un fils;
Leur hymen nous peut rendre à jamais plus qu'amis:
Faites-nous cette grâce, et l'acceptez pour gendre.

#### LE COMTE

A des partis plus hauts ce beau fils doit prétendre;    170
Et le nouvel éclat de votre dignité

Lui doit enfler le cœur d'une autre vanité.
Exercez-la, Monsieur, et gouvernez le Prince:
Montrez-lui comme il faut régir une province,
Faire trembler partout les peuples sous sa loi,                 175
Remplir les bons d'amour, et les méchants d'effroi.
Joignez à ces vertus celles d'un capitaine:
Montrez-lui comme il faut s'endurcir à la peine,
Dans le métier de Mars se rendre sans égal,
Passer les jours entiers et les nuits à cheval,                 180
Reposer tout armé, forcer une muraille,
Et ne devoir qu'à soi le gain d'une bataille.
Instruisez-le d'exemple, et rendez-le parfait,
Expliquant à ses yeux vos leçons par l'effet.

### DON DIÈGUE

Pour s'instruire d'exemple, en dépit de l'envie,              185
Il lira seulement l'histoire de ma vie.
Là, dans un long tissu de belles actions,
Il verra comme il faut dompter des nations,
Attaquer une place, ordonner une armée,
Et sur de grands exploits bâtir sa renommée.                 190

### LE COMTE

Les exemples vivants sont d'un autre pouvoir;
Un prince dans un livre apprend mal son devoir.
Et qu'a fait après tout ce grand nombre d'années,
Que ne puisse égaler une de mes journées?
Si vous fûtes vaillant, je le suis aujourd'hui,             195
Et ce bras du royaume est le plus ferme appui.
Grenade et l'Aragon tremblent quand ce fer brille;
Mon nom sert de rempart à toute la Castille:
Sans moi, vous passeriez bientôt sous d'autres lois,
Et vous auriez bientôt vos ennemis pour rois.               200
Chaque jour, chaque instant, pour rehausser ma gloire,
Met lauriers sur lauriers, victoire sur victoire.

Le Prince à mes côtés feroit dans les combats
L'essai de son courage à l'ombre de mon bras;
Il apprendroit à vaincre en me regardant faire;                    205
Et pour répondre en hâte à son grand caractère,
Il verroit . . .

DON DIÈGUE

          Je le sais, vous servez bien le Roi:
Je vous ai vu combattre et commander sous moi.
Quand l'âge dans mes nerfs a fait (couler) sa glace,
Votre rare valeur a bien rempli ma place;                          210
Enfin, pour épargner les discours superflus,
Vous êtes aujourd'hui ce qu'autrefois je fus.
Vous voyez toutefois qu'en cette concurrence
Un monarque entre nous met quelque différence.

LE COMTE

Ce que je méritois, vous l'avez emporté.                           215

DON DIÈGUE

Qui l'a gagné sur vous l'avoit mieux mérité.

LE COMTE

Qui peut mieux l'exercer en est bien le plus digne.

DON DIÈGUE

En être refusé n'en est pas un bon signe.

LE COMTE

Vous l'avez eu par (brigue,) étant vieux courtisan.

DON DIÈGUE

L'(éclat) de mes (hauts) faits fut mon seul partisan.              220

LE COMTE

Parlons-en mieux, le Roi fait honneur à votre âge.

DON DIÈGUE

Le Roi, quand il en fait, le mesure au courage.

LE COMTE

Et par là cet honneur n'étoit dû qu'à mon bras.

DON DIÈGUE

Qui n'a pu l'obtenir ne le méritoit pas.

LE COMTE

Ne le méritoit pas! Moi?

DON DIÈGUE

Vous.

LE COMTE

Ton impudence, 225
Téméraire vieillard, aura sa récompense.

(Il lui donne un soufflet.)

DON DIÈGUE, mettant l'épée à la main.

Achève, et prends ma vie après un tel affront,
Le premier dont ma race ait vu rougir son front.

LE COMTE

Et que penses-tu faire avec tant de foiblesse?

DON DIÈGUE

O Dieu! ma force usée en ce besoin me laisse! 230

LE COMTE

Ton épée est à moi; mais tu serois trop vain,
Si ce honteux trophée avoit chargé ma main.

Adieu: fais lire au Prince, en dépit de l'envie,
Pour son instruction, l'histoire de ta vie:
D'un insolent discours ce juste châtiment                    235
Ne lui servira pas d'un petit ornement.


## SCÈNE IV

### Don Diègue

O rage! ô désespoir! ô vieillesse ennemie!
N'ai-je donc tant vécu que pour cette infamie?
Et ne suis-je blanchi dans les travaux guerriers
Que pour voir en un jour (flétrir) tant de lauriers?    240
Mon bras, qu'avec respect toute l'Espagne admire,
Mon bras, qui tant de fois a sauvé cet empire,
Tant de fois affermi le trône de son roi,
(Trahit) donc ma querelle, et ne fait rien pour moi?
O cruel souvenir de ma gloire passée!                    245
Œuvre de tant de jours en un jour effacée!
Nouvelle dignité, fatale à mon bonheur!
Précipice élevé d'où tombe mon honneur!
Faut-il de votre (éclat) voir triompher le Comte,
Et mourir sans vengeance, ou vivre dans la honte?    250
Comte, sois de mon prince à présent gouverneur:
Ce haut rang n'admet point un homme sans honneur;
Et ton jaloux orgueil, par cet affront (insigne,)
Malgré le choix du Roi, m'en a su rendre indigne.
Et toi, de mes exploits glorieux instrument,            255
Mais d'un corps tout de glace inutile ornement,
Fer, (jadis) tant à craindre, et qui, dans cette offense,
M'as servi de parade, et non pas de défense,
Va, quitte (désormais) le dernier des humains,
Passe, pour me venger, en de meilleures mains.        260

## SCÈNE V

*Don Diègue, Don Rodrigue*

DON DIÈGUE

Rodrigue, as-tu du cœur?

DON RODRIGUE

                Tout autre que mon père
L'éprouveroit sur l'heure.

DON DIÈGUE

                Agréable colère!
Digne ressentiment à ma douleur bien doux!
Je reconnois mon sang à ce noble courroux;
Ma jeunesse revit en cette ardeur si prompte.          265
Viens, mon fils, viens, mon sang, viens réparer ma honte;
Viens me venger.

DON RODRIGUE

        De quoi?

DON DIÈGUE

                D'un affront si cruel,
Qu'à l'honneur de tous deux il porte un coup mortel:
D'un soufflet. L'insolent en eût perdu la vie;
Mais mon âge a trompé ma généreuse envie:          270
Et ce fer que mon bras ne peut plus soutenir,
Je le remets au tien pour venger et punir.
   Va contre un arrogant éprouver ton courage:
Ce n'est que dans le sang qu'on lave un tel outrage;
Meurs ou tue. Au surplus, pour ne te point flatter,          275
Je te donne à combattre un homme à redouter:
Je l'ai vu, tout couvert de sang et de poussière,
Porter partout l'effroi dans une armée entière.
J'ai vu par sa valeur cent escadrons rompus;

Et pour t'en dire encor quelque chose de plus,          280
Plus que brave soldat, plus que grand capitaine,
C'est . . .

DON RODRIGUE

De grâce, achevez.

DON DIÈGUE

Le père de Chimène.

DON RODRIGUE

Le . . .

DON DIÈGUE

Ne réplique point, je connois ton amour ;
Mais qui peut vivre infâme est indigne du jour.
Plus l'offenseur est cher, et plus grande est l'offense. 285
Enfin tu sais l'affront, et tu tiens la vengeance :
Je ne te dis plus rien. Venge-moi, venge-toi ;
Montre-toi digne fils d'un père tel que moi.
Accablé des malheurs où le destin me range,
Je vais les déplorer : va, cours, vole, et nous venge.          290

## SCÈNE VI

*Don Rodrigue*

Percé jusques au fond du cœur
D'une atteinte imprévue aussi bien que mortelle,
Misérable vengeur d'une juste querelle,
Et malheureux objet d'une injuste rigueur,
Je demeure immobile, et mon âme abattue          295
Cède au coup qui me tue.
Si près de voir mon feu récompensé,
O Dieu, l'étrange peine !
En cet affront mon père est l'offensé,
Et l'offenseur le père de Chimène !          300

Que je sens de rudes combats!
Contre mon propre honneur mon amour s'intéresse:
Il faut venger un père, et perdre une maîtresse:
L'un m'anime le cœur, l'autre retient mon bras.

Réduit au triste choix ou de trahir ma flamme,          305
        Ou de vivre en infâme,
    Des deux côtés mon mal est infini.
        O Dieu, l'étrange peine!
    Faut-il laisser un affront impuni?
    Faut-il punir le père de Chimène?               310

    Père, maîtresse, honneur, amour,
Noble et dure contrainte, aimable tyrannie,
Tous mes plaisirs sont morts, ou ma gloire ternie.
L'un me rend malheureux, l'autre indigne du jour.
Cher et cruel espoir d'une âme généreuse,             315
        Mais ensemble amoureuse,
    Digne ennemi de mon plus grand bonheur,
        Fer qui causes ma peine,
    M'es-tu donné pour venger mon honneur?
    M'es-tu donné pour perdre ma Chimène?           320

    Il vaut mieux courir au trépas.
Je dois à ma maîtresse aussi bien qu'à mon père:
J'attire en me vengeant sa haine et sa colère;
J'attire ses mépris en ne me vengeant pas.
A mon plus doux espoir l'un me rend infidèle,         325
        Et l'autre indigne d'elle.
    Mon mal augmente à le vouloir guérir;
        Tout redouble ma peine.
    Allons, mon âme; et puisqu'il faut mourir,
    Mourons du moins sans offenser Chimène.          330

    Mourir sans tirer ma raison!
Rechercher un trépas si mortel à ma gloire!
Endurer que l'Espagne impute à ma mémoire

D'avoir mal soutenu l'honneur de ma maison!
Respecter un amour dont mon âme égarée                335
          Voit la perte assurée!
     N'écoutons plus ce penser suborneur,
          Qui ne sert qu'à ma peine.
     Allons, mon bras, sauvons du moins l'honneur,
     Puisqu'après tout il faut perdre Chimène.        340

          Oui, mon esprit s'étoit déçu.
Je dois tout à mon père avant qu'à ma maîtresse.
Que je meure au combat, ou meure de tristesse,
Je rendrai mon sang pur comme je l'ai reçu.
Je m'accuse déjà de trop de négligence:              345
          Courons à la vengeance;
     Et tout honteux d'avoir tant balancé,
          Ne soyons plus en peine,
     Puisqu'aujourd'hui mon père est l'offensé,
     Si l'offenseur est père de Chimène.             350


## ACTE II

### SCÈNE PREMIÈRE

*Don Arias, Le Comte*

#### LE COMTE

Je l'avoue entre nous, mon sang un peu trop chaud
S'est trop ému d'un mot, et l'a porté trop haut;
Mais puisque c'en est fait, le coup est sans remède.

#### DON ARIAS

Qu'aux volontés du Roi ce grand courage cède:
Il y prend grande part, et son cœur irrité          355
Agira contre vous de pleine autorité.
Aussi vous n'avez point de valable défense:

Le rang de l'offensé, la grandeur de l'offense,
Demandent des devoirs et des submissions
Qui passent le commun des satisfactions.                    360

LE COMTE

Le Roi peut à son gré disposer de ma vie.

DON ARIAS

De trop d'emportement votre faute est suivie.
Le Roi vous aime encore; apaisez son courroux.
Il a dit: "Je le veux"; désobéirez-vous?

LE COMTE

Monsieur, pour conserver tout ce que j'ai d'estime,     365
Désobéir un peu n'est pas un si grand crime;
Et quelque grand qu'il soit, mes services présents
Pour le faire abolir sont plus que suffisants.

DON ARIAS

Quoi qu'on fasse d'illustre et de considérable,
Jamais à son sujet un roi n'est redevable.               370
Vous vous flattez beaucoup, et vous devez savoir
Que qui sert bien son roi ne fait que son devoir.
Vous vous perdrez, Monsieur, sur cette confiance.

LE COMTE

Je ne vous en croirai qu'après l'expérience.

DON ARIAS

Vous devez redouter la puissance d'un roi.              375

LE COMTE

Un jour seul ne perd pas un homme tel que moi.
Que toute sa grandeur s'arme pour mon supplice,
Tout l'État périra, s'il faut que je périsse.

DON ARIAS

Quoi! vous craignez si peu le pouvoir souverain . . .

LE COMTE

D'un sceptre qui sans moi tomberoit de sa main.          380
Il a trop d'intérêt lui-même en ma personne,
Et ma tête en tombant feroit choir sa couronne.

DON ARIAS

Souffrez que la raison remette vos esprits.
Prenez un bon conseil.

LE COMTE

Le conseil en est pris.

DON ARIAS

Que lui dirai-je enfin? je lui dois rendre conte.          385

LE COMTE

Que je ne puis du tout consentir à ma honte.

DON ARIAS

Mais songez que les rois veulent être absolus.

LE COMTE

Le sort en est jeté, Monsieur, n'en parlons plus.

DON ARIAS

Adieu donc, puisqu'en vain je tâche à vous résoudre:
Avec tous vos lauriers, craignez encor le foudre.          390

LE COMTE

Je l'attendrai sans peur.

DON ARIAS

Mais non pas sans effet.

LE COMTE

Nous verrons donc par là don Diègue satisfait.
(*Il est seul.*)
Qui ne craint point la mort ne craint point les menaces.
J'ai le cœur au-dessus des plus fières disgrâces;
Et l'on peut me réduire à vivre sans bonheur,     395
Mais non pas me résoudre à vivre sans honneur.

## SCÈNE II

*Le Comte, Don Rodrigue*

DON RODRIGUE

A moi, Comte, deux mots.

LE COMTE

Parle.

DON RODRIGUE

Ote-moi d'un doute.
Connois-tu bien don Diègue?

LE COMTE

Oui.

DON RODRIGUE

Parlons bas; écoute.
Sais-tu que ce vieillard fut la même vertu,
La vaillance et l'honneur de son temps? le sais-tu?    400

LE COMTE

Peut-être.

DON RODRIGUE

   Cette ardeur que dans les yeux je porte,
Sais-tu que c'est son sang? le sais-tu?

LE COMTE

         Que m'importe?

DON RODRIGUE

A quatre pas d'ici je te le fais savoir.

LE COMTE

Jeune présomptueux!

DON RODRIGUE

     Parle sans t'émouvoir.
Je suis jeune, il est vrai; mais aux âmes bien nées 405
La valeur n'attend point le nombre des années.

LE COMTE

Te mesurer à moi! qui t'a rendu si vain,
Toi qu'on n'a jamais vu les armes à la main?

DON RODRIGUE

Mes pareils à deux fois ne se font point connoître,
Et pour leurs coups d'essai veulent des coups de maître.

LE COMTE

Sais-tu bien qui je suis?

DON RODRIGUE

     Oui; tout autre que moi 411
Au seul bruit de ton nom pourroit trembler d'effroi.
Les palmes dont je vois ta tête si couverte
Semblent porter écrit le destin de ma perte.
J'attaque en téméraire un bras toujours vainqueur; 415

Mais j'aurai trop de force, ayant assez de cœur.
A qui venge son père il n'est rien impossible.
Ton bras est invaincu, mais non pas invincible.

### LE COMTE

Ce grand cœur qui paroît aux discours que tu tiens,
Par tes yeux, chaque jour, se découvroit aux miens;  420
Et croyant voir en toi l'honneur de la Castille,
Mon âme avec plaisir te destinoit ma fille.
Je sais ta passion, et suis ravi de voir
Que tous ses mouvements cèdent à ton devoir;
Qu'ils n'ont point affoibli cette ardeur magnanime;  425
Que ta haute vertu répond à mon estime;
Et que voulant pour gendre un cavalier parfait,
Je ne me trompois point au choix que j'avois fait;
Mais je sens que pour toi ma pitié s'intéresse;
J'admire ton courage, et je plains ta jeunesse.  430
Ne cherche point à faire un coup d'essai fatal;
Dispense ma valeur d'un combat inégal;
Trop peu d'honneur pour moi suivroit cette victoire:
A vaincre sans péril, on triomphe sans gloire.
On te croiroit toujours abattu sans effort;  435
Et j'aurois seulement le regret de ta mort.

### DON RODRIGUE

D'une indigne pitié ton audace est suivie:
Qui m'ose ôter l'honneur craint de m'ôter la vie?

### LE COMTE

Retire-toi d'ici.

### DON RODRIGUE

Marchons sans discourir.

### LE COMTE

Es-tu si las de vivre?

DON RODRIGUE

As-tu peur de mourir?          440

LE COMTE

Viens, tu fais ton devoir, et le fils dégénère
Qui survit un moment à l'honneur de son père.

## SCÈNE III

*L'Infante, Chimène, Léonor*

L'INFANTE

Apaise, ma Chimène, apaise ta douleur:
Fais agir ta constance en ce coup de malheur.
Tu reverras le calme après ce foible orage;          445
Ton bonheur n'est couvert que d'un peu de nuage,
Et tu n'as rien perdu pour le voir différer.

CHIMÈNE

Mon cœur outré d'ennuis n'ose rien espérer.
Un orage si prompt qui trouble une bonace
D'un naufrage certain nous porte la menace:          450
Je n'en saurois douter, je péris dans le port.
J'aimois, j'étois aimée, et nos pères d'accord;
Et je vous en contois la charmante nouvelle,
Au malheureux moment que naissoit leur querelle,
Dont le récit fatal, sitôt qu'on vous l'a fait,          455
D'une si douce attente a ruiné l'effet.
    Maudite ambition, détestable manie,
Dont les plus généreux souffrent la tyrannie!
Honneur impitoyable à mes plus chers désirs,
Que tu me vas coûter de pleurs et de soupirs!          460

L'INFANTE

Tu n'as dans leur querelle aucun sujet de craindre:
Un moment l'a fait naître, un moment va l'éteindre.

Elle a fait trop de bruit pour ne pas s'accorder,
Puisque déjà le Roi les veut accommoder ;
Et tu sais que mon âme, à tes ennuis sensible,     465
Pour en tarir la source y fera l'impossible.

CHIMÈNE

Les accommodements ne font rien en ce point ;
De si mortels affronts ne se réparent point.
En vain on fait agir la force ou la prudence :
Si l'on guérit le mal, ce n'est qu'en apparence.     470
La haine que les cœurs conservent au dedans
Nourrit des feux cachés, mais d'autant plus ardents.

L'INFANTE

Le saint nœud qui joindra don Rodrigue et Chimène
Des pères ennemis dissipera la haine ;
Et nous verrons bientôt votre amour le plus fort     475
Par un heureux hymen étouffer ce discord.

CHIMÈNE

Je le souhaite ainsi plus que je ne l'espère :
Don Diègue est trop altier, et je connois mon père.
Je sens couler des pleurs que je veux retenir ;
Le passé me tourmente, et je crains l'avenir.     480

L'INFANTE

Que crains-tu ? d'un vieillard l'impuissante foiblesse ?

CHIMÈNE

Rodrigue a du courage.

L'INFANTE

Il a trop de jeunesse.

CHIMÈNE

Les hommes valeureux le sont du premier coup.

L'INFANTE

Tu ne dois pas pourtant le (redouter) beaucoup : *dread*
Il est trop amoureux pour te vouloir déplaire,          485
Et deux mots de ta bouche arrêtent sa colère.

CHIMÈNE

S'il ne m'obéit point, quel comble à mon ennui !
Et s'il peut m'obéir, que dira-t-on de lui ?
Étant né ce qu'il est, souffrir un tel outrage !
Soit qu'il cède ou résiste au feu qui me l'engage,          490
Mon esprit ne peut qu'être ou honteux ou confus,
De son trop de respect, ou d'un juste refus.

L'INFANTE

Chimène a l'âme haute, et quoiqu'intéressée,
Elle ne peut souffrir une basse pensée ;
Mais si jusques au jour de l'accommodement          495    *) agreement*
Je fais mon prisonnier de ce parfait amant,          *lover*
Et que j'empêche ainsi l'effet de son courage,
Ton esprit amoureux n'aura-t-il point d'ombrage ?          *) distrust*

CHIMÈNE

Ah ! Madame, en ce cas je n'ai plus de souci.

# SCÈNE IV

*L'Infante, Chimène, Léonor,* LE PAGE

L'INFANTE

Page, cherchez Rodrigue, et l'amenez ici.          500

LE PAGE

Le comte de Gormas et lui . . .

CHIMÈNE

                    Bon Dieu ! je tremble.

L'INFANTE

Parlez.

LE PAGE

De ce palais ils sont sortis ensemble.

CHIMÈNE

Seuls ?

LE PAGE

Seuls, et qui sembloient tout bas se quereller.

CHIMÈNE

Sans doute ils sont aux mains, il n'en faut plus parler.
Madame, pardonnez à cette promptitude.                    505

## SCÈNE V

*L'Infante, Léonor*

L'INFANTE

Hélas ! que dans l'esprit je sens d'inquiétude !
Je pleure ses malheurs, son amant me ravit ;
Mon repos m'abandonne, et ma flamme revit.
Ce qui va séparer Rodrigue de Chimène
Fait renaître à la fois mon espoir et ma peine ;           510
Et leur division, que je vois à regret,
Dans mon esprit charmé jette un plaisir secret.

LÉONOR

Cette haute vertu qui règne dans votre âme
Se rend-elle sitôt à cette lâche flamme ?

L'INFANTE

Ne la nomme point lâche, à présent que chez moi        515
Pompeuse et triomphante elle me fait la loi :

Porte-lui du respect, puisqu'elle m'est si chère.
Ma vertu combat, mais malgré moi j'espère;
Et d'un si fol espoir mon cœur mal défendu
Vole après un amant que Chimène a perdu.  520

LÉONOR

Vous laissez choir ainsi ce glorieux courage,
Et la raison chez vous perd ainsi son usage?

L'INFANTE

Ah! qu'avec peu d'effet on entend la raison,
Quand le cœur est atteint d'un si charmant poison!
Et lorsque le malade aime sa maladie,  525
Qu'il a peine à souffrir que l'on y remédie!

LÉONOR

Votre espoir vous séduit, votre mal vous est doux;
Mais enfin ce Rodrigue est indigne de vous.

L'INFANTE

Je ne le sais que trop; mais si ma vertu cède,
Apprends comme l'amour flatte un cœur qu'il possède.  530
Si Rodrigue une fois sort vainqueur du combat,
Si dessous sa valeur ce grand guerrier s'abat,
Je puis en faire cas, je puis l'aimer sans honte.
Que ne fera-t-il point, s'il peut vaincre le Comte?
J'ose m'imaginer qu'à ses moindres exploits  535
Les royaumes entiers tomberont sous ses lois;
Et mon amour flatteur déjà me persuade
Que je le vois assis au trône de Grenade,
Les Mores subjugués trembler en l'adorant,
L'Aragon recevoir ce nouveau conquérant,  540
Le Portugal se rendre, et ses nobles journées
Porter delà les mers ses hautes destinées,
Du sang des Africains arroser ses lauriers:

Enfin tout ce qu'on dit des plus fameux guerriers,
Je l'attends de Rodrigue après cette victoire,          545
Et fais de son amour un sujet de ma gloire.

### LÉONOR

Mais, Madame, voyez où vous portez son bras,
Ensuite d'un combat qui peut-être n'est pas.

### L'INFANTE

Rodrigue est offensé; le Comte a fait l'outrage;
Ils sont sortis ensemble: en faut-il davantage?          550

### LÉONOR

Eh bien! ils se battront, puisque vous le voulez;
Mais Rodrigue ira-t-il si loin que vous allez?

### L'INFANTE

Que veux-tu? je suis folle, et mon esprit s'égare:
Tu vois par là quels maux cet amour me prépare.
Viens dans mon cabinet consoler mes ennuis,          555
Et ne me quitte point dans le trouble où je suis.

## SCÈNE VI

*Don Fernand, Don Arias, Don Sanche*

### DON FERNAND

Le Comte est donc si vain et si peu raisonnable!
Ose-t-il croire encor son crime pardonnable?

### DON ARIAS

Je l'ai de votre part longtemps entretenu;
J'ai fait mon pouvoir, Sire, et n'ai rien obtenu.          560

DON FERNAND

Justes cieux! ainsi donc un sujet téméraire
A si peu de respect et de soin de me plaire!
Il offense don Diègue, et méprise son roi!
Au milieu de ma cour il me donne la loi!
Qu'il soit brave guerrier, qu'il soit grand capitaine,      565
Je saurai bien rabattre une humeur si hautaine.
Fût-il la valeur même, et le dieu des combats,
Il verra ce que c'est que de n'obéir pas.
Quoi qu'ait pu mériter une telle insolence,
Je l'ai voulu d'abord traiter sans violence;      570
Mais puisqu'il en abuse, allez dès aujourd'hui,
Soit qu'il résiste ou non, vous assurer de lui.

DON SANCHE

Peut-être un peu de temps le rendroit moins rebelle:
On l'a pris tout bouillant encor de sa querelle;
Sire, dans la chaleur d'un premier mouvement,      575
Un cœur si généreux se rend malaisément.
Il voit bien qu'il a tort, mais une âme si haute
N'est pas sitôt réduite à confesser sa faute.

DON FERNAND

Don Sanche, taisez-vous, et soyez averti
Qu'on se rend criminel à prendre son parti.      580

DON SANCHE

J'obéis, et me tais; mais de grâce encor, Sire,
Deux mots en sa défense.

DON FERNAND

                    Et que pouvez-vous dire?

DON SANCHE

Qu'une âme accoutumée aux grandes actions
Ne se peut abaisser à des submissions:

Elle n'en conçoit point qui s'expliquent sans honte;    585
Et c'est à ce mot seul qu'a résisté le Comte.
Il trouve en son devoir un peu trop de rigueur,
Et vous obéiroit, s'il avoit moins de cœur.
Commandez que son bras, nourri dans les alarmes,
Répare cette injure à la pointe des armes;    590
Il satisfera, Sire; et vienne qui voudra,
Attendant qu'il l'ait su, voici qui répondra.

### DON FERNAND

Vous perdez le respect; mais je pardonne à l'âge,
Et j'excuse l'ardeur en un jeune courage.
    Un roi dont la prudence a de meilleurs objets    595
Est meilleur ménager du sang de ses sujets:
Je veille pour les miens, mes soucis les conservent,
Comme le chef a soin des membres qui le servent.
Ainsi votre raison n'est pas raison pour moi:
Vous parlez en soldat; je dois agir en roi;    600
Et quoi qu'on veuille dire, et quoi qu'il ose croire,
Le Comte à m'obéir ne peut perdre sa gloire.
D'ailleurs l'affront me touche: il a perdu d'honneur
Celui que de mon fils j'ai fait le gouverneur;
S'attaquer à mon choix, c'est se prendre à moi-même,    605
Et faire un attentat sur le pouvoir suprême.
N'en parlons plus. Au reste, on a vu dix vaisseaux
De nos vieux ennemis arborer les drapeaux;
Vers la bouche du fleuve ils ont osé paroître.

### DON ARIAS

Les Mores ont appris par force à vous connoître,    610
Et tant de fois vaincus, ils ont perdu le cœur
De se plus hasarder contre un si grand vainqueur.

### DON FERNAND

Ils ne verront jamais sans quelque jalousie
Mon sceptre, en dépit d'eux, régir l'Andalousie;

Et ce pays si beau, qu'ils ont trop possédé,          615
Avec un œil d'envie est toujours regardé.
C'est l'unique raison qui m'a fait dans Séville
Placer depuis dix ans le trône de Castille,
Pour les voir de plus près, et d'un ordre plus prompt
Renverser aussitôt ce qu'ils entreprendront.          620

#### DON ARIAS

Ils savent aux dépens de leurs plus dignes têtes
Combien votre présence assure vos conquêtes :
Vous n'avez rien à craindre.

#### DON FERNAND

                    Et rien à négliger :
Le trop de confiance attire le danger ;
Et vous n'ignorez pas qu'avec fort peu de peine          625
Un flux de pleine mer jusqu'ici les amène.
Toutefois j'aurois tort de jeter dans les cœurs,
L'avis étant mal sûr, de paniques terreurs.
L'effet que produiroit cette alarme inutile,
Dans la nuit qui survient troubleroit trop la ville :          630
Faites doubler la garde aux murs et sur le port.
C'est assez pour ce soir.

### SCÈNE VII

*Don Fernand, Don Sanche, Don Alonse*

#### DON ALONSE

                    Sire, le Comte est mort :
Don Diègue, par son fils, a vengé son offense.

#### DON FERNAND

Dès que j'ai su l'affront, j'ai prévu la vengeance ;
Et j'ai voulu dès lors prévenir ce malheur.          635

DON ALONSE

Chimène à vous genoux apporte sa douleur;
Elle vient tout en pleurs vous demander justice.

DON FERNAND

Bien qu'à ses déplaisirs mon âme compatisse,
Ce que le Comte a fait semble avoir mérité
Ce digne châtiment de sa témérité.          640
Quelque juste pourtant que puisse être sa peine,
Je ne puis sans regret perdre un tel capitaine.
Après un long service à mon État rendu,
Après son sang pour moi mille fois répandu,
A quelques sentiments que son orgueil m'oblige,          645
Sa perte m'affoiblit, et son trépas m'afflige.

## SCÈNE VIII

*Don Fernand, Don Diègue, Chimène, Don Sanche,*
*Don Arias, Don Alonse*

CHIMÈNE

Sire, Sire, justice!

DON DIÈGUE

Ah! Sire, écoutez-nous.

CHIMÈNE

Je me jette à vos pieds.

DON DIÈGUE

J'embrasse vos genoux.

CHIMÈNE

Je demande justice.

DON DIÈGUE

Entendez ma défense.

CHIMÈNE

D'un jeune audacieux punissez l'insolence:          650
Il a de votre sceptre abattu le soutien,
Il a tué mon père.

DON DIÈGUE

Il a vengé le sien.

CHIMÈNE

Au sang de ses sujets un roi doit la justice.

DON DIÈGUE

Pour la juste vengeance il n'est point de supplice.

DON FERNAND

Levez-vous l'un et l'autre, et parlez à loisir.          655
Chimène, je prends part à votre déplaisir;
D'une égale douleur je sens mon âme atteinte.
Vous parlerez après; ne troublez pas sa plainte.

CHIMÈNE

Sire, mon père est mort; mes yeux ont vu son sang
Couler à gros bouillons de son généreux flanc;          660
Ce sang qui tant de fois garantit vos murailles,
Ce sang qui tant de fois vous gagna des batailles,
Ce sang qui tout sorti fume encor de courroux
De se voir répandu pour d'autres que pour vous,
Qu'au milieu des hasards n'osoit verser la guerre,          665
Rodrigue en votre cour vient d'en couvrir la terre.
J'ai couru sur le lieu, sans force et sans couleur:
Je l'ai trouvé sans vie. Excusez ma douleur,
Sire, la voix me manque à ce récit funeste;
Mes pleurs et mes soupirs vous diront mieux le reste.          670

DON FERNAND

Prends courage, ma fille, et sache qu'aujourd'hui
Ton roi te veut servir de père au lieu de lui.

CHIMÈNE

Sire, de trop d'honneur ma misère est suivie.
Je vous l'ai déjà dit, je l'ai trouvé sans vie;
Son flanc étoit ouvert; et pour mieux m'émouvoir,　　675
Son sang sur la poussière écrivoit mon devoir;
Ou plutôt sa valeur en cet état réduite
Me parloit par sa plaie, et hâtoit ma poursuite;
Et pour se faire entendre au plus juste des rois,
Par cette triste bouche elle empruntoit ma voix.　　680
　　Sire, ne souffrez pas que sous votre puissance
Règne devant vos yeux une telle licence;
Que les plus valeureux, avec impunité,
Soient exposés aux coups de la témérité;
Qu'un jeune audacieux triomphe de leur gloire,　　685
Se baigne dans leur sang, et brave leur mémoire.
Un si vaillant guerrier qu'on vient de vous ravir
Éteint, s'il n'est vengé, l'ardeur de vous servir.
Enfin mon père est mort, j'en demande vengeance,
Plus pour votre intérêt que pour mon allégeance.　　690
Vous perdez en la mort d'un homme de son rang:
Vengez-la par une autre, et le sang par le sang.
Immolez, non à moi, mais à votre couronne,
Mais à votre grandeur, mais à votre personne;
Immolez, dis-je, Sire, au bien de tout l'État　　695
Tout ce qu'enorgueillit un si haut attentat.

DON FERNAND

Don Diègue, répondez.

DON DIÈGUE

　　　　　　　　　Qu'on est digne d'envie
Lorsqu'en perdant la force on perd aussi la vie,
Et qu'un long âge apprête aux hommes généreux,
Au bout de leur carrière, un destin malheureux!　　700
Moi, dont les longs travaux ont acquis tant de gloire,

Moi, que jadis partout a suivi la victoire,
Je me vois aujourd'hui, pour avoir trop vécu,
Recevoir un affront et demeurer vaincu.
Ce que n'a pu jamais combat, siège, embuscade,          705
Ce que n'a pu jamais Aragon ni Grenade,
Ni tous vos ennemis, ni tous mes envieux,
Le Comte en votre cour l'a fait presque à vos yeux,
Jaloux de votre choix, et fier de l'avantage
Que lui donnoit sur moi l'impuissance de l'âge.          710
    Sire, ainsi ces cheveux blanchis sous le harnois,
Ce sang pour vous servir prodigué tant de fois,
Ce bras, jadis l'effroi d'une armée ennemie,
Descendoient au tombeau tout chargés d'infamie,
Si je n'eusse produit un fils digne de moi,          715
Digne de son pays et digne de son roi.
Il m'a prêté sa main, il a tué le Comte;
Il m'a rendu l'honneur, il a lavé ma honte.
Si montrer du courage et du ressentiment,
Si venger un soufflet mérite un châtiment,          720
Sur moi seul doit tomber l'éclat de la tempête:
Quand le bras a failli, l'on en punit la tête.
Qu'on nomme crime, ou non, ce qui fait nos débats,
Sire, j'en suis la tête, il n'en est que le bras.
Si Chimène se plaint qu'il a tué son père,          725
Il ne l'eût jamais fait si je l'eusse pu faire.
Immolez donc ce chef que les ans vont ravir,
Et conservez pour vous le bras qui peut servir.
Aux dépens de mon sang satisfaites Chimène:
Je n'y résiste point, je consens à ma peine;          730
Et loin de murmurer d'un rigoureux décret,
Mourant sans déshonneur, je mourrai sans regret.

DON FERNAND

L'affaire est d'importance, et, bien considérée,
Mérite en plein conseil d'être délibérée.

Don Sanche, remettez Chimène en sa maison.  735
Don Diègue aura ma cour et sa foi pour prison.
Qu'on me cherche son fils. Je vous ferai justice.

CHIMÈNE

Il est juste, grand Roi, qu'un meurtrier périsse.

DON FERNAND

Prends du repos, ma fille, et calme tes douleurs.

CHIMÈNE

M'ordonner du repos, c'est croître mes malheurs.  740

## ACTE III

## SCÈNE PREMIÈRE

*Don Rodrigue, Elvire*

ELVIRE

Rodrigue, qu'as-tu fait? où viens-tu, misérable?

DON RODRIGUE

Suivre le triste cours de mon sort déplorable.

ELVIRE

Où prends-tu cette audace et ce nouvel orgueil,
De paroître en des lieux que tu remplis de deuil?
Quoi? viens-tu jusqu'ici braver l'ombre du Comte?  745
Ne l'as-tu pas tué?

DON RODRIGUE

Sa vie étoit ma honte:
Mon honneur de ma main a voulu cet effort.

ELVIRE

Mais chercher ton asile en la maison du mort !
Jamais un meurtrier en fit-il son refuge ?

DON RODRIGUE

Et je n'y viens aussi que m'offrir à mon juge.          750
Ne me regarde plus d'un visage étonné ;
Je cherche le trépas après l'avoir donné.
Mon juge est mon amour, mon juge est ma Chimène :
Je mérite la mort de mériter sa haine,
Et j'en viens recevoir, comme un bien souverain,          755
Et l'arrêt de sa bouche, et le coup de sa main.

ELVIRE

Fuis plutôt de ses yeux, fuis de sa violence ;
A ses premiers transports dérobe ta présence :
Va, ne t'expose point aux premiers mouvements
Que poussera l'ardeur de ses ressentiments.          760

DON RODRIGUE

Non, non, ce cher objet à qui j'ai pu déplaire
Ne peut pour mon supplice avoir trop de colère ;
Et j'évite cent morts qui me vont accabler,
Si pour mourir plus tôt je puis la redoubler.

ELVIRE

Chimène est au palais, de pleurs toute baignée,          765
Et n'en reviendra point que bien accompagnée.
Rodrigue, fuis, de grâce : ôte-moi de souci.
Que ne dira-t-on point si l'on te voit ici ?
Veux-tu qu'un médisant, pour comble à sa misère,
L'accuse d'y souffrir l'assassin de son père ?          770
Elle va revenir ; elle vient, je la voi :
Du moins, pour son honneur, Rodrigue, cache-toi.

## SCÈNE II

*Don Sanche, Chimène, Elvire*

#### DON SANCHE

Oui, Madame, il vous faut de sanglantes victimes:
Votre colère est juste, et vos pleurs légitimes,
Et je n'entreprends pas, à force de parler,          775
Ni de vous adoucir, ni de vous consoler.
Mais si de vous servir je puis être capable,
Employez mon épée à punir le coupable;
Employez mon amour à venger cette mort:
Sous vos commandements mon bras sera trop fort.      780

#### CHIMÈNE

Malheureuse!

#### DON SANCHE

De grâce, acceptez mon service.

#### CHIMÈNE

J'offenserois le Roi, qui m'a promis justice.

#### DON SANCHE

Vous savez qu'elle marche avec tant de langueur,
Qu'assez souvent le crime échappe à sa longueur;
Son cours lent et douteux fait trop perdre de larmes. 785
Souffrez qu'un cavalier vous venge par les armes:
La voie en est plus sûre, et plus prompte à punir.

#### CHIMÈNE

C'est le dernier remède; et s'il y faut venir,
Et que de mes malheurs cette pitié vous dure,
Vous serez libre alors de venger mon injure.         790

#### DON SANCHE

C'est l'unique bonheur où mon âme prétend ;
Et pouvant l'espérer, je m'en vais trop content.

### SCÈNE III

*Chimène, Elvire*

#### CHIMÈNE

Enfin je me vois libre, et je puis sans contrainte
De mes vives douleurs te faire voir l'atteinte ;
Je puis donner passage à mes tristes soupirs ;    795
Je puis t'ouvrir mon âme et tous mes déplaisirs.
  Mon père est mort, Elvire ; et la première épée
Dont s'est armé Rodrigue, a sa trame coupée.
Pleurez, pleurez, mes yeux, et fondez-vous en eau !
La moitié de ma vie a mis l'autre au tombeau,    800
Et m'oblige à venger, après ce coup funeste,
Celle que je n'ai plus sur celle qui me reste.

#### ELVIRE

Reposez-vous, Madame.

#### CHIMÈNE

             Ah ! que mal à propos
Dans un malheur si grand tu parles de repos !
Par où sera jamais ma douleur apaisée,    805
Si je ne puis haïr la main qui l'a causée ?
Et que dois-je espérer qu'un tourment éternel,
Si je poursuis un crime, aimant le criminel ?

#### ELVIRE

Il vous prive d'un père, et vous l'aimez encore !

### CHIMÈNE

C'est peu de dire aimer, Elvire: je l'adore;                810
Ma passion s'oppose à mon ressentiment;
Dedans mon ennemi je trouve mon amant;
Et je sens qu'en dépit de toute ma colère,
Rodrigue dans mon cœur combat encor mon père:
Il l'attaque, il le presse, il cède, il se défend,            815
Tantôt fort, tantôt foible, et tantôt triomphant;
Mais en ce dur combat de colère et de flamme,
Il déchire mon cœur sans partager mon âme;
Et quoi que mon amour ait sur moi de pouvoir,
Je ne consulte point pour suivre mon devoir:               820
Je cours sans balancer où mon honneur m'oblige.
Rodrigue m'est bien cher, son intérêt m'afflige;
Mon cœur prend son parti; mais malgré son effort,
Je sais ce que je suis, et que mon père est mort.

### ELVIRE

Pensez-vous le poursuivre?

### CHIMÈNE

                         Ah! cruelle pensée!                825
Et cruelle poursuite où je me vois forcée!
Je demande sa tête, et crains de l'obtenir:
Ma mort suivra la sienne, et je le veux punir!

### ELVIRE

Quittez, quittez, Madame, un dessein si tragique;
Ne vous imposez point de loi si tyrannique.               830

### CHIMÈNE

Quoi! mon père étant mort, et presque entre mes bras,
Son sang criera vengeance, et je ne l'orrai pas!
Mon cœur, honteusement surpris par d'autres charmes,
Croira ne lui devoir que d'impuissantes larmes!

Et je pourrai souffrir qu'un amour suborneur        835
Sous un lâche silence étouffe mon honneur !

### ELVIRE

Madame, croyez-moi, vous serez excusable
D'avoir moins de chaleur contre un objet aimable,
Contre un amant si cher : vous avez assez fait,
Vous avez vu le Roi ; n'en pressez point l'effet,        840
Ne vous obstinez point en cette humeur étrange.

### CHIMÈNE

Il y va de ma gloire, il faut que je me venge ;
Et de quoi que nous flatte un désir amoureux,
Toute excuse est honteuse aux esprits généreux.

### ELVIRE

Mais vous aimez Rodrigue, il ne vous peut déplaire.        845

### CHIMÈNE

Je l'avoue.

### ELVIRE

Après tout, que pensez-vous donc faire ?

### CHIMÈNE

Pour conserver ma gloire et finir mon ennui,
Le poursuivre, le perdre, et mourir après lui.

## SCÈNE IV

### *Don Rodrigue, Chimène, Elvire*

### DON RODRIGUE

Eh bien ; sans vous donner la peine de poursuivre,
Assurez-vous l'honneur de m'empêcher de vivre.        850

CHIMÈNE

Elvire, où sommes-nous, et qu'est-ce que je voi?
Rodrigue en ma maison! Rodrigue devant moi!

DON RODRIGUE

N'épargnez point mon sang: goûtez sans résistance
La douceur de ma perte et de votre vengeance.

CHIMÈNE

Hélas!

DON RODRIGUE

Écoute-moi.

CHIMÈNE

Je me meurs.

DON RODRIGUE

Un moment.                855

CHIMÈNE

Va, laisse-moi mourir.

DON RODRIGUE

Quatre mots seulement:
Après ne me réponds qu'avecque cette épée.

CHIMÈNE

Quoi! du sang de mon père encor toute trempée!

DON RODRIGUE

Ma Chimène . . .

CHIMÈNE

Ote-moi cet objet odieux,
Qui reproche ton crime et ta vie à mes yeux.          860

DON RODRIGUE

Regarde-le plutôt pour exciter ta haine,
Pour croître ta colère, et pour hâter ma peine.

CHIMÈNE

Il est teint de mon sang.

DON RODRIGUE

                    Plonge-le dans le mien,
Et fais-lui perdre ainsi la teinture du tien.

CHIMÈNE

Ah! quelle cruauté, qui tout en un jour tue        865
Le père par le fer, la fille par la vue!
Ote-moi cet objet, je ne le puis souffrir:
Tu veux que je t'écoute, et tu me fais mourir!

DON RODRIGUE

Je fais ce que tu veux, mais sans quitter l'envie
De finir par tes mains ma déplorable vie;        870
Car enfin n'attends pas de mon affection
Un lâche repentir d'une bonne action.
L'irréparable effet d'une chaleur trop prompte
Déshonoroit mon père, et me couvroit de honte.
Tu sais comme un soufflet touche un homme de cœur;  875
J'avois part à l'affront, j'en ai cherché l'auteur:
Je l'ai vu, j'ai vengé mon honneur et mon père;
Je le ferois encor, si j'avois à le faire.
Ce n'est pas qu'en effet contre mon père et moi
Ma flamme assez longtemps n'ait combattu pour toi;  880
Juge de son pouvoir: dans une telle offense
J'ai pu délibérer si j'en prendrois vengeance.
Réduit à te déplaire, ou souffrir un affront,
J'ai pensé qu'à son tour mon bras étoit trop prompt;

Je me suis accusé de trop de violence ;                               885
Et ta beauté sans doute emportoit la balance,
A moins que d'opposer à tes plus forts appas
Qu'un homme sans honneur ne te méritoit pas ;
Que malgré cette part que j'avois en ton âme,
Qui m'aima généreux me haïroit infâme ;                              890
Qu'écouter ton amour, obéir à sa voix,
C'étoit m'en rendre indigne et diffamer ton choix.
Je te le dis encore ; et quoique j'en soupire,
Jusqu'au dernier soupir je veux bien le redire :
Je t'ai fait une offense, et j'ai dû m'y porter              895
Pour effacer ma honte, et pour te mériter ;
Mais quitte envers l'honneur, et quitte envers mon père,
C'est maintenant à toi que je viens satisfaire :
C'est pour t'offrir mon sang qu'en ce lieu tu me vois.
J'ai fait ce que j'ai dû, je fais ce que je dois.                   900
Je sais qu'un père mort t'arme contre mon crime ;
Je ne t'ai pas voulu dérober ta victime :
Immole avec courage au sang qu'il a perdu
Celui qui met sa gloire à l'avoir répandu.

CHIMÈNE

Ah ! Rodrigue, il est vrai, quoique ton ennemie,             905
Je ne puis te blâmer d'avoir fui l'infamie ;
Et de quelque façon qu'éclatent mes douleurs,
Je ne t'accuse point, je pleure mes malheurs.
Je sais ce que l'honneur, après un tel outrage,
Demandoit à l'ardeur d'un généreux courage :              910
Tu n'as fait le devoir que d'un homme de bien ;
Mais aussi, le faisant, tu m'as appris le mien.
Ta funeste valeur m'instruit par ta victoire ;
Elle a vengé ton père et soutenu ta gloire :
Même soin me regarde, et j'ai, pour m'affliger,             915
Ma gloire à soutenir, et mon père à venger.
Hélas ! ton intérêt ici me désespère :

Si quelque autre malheur m'avoit ravi mon père,
Mon âme auroit trouvé dans le bien de te voir
L'unique allégement qu'elle eût pu recevoir;          920
Et contre ma douleur j'aurois senti des charmes,
Quand une main si chère eût essuyé mes larmes.
Mais il me faut te perdre après l'avoir perdu;
Cet effort sur ma flamme à mon honneur est dû;
Et cet affreux devoir, dont l'ordre m'assassine,          925
Me force à travailler moi-même à ta ruine.
Car enfin n'attends pas de mon affection
De lâches sentiments pour ta punition.
De quoi qu'en ta faveur notre amour m'entretienne,
Ma générosité doit répondre à la tienne:          930
Tu t'es, en m'offensant, montré digne de moi;
Je me dois, par ta mort, montrer digne de toi.

#### DON RODRIGUE

Ne diffère donc plus ce que l'honneur t'ordonne:
Il demande ma tête, et je te l'abandonne;
Fais-en un sacrifice à ce noble intérêt:          935
Le coup m'en sera doux, aussi bien que l'arrêt.
Attendre après mon crime une lente justice,
C'est reculer ta gloire autant que mon supplice.
Je mourrai trop heureux, mourant d'un coup si beau.

#### CHIMÈNE

Va, je suis ta partie, et non pas ton bourreau.          940
Si tu m'offres ta tête, est-ce à moi de la prendre?
Je la dois attaquer, mais tu dois la défendre;
C'est d'un autre que toi qu'il me faut l'obtenir,
Et je dois te poursuivre, et non pas te punir.

#### DON RODRIGUE

De quoi qu'en ma faveur notre amour t'entretienne,          945
Ta générosité doit répondre à la mienne;

Et pour venger un père emprunter d'autres bras,
Ma Chimène, crois-moi, c'est n'y répondre pas :
Ma main seule du mien a su venger l'offense,
Ta main seule du tien doit prendre la vengeance.      950

### CHIMÈNE

Cruel ! à quel propos sur ce point t'obstiner ?
Tu t'es vengé sans aide, et tu m'en veux donner !
Je suivrai ton exemple, et j'ai trop de courage
Pour souffrir qu'avec toi ma gloire se partage.
Mon père et mon honneur ne veulent rien devoir      955
Aux traits de ton amour ni de ton désespoir.

### DON RODRIGUE

Rigoureux point d'honneur ! hélas ! quoi que je fasse,
Ne pourrai-je à la fin obtenir cette grâce ?
Au nom d'un père mort, ou de notre amitié,
Punis-moi par vengeance, ou du moins par pitié.      960
Ton malheureux amant aura bien moins de peine
A mourir par ta main qu'à vivre avec ta haine.

### CHIMÈNE

Va, je ne te hais point.

### DON RODRIGUE

Tu le dois.

### CHIMÈNE

Je ne puis.

### DON RODRIGUE

Crains-tu si peu le blâme, et si peu les faux bruits ?
Quand on saura mon crime, et que ta flamme dure,      965
Que ne publieront point l'envie et l'imposture !
Force-les au silence, et sans plus discourir,
Sauve ta renommée en me faisant mourir.

CHIMÈNE

Elle éclate bien mieux en te laissant la vie;
Et je veux que la voix de la plus noire envie          970
Élève au ciel ma gloire et plaigne mes ennuis,
Sachant que je t'adore et que je te poursuis.
Va-t'en, ne montre plus à ma douleur extrême
Ce qu'il faut que je perde, encore que je l'aime.
Dans l'ombre de la nuit cache bien ton départ:         975
Si l'on te voit sortir, mon honneur court hasard.
Le seule occasion qu'aura la médisance,
C'est de savoir qu'ici j'ai souffert ta présence:
Ne lui donne point lieu d'attaquer ma vertu.

DON RODRIGUE

Que je meure!

CHIMÈNE

Va-t'en.

DON RODRIGUE

A quoi te résous-tu?          980

CHIMÈNE

Malgré des feux si beaux, qui troublent ma colère,
Je ferai mon possible à bien venger mon père;
Mais malgré la rigueur d'un si cruel devoir,
Mon unique souhait est de ne rien pouvoir.

DON RODRIGUE

O miracle d'amour!

CHIMÈNE

O comble de misères!          985

DON RODRIGUE

Que de maux et de pleurs nous coûteront nos pères!

CHIMÈNE

Rodrigue, qui l'eût cru?

DON RODRIGUE

Chimène, qui l'eût dit?

CHIMÈNE

Que notre heur fût si proche et sitôt se perdît?

DON RODRIGUE

Et que si près du port, contre toute apparence,
Un orage si prompt brisât notre espérance?          990

CHIMÈNE

Ah! mortelles douleurs!

DON RODRIGUE

Ah! regrets superflus!

CHIMÈNE

Va-t'en, encore un coup, je ne t'écoute plus.

DON RODRIGUE

Adieu: je vais traîner une mourante vie,
Tant que par ta poursuite elle me soit ravie.

CHIMÈNE

Si j'en obtiens l'effet, je t'engage ma foi          995
De ne respirer pas un moment après toi.
Adieu: sors, et surtout garde bien qu'on te voie.

ELVIRE

Madame, quelques maux que le ciel nous envoie . . . .

CHIMÈNE

Ne m'importune plus, laisse-moi soupirer,
Je cherche le silence et la nuit pour pleurer.          1000


## SCÈNE V

*Don Diègue*

Jamais nous ne goûtons de parfaite allégresse:
Nos plus heureux succès sont mêlés de tristesse;
Toujours quelques soucis en ces événements
Troublent la pureté de nos contentements.
Au milieu du bonheur mon âme en sent l'atteinte:          1005
Je nage dans la joie, et je tremble de crainte.
J'ai vu mort l'ennemi qui m'avoit outragé;
Et je ne saurois voir la main qui m'a vengé.
En vain je m'y travaille, et d'un soin inutile,
Tout cassé que je suis, je cours toute la ville:          1010
Ce peu que mes vieux ans m'ont laissé de vigueur
Se consume sans fruit à chercher ce vainqueur.
A toute heure, en tous lieux, dans une nuit si sombre,
Je pense l'embrasser, et n'embrasse qu'une ombre;
Et mon amour, déçu par cet objet trompeur,          1015
Se forme des soupçons qui redoublent ma peur.
Je ne découvre point de marques de sa fuite;
Je crains du Comte mort les amis et la suite;
Leur nombre m'épouvante, et confond ma raison.
Rodrigue ne vit plus, ou respire en prison.          1020
Justes cieux! me trompé-je encore à l'apparence,
Ou si je vois enfin mon unique espérance?
C'est lui, n'en doutons plus; mes vœux sont exaucés,
Ma crainte est dissipée, et mes ennuis cessés.

## SCÈNE VI

*Don Diègue, Don Rodrigue*

DON DIÈGUE

Rodrigue, enfin le ciel permet que je te voie!          1025

DON RODRIGUE

Hélas!

DON DIÈGUE

    Ne mêle point de soupirs à ma joie;
Laisse-moi prendre haleine afin de te louer.
Ma valeur n'a point lieu de te désavouer:
Tu l'as bien imitée, et ton illustre audace
Fait bien revivre en toi les héros de ma race:          1030
C'est d'eux que tu descends, c'est de moi que tu viens:
Ton premier coup d'épée égale tous les miens;
Et d'une belle ardeur ta jeunesse animée
Par cette grande épreuve atteint ma renommée.
Appui de ma vieillesse, et comble de mon heur,          1035
Touche ces cheveux blancs à qui tu rends l'honneur,
Viens baiser cette joue, et reconnois la place
Où fut empreint l'affront que ton courage efface.

DON RODRIGUE

L'honneur vous en est dû: je ne pouvois pas moins,
Étant sorti de vous et nourri par vos soins.           1040
Je m'en tiens trop heureux, et mon âme est ravie
Que mon coup d'essai plaise à qui je dois la vie;
Mais parmi vos plaisirs ne soyez point jaloux
Si je m'ose à mon tour satisfaire après vous.
Souffrez qu'en liberté mon désespoir éclate;           1045
Assez et trop longtemps votre discours le flatte.

Je ne me repens point de vous avoir servi;
Mais rendez-moi le bien que ce coup m'a ravi.
Mon bras, pour vous venger, armé contre ma flamme,
Par ce coup glorieux m'a privé de mon âme;          1050
Ne me dites plus rien; pour vous j'ai tout perdu:
Ce que je vous devois, je vous l'ai bien rendu.

DON DIÈGUE

Porte, porte plus haut le fruit de ta victoire:
Je t'ai donné la vie, et tu me rends ma gloire;
Et d'autant que l'honneur m'est plus cher que le jour,
D'autant plus maintenant je te dois de retour.          1056
Mais d'un cœur magnanime éloigne ces foiblesses;
Nous n'avons qu'un honneur, il est tant de maîtresses!
L'amour n'est qu'un plaisir, l'honneur est un devoir.

DON RODRIGUE

Ah! que me dites-vous?

DON DIÈGUE

Ce que tu dois savoir.          1060

DON RODRIGUE

Mon honneur offensé sur moi-même se venge;
Et vous m'osez pousser à la honte du change!
L'infamie est pareille, et suit également
Le guerrier sans courage et le perfide amant.
A ma fidélité ne faites point d'injure;          1065
Souffrez-moi généreux sans me rendre parjure:
Mes liens sont trop forts pour être ainsi rompus;
Ma foi m'engage encor si je n'espère plus;
Et ne pouvant quitter ni posséder Chimène,
Le trépas que je cherche est ma plus douce peine.          1070

### DON DIÈGUE

Il n'est pas temps encor de chercher le trépas :
Ton prince et ton pays ont besoin de ton bras.
La flotte qu'on craignoit, dans ce grand fleuve entrée,
Croit surprendre la ville et piller la contrée.
Les Mores vont descendre, et le flux et la nuit　　1075
Dans une heure à nos murs les amène sans bruit.
La cour est en désordre, et le peuple en alarmes :
On n'entend que des cris, on ne voit que des larmes.
Dans ce malheur public mon bonheur a permis
Que j'ai trouvé chez moi cinq cents de mes amis,　　1080
Qui sachant mon affront, poussés d'un même zèle,
Se venoient tous offrir à venger ma querelle.
Tu les as prévenus ; mais leurs vaillantes mains
Se tremperont bien mieux au sang des Africains.
　　Va marcher à leur tête où l'honneur te demande :　　1085
C'est toi que veut pour chef leur généreuse bande.
De ces vieux ennemis va soutenir l'abord :
Là, si tu veux mourir, trouve une belle mort ;
Prends-en l'occasion, puisqu'elle t'est offerte ;
Fais devoir à ton roi son salut à ta perte ;　　1090
Mais reviens-en plutôt les palmes sur le front.
Ne borne pas ta gloire à venger un affront ;
Porte-la plus avant : force par ta vaillance
Ce monarque au pardon, et Chimène au silence ;
Si tu l'aimes, apprends que revenir vainqueur,　　1095
C'est l'unique moyen de regagner son cœur.
Mais le temps est trop cher pour le perdre en paroles ;
Je t'arrête en discours, et je veux que tu voles.
Viens, suis-moi, va combattre, et montrer à ton roi
Que ce qu'il perd au Comte il le recouvre en toi.　　1100

# ACTE IV

## SCÈNE PREMIÈRE

*Chimène, Elvire*

CHIMÈNE

N'est-ce point un faux bruit? le sais-tu bien, Elvire?

ELVIRE

Vous ne croiriez jamais comme chacun l'admire,
Et porte jusqu'au ciel, d'une commune voix,
De ce jeune héros les glorieux exploits.
Les Mores devant lui n'ont paru qu'à leur honte;      1105
Leur abord fut bien prompt, leur fuite encor plus
    prompte.
Trois heures de combat laissent à nos guerriers
Une victoire entière et deux rois prisonniers.
La valeur de leur chef ne trouvoit point d'obstacles.

CHIMÈNE

Et la main de Rodrigue a fait tous ces miracles?      1110

ELVIRE

De ses nobles efforts ces deux rois sont le prix:
Sa main les a vaincus, et sa main les a pris.

CHIMÈNE

De qui peux-tu savoir ces nouvelles étranges?

ELVIRE

Du peuple, qui partout fait sonner ses louanges,
Le nomme de sa joie et l'objet et l'auteur,          1115
Son ange tutélaire, et son libérateur.

*protecting*

CHIMÈNE

Et le Roi, de quel œil voit-il tant de vaillance?

ELVIRE

Rodrigue n'ose encor paroître en sa présence;
Mais don Diègue ravi lui présente enchaînés,
Au nom de ce vainqueur, ces captifs couronnés,          1120
Et demande pour grâce à ce généreux prince
Qu'il daigne voir la main qui sauve la province.

CHIMÈNE

Mais n'est-il point blessé?

ELVIRE

                          Je n'en ai rien appris.
Vous changez de couleur! reprenez vos esprits.

CHIMÈNE

Reprenons donc aussi ma colère affoiblie;             1125
Pour avoir soin de lui faut-il que je m'oublie?
On le vante, on le loue, et mon cœur y consent!
Mon honneur est muet, mon devoir impuissant!
Silence, mon amour, laisse agir ma colère:
S'il a vaincu deux rois, il a tué mon père;           1130
Ces tristes vêtements, où je lis mon malheur,
Sont les premiers effets qu'ait produits sa valeur;
Et quoi qu'on die ailleurs d'un cœur si magnanime,
Ici tous les objets me parlent de son crime.
    Vous qui rendez la force à mes ressentiments,     1135
Voiles, crêpes, habits, lugubres ornements,
Pompe que me prescrit sa première victoire,
Contre ma passion soutenez bien ma gloire;
Et lorsque mon amour prendra trop de pouvoir,

Parlez à mon esprit de mon triste devoir,     1140
Attaquez sans rien craindre une main triomphante.

ELVIRE

Modérez ces transports, voici venir l'Infante.

## SCÈNE II

*L'Infante, Chimène, Léonor, Elvire*

L'INFANTE

Je ne viens pas ici consoler tes douleurs;
Je viens plutôt mêler mes soupirs à tes pleurs.

CHIMÈNE

Prenez bien plutôt part à la commune joie,     1145
Et goûtez le bonheur que le ciel vous envoie,
Madame: autre que moi n'a droit de soupirer.
Le péril dont Rodrigue a su nous retirer,
Et le salut public que vous rendent ses armes,
A moi seule aujourd'hui souffrent encor les larmes:    1150
Il a sauvé la ville, il a servi son roi;
Et son bras valeureux n'est funeste qu'à moi.

L'INFANTE

Ma Chimène, il est vrai qu'il a fait des merveilles.

CHIMÈNE

Déjà ce bruit fâcheux a frappé mes oreilles;
Et je l'entends partout publier hautement     1155
Aussi brave guerrier que malheureux amant.

L'INFANTE

Qu'a de fâcheux pour toi ce discours populaire?
Ce jeune Mars qu'il loue a su jadis te plaire:

Il possédoit ton âme, il vivoit sous tes lois;
Et vanter sa valeur, c'est honorer ton choix.        1160

CHIMÈNE

Chacun peut la vanter avec quelque justice;
Mais pour moi sa louange est un nouveau supplice.
On aigrit ma douleur en l'élevant si haut:
Je vois ce que je perds quand je vois ce qu'il vaut.
Ah! cruels déplaisirs à l'esprit d'une amante!        1165
Plus j'apprends son mérite, et plus mon feu s'augmente:
Cependant mon devoir est toujours le plus fort,
Et malgré mon amour, va poursuivre sa mort.

L'INFANTE

Hier ce devoir te mit en une haute estime;
L'effort que tu te fis parut si magnanime,        1170
Si digne d'un grand cœur, que chacun à la cour
Admiroit ton courage et plaignoit ton amour.
Mais croirois-tu l'avis d'une amitié fidèle?

CHIMÈNE

Ne vous obéir pas me rendroit criminelle.

L'INFANTE

Ce qui fut juste alors ne l'est plus aujourd'hui.        1175
Rodrigue maintenant est notre unique appui,
L'espérance et l'amour d'un peuple qui l'adore,
Le soutien de Castille, et la terreur du More.
Le Roi même est d'accord de cette vérité,
Que ton père en lui seul se voit ressuscité;        1180
Et si tu veux enfin qu'en deux mots je m'explique,
Tu poursuis en sa mort la ruine publique.
Quoi! pour venger un père est-il jamais permis
De livrer sa patrie aux mains des ennemis?

Contre nous ta poursuite est-elle légitime,          1185
Et pour être punis avons-nous part au crime?
Ce n'est pas qu'après tout tu doives épouser
Celui qu'un père mort t'obligeoit d'accuser:
Je te voudrois moi-même en arracher l'envie;
Ote-lui ton amour, mais laisse-nous sa vie.          1190

CHIMÈNE

Ah! ce n'est pas à moi d'avoir tant de bonté;
Le devoir qui m'aigrit n'a rien de limité.
Quoique pour ce vainqueur mon amour s'intéresse,
Quoiqu'un people l'adore et qu'un roi le caresse,
Qu'il soit environné des plus vaillants guerriers,          1195
J'irai sous mes cyprès accabler ses lauriers.

L'INFANTE

C'est générosité quand pour venger un père
Notre devoir attaque une tête si chère;
Mais c'en est une encor d'un plus illustre rang,
Quand on donne au public les intérêts du sang.          1200
Non, crois-moi, c'est assez que d'éteindre ta flamme;
Il sera trop puni s'il n'est plus dans ton âme.
Que le bien du pays t'impose cette loi:
Aussi bien, que crois-tu que t'accorde le Roi?

CHIMÈNE

Il peut me refuser, mais je ne puis me taire.          1205

L'INFANTE

Pense bien, ma Chimène, à ce que tu veux faire.
Adieu: tu pourras seule y penser à loisir.

CHIMÈNE

Après mon père mort, je n'ai point à choisir.

## SCÈNE III

*Don Fernand, Don Diègue, Don Arias,*
*Don Rodrigue, Don Sanche*

#### DON FERNAND

Généreux héritier d'une illustre famille,
Qui fut toujours la gloire et l'appui de Castille,            1210
Race de tant d'aïeux en valeur signalés,
Que l'essai de la tienne a sitôt égalés,
Pour te récompenser ma force est trop petite ;
Et j'ai moins de pouvoir que tu n'as de mérite.
Le pays délivré d'un si rude ennemi,                          1215
Mon sceptre dans ma main par la tienne affermi,
Et les Mores défaits avant qu'en ces alarmes
J'eusse pu donner ordre à repousser leurs armes,
Ne sont point des exploits qui laissent à ton roi
Le moyen ni l'espoir de s'acquitter vers toi.                 1220
Mais deux rois tes captifs feront ta récompense.
Ils t'ont nommé tous deux leur Cid en ma présence :
Puisque Cid en leur langue est autant que seigneur,
Je ne t'envierai pas ce beau titre d'honneur.
  Sois désormais le Cid : qu'à ce grand nom tout cède ;
Qu'il comble d'épouvante et Grenade et Tolède,               1226
Et qu'il marque à tous ceux qui vivent sous mes lois
Et ce que tu me vaux, et ce que je te dois.

#### DON RODRIGUE

Que Votre Majesté, Sire, épargne ma honte.
D'un si foible service elle fait trop de conte,              1230
Et me force à rougir devant un si grand roi
De mériter si peu l'honneur que j'en reçoi.
Je sais trop que je dois au bien de votre empire,
Et le sang qui m'anime, et l'air que je respire ;

Et quand je les perdrai pour un si digne objet,          1235
Je ferai seulement le devoir d'un sujet.

DON FERNAND

Tous ceux que ce devoir à mon service engage
Ne s'en acquittent pas avec même courage;
Et lorsque la valeur ne va point dans l'excès,
Elle ne produit point de si rares succès.          1240
Souffre donc qu'on te loue, et de cette victoire
Apprends-moi plus au long la véritable histoire.

DON RODRIGUE

Sire, vous avez su qu'en ce danger pressant,
Qui jeta dans la ville un effroi si puissant,
Une troupe d'amis chez mon père assemblée          1245
Sollicita mon âme encor toute troublée . . .
Mais, Sire, pardonnez à ma témérité,
Si j'osai l'employer sans votre autorité:
Le péril approchoit; leur brigade étoit prête;
Me montrant à la cour, je hasardois ma tête;          1250
Et s'il falloit la perdre, il m'étoit bien plus doux
De sortir de la vie en combattant pour vous.

DON FERNAND

J'excuse ta chaleur à venger ton offense;
Et l'État défendu me parle en ta défense:
Crois que dorénavant Chimène a beau parler,          1255
Je ne l'écoute plus que pour la consoler.
Mais poursuis.

DON RODRIGUE

          Sous moi donc cette troupe s'avance,
Et porte sur le front une mâle assurance.
Nous partîmes cinq cents; mais par un prompt renfort
Nous nous vîmes trois mille en arrivant au port,          1260

Tant, à nous voir marcher avec un tel visage,
Les plus épouvantés reprenoient de courage !
J'en cache les deux tiers, aussitôt qu'arrivés,
Dans le fond des vaisseaux qui lors furent trouvés ;
Le reste, dont le nombre augmentoit à toute heure,      1265
Brûlant d'impatience autour de moi demeure,
Se couche contre terre, et sans faire aucun bruit,
Passe une bonne part d'une si belle nuit.
Par mon commandement la garde en fait de même,
Et se tenant cachée, aide à mon stratagème ;            1270
Et je feins hardiment d'avoir reçu de vous
L'ordre qu'on me voit suivre et que je donne à tous.
    Cette obscure clarté qui tombe des étoiles
Enfin avec le flux nous fait voir trente voiles ;
L'onde s'enfle dessous, et d'un commun effort           1275
Les Mores et la mer montent jusques au port.
On les laisse passer ; tout leur paroît tranquille ;
Point de soldats au port, point aux murs de la ville.
Notre profond silence abusant leurs esprits,
Ils n'osent plus douter de nous avoir surpris ;         1280
Ils abordent sans peur, ils ancrent, ils descendent,
Et courent se livrer aux mains qui les attendent.
Nous nous levons alors, et tous en même temps
Poussons jusques au ciel mille cris éclatants.
Les nôtres, à ces cris, de nos vaisseaux répondent ;    1285
Ils paroissent armés, les Mores se confondent,
L'épouvante les prend à demi descendus ;
Avant que de combattre, ils s'estiment perdus.
Ils couroient au pillage, et rencontrent la guerre ;
Nous les pressons sur l'eau, nous les pressons sur terre,
Et nous faisons courir des ruisseaux de leur sang,      1291
Avant qu'aucun résiste ou reprenne son rang.
Mais bientôt, malgré nous, leurs princes les rallient,
Leur courage renaît, et leurs terreurs s'oublient :
La honte de mourir sans avoir combattu                  1295

Arrête leur désordre, et leur rend leur vertu.
Contre nous de pied ferme ils tirent leurs alfanges,
De notre sang au leur font d'horribles mélanges;
Et la terre, et le fleuve, et leur flotte, et le port,
Sont des champs de carnage où triomphe la mort.      1300
    O combien d'actions, combien d'exploits célèbres
Sont demeurés sans gloire au milieu des ténèbres,
Où chacun, seul témoin des grands coups qu'il donnoit,
Ne pouvoit discerner où le sort inclinoit!
J'allois de tous côtés encourager les nôtres,          1305
Faire avancer les uns, et soutenir les autres,
Ranger ceux qui venoient, les pousser à leur tour,
Et ne l'ai pu savoir jusques au point du jour.
Mais enfin sa clarté montre notre avantage:
Le More voit sa perte, et perd soudain courage,        1310
Et voyant un renfort qui nous vient secourir,
L'ardeur de vaincre cède à la peur de mourir.
Ils gagnent leurs vaisseaux, ils en coupent les câbles,
Poussent jusques aux cieux des cris épouvantables,
Font retraite en tumulte, et sans considérer           1315
Si leurs rois avec eux peuvent se retirer.
Pour souffrir ce devoir leur frayeur est trop forte:
Le flux les apporta; le reflux les remporte,
Cependant que leurs rois, engagés parmi nous,
Et quelque peu des leurs, tous percés de nos coups,    1320
Disputent vaillamment et vendent bien leur vie.
A se rendre moi-même en vain je les convie:
Le cimeterre au poing ils ne m'écoutent pas;
Mais voyant à leurs pieds tomber tous leurs soldats,
Et que seuls désormais en vain ils se défendent,       1325
Ils demandent le chef: je me nomme, ils se rendent.
Je vous les envoyai tous deux en même temps;
Et le combat cessa faute de combattants.
    C'est de cette façon que, pour votre service . . .

## SCÈNE IV

*Don Fernand, Don Diègue, Don Rodrigue, Don Arias,*
*Don Alonse, Don Sanche*

DON ALONSE

Sire, Chimène vient vous demander justice.                    1330

DON FERNAND

La fâcheuse nouvelle, et l'importun devoir !
Va, je ne la veux pas obliger à te voir.
Pour tous remercîments il faut que je te chasse ;
Mais avant que sortir, viens, que ton roi t'embrasse.

DON DIÈGUE

Chimène le poursuit, et voudroit le sauver.                   1335

DON FERNAND

On m'a dit qu'elle l'aime, et je vais l'éprouver.
Montrez un œil plus triste.

## SCÈNE V

*Don Fernand, Don Diègue, Don Arias, Don Sanche,*
*Don Alonse, Chimène, Elvire*

DON FERNAND

      Enfin soyez contente,
Chimène, le succès répond à votre attente :
Si de nos ennemis Rodrigue a le dessus,
Il est mort à nos yeux des coups qu'il a reçus ;         1340
Rendez grâces au ciel, qui vous en a vengée.
   (*A don Diègue.*)
Voyez comme déjà sa couleur est changée.

DON DIÈGUE

Mais voyez qu'elle pâme, et d'un amour parfait,
Dans cette pâmoison, Sire, admirez l'effet.
Sa douleur a trahi les secrets de son âme,          1345
Et ne vous permet plus de douter de sa flamme.

CHIMÈNE

Quoi ! Rodrigue est donc mort ?

DON FERNAND

                              Non, non, il voit le jour,
Et te conserve encore un immuable amour :
Calme cette douleur qui pour lui s'intéresse.

CHIMÈNE

Sire, on pâme de joie, ainsi que de tristesse :          1350
Un excès de plaisir nous rend tout languissants,
Et quand il surprend l'âme, il accable les sens.

DON FERNAND

Tu veux qu'en ta faveur nous croyions l'impossible ?
Chimène, ta douleur a paru trop visible.

CHIMÈNE

Eh bien ! Sire, ajoutez ce comble à mon malheur,          1355
Nommez ma pâmoison l'effet de ma douleur :
Un juste déplaisir à ce point m'a réduite.
Son trépas déroboit sa tête à ma poursuite ;
S'il meurt des coups reçus pour le bien du pays,
Ma vengeance est perdue et mes desseins trahis :          1360
Une si belle fin m'est trop injurieuse.
Je demande sa mort, mais non pas glorieuse,
Non pas dans un éclat qui l'élève si haut,

Non pas au lit d'honneur, mais sur un échafaud;
Qu'il meure pour mon père, et non pour la patrie;    1365
Que son nom soit taché, sa mémoire flétrie.
Mourir pour le pays n'est pas un triste sort;
C'est s'immortaliser par une belle mort.

    J'aime donc sa victoire, et je le puis sans crime;
Elle assure l'État, et me rend ma victime,          1370
Mais noble, mais fameuse entre tous les guerriers,
Le chef, au lieu de fleurs, couronné de lauriers;
Et pour dire en un mot ce que j'en considère,
Digne d'être immolée aux mânes de mon père . . .

    Hélas! à quel espoir me laissé-je emporter!       1375
Rodrigue de ma part n'a rien à redouter:
Que pourroient contre lui des larmes qu'on méprise?
Pour lui tout votre empire est un lieu de franchise;
Là, sous votre pouvoir, tout lui devient permis;
Il triomphe de moi comme des ennemis.              1380
Dans leur sang répandu la justice étouffée
Aux crimes du vainqueur sert d'un nouveau trophée:
Nous en croissons la pompe, et le mépris des lois
Nous fait suivre son char au milieu de deux rois.

### DON FERNAND

Ma fille, ces transports ont trop de violence.      1385
Quand on rend la justice, on met tout en balance:
On a tué ton père, il étoit l'agresseur;
Et la même équité m'ordonne la douceur.
Avant que d'accuser ce que j'en fais paroître,
Consulte bien ton cœur: Rodrigue en est le maître,  1390
Et ta flamme en secret rend grâces à ton roi,
Dont la faveur conserve un tel amant pour toi.

### CHIMÈNE

Pour moi! mon ennemi! l'objet de ma colère!
L'auteur de mes malheurs! l'assassin de mon père!

De ma juste poursuite on fait si peu de cas          1395
Qu'on me croit obliger en ne m'écoutant pas !

    Puisque vous refusez la justice à mes larmes,
Sire, permettez-moi de recourir aux armes ;
C'est par là seulement qu'il a su m'outrager,
Et c'est aussi par là que je me dois venger.          1400
A tous vos cavaliers je demande sa tête :
Oui, qu'un d'eux me l'apporte, et je suis sa conquête ;
Qu'ils le combattent, Sire, et le combat fini,
J'épouse le vainqueur, si Rodrigue est puni.
Sous votre autorité souffrez qu'on le publie.          1405

### DON FERNAND

Cette vieille coutume en ces lieux établie,
Sous couleur de punir un injuste attentat,
Des meilleurs combattants affoiblit un État ;
Souvent de cet abus le succès déplorable
Opprime l'innocent, et soutient le coupable.          1410
J'en dispense Rodrigue ; il m'est trop précieux
Pour l'exposer aux coups d'un sort capricieux ;
Et quoi qu'ait pu commettre un cœur si magnanime,
Les Mores en fuyant ont emporté son crime.

### DON DIÈGUE

Quoi ! Sire, pour lui seul vous renversez des lois          1415
Qu'a vu toute la cour observer tant de fois !
Que croira votre peuple et que dira l'envie,
Si sous votre défense il ménage sa vie,
Et s'en fait un prétexte à ne paroître pas
Où tous les gens d'honneur cherchent un beau trépas ?
De pareilles faveurs terniroient trop sa gloire :          1421
Qu'il goûte sans rougir les fruits de sa victoire.
Le Comte eut de l'audace ; il l'en a su punir :
Il l'a fait en brave homme, et le doit maintenir.

DON FERNAND

Puisque vous le voulez, j'accorde qu'il le fasse.          1425
Mais d'un guerrier vaincu mille prendroient la place,
Et le prix que Chimène au vainqueur a promis
De tous mes cavaliers feroit ses ennemis.
L'opposer seul à tous seroit trop d'injustice:
Il suffit qu'une fois il entre dans la lice.              1430
    Choisis qui tu voudras, Chimène, et choisis bien;
Mais après ce combat ne demande plus rien.

DON DIÈGUE

N'excusez point par là ceux que son bras étonne:
Laissez un champ ouvert, où n'entrera personne.
Après ce que Rodrigue a fait voir aujourd'hui,        1435
Quel courage assez vain s'oseroit prendre à lui?
Qui se hasarderoit contre un tel adversaire?
Qui seroit ce vaillant, ou bien ce téméraire?

DON SANCHE

Faites ouvrir le champ: vous voyez l'assaillant;
Je suis ce téméraire, ou plutôt ce vaillant.          1440
    Accordez cette grâce à l'ardeur qui me presse,
Madame; vous savez quelle est votre promesse.

DON FERNAND

Chimène, remets-tu ta querelle en sa main?

CHIMÈNE

Sire, je l'ai promis.

DON FERNAND

                Soyez prêt à demain.

DON DIÈGUE

Non, Sire, il ne faut pas différer davantage :            1445
On est toujours trop prêt quand on a du courage.

DON FERNAND

Sortir d'une bataille, et combattre à l'instant !

DON DIÈGUE

Rodrigue a pris haleine en vous la racontant.

DON FERNAND

Du moins une heure ou deux je veux qu'il se délasse.
Mais de peur qu'en exemple un tel combat ne passe, 1450
Pour témoigner à tous qu'à regret je permets
Un sanglant procédé qui ne me plut jamais,
De moi ni de ma cour il n'aura la présence.

(*Il parle à don Arias.*)

  Vous seul des combattants jugerez la vaillance :
Ayez soin que tous deux fassent en gens de cœur,     1455
Et le combat fini, m'amenez le vainqueur.
Qui qu'il soit, même prix est acquis à sa peine :
Je le veux de ma main présenter à Chimène,
Et que pour récompense il reçoive sa foi.

CHIMÈNE

Quoi ! Sire, m'imposer une si dure loi !            1460

DON FERNAND

Tu t'en plains ; mais ton feu, loin d'avouer ta plainte,
Si Rodrigue est vainqueur, l'accepte sans contrainte.
Cesse de murmurer contre un arrêt si doux :
Qui que ce soit des deux, j'en ferai ton époux.

# ACTE V

## SCÈNE PREMIÈRE

### *Don Rodrigue, Chimène*

CHIMÈNE

Quoi! Rodrigue, en plein jour! d'où te vient cette
　　audace? 　　　　　　　　　　　　　　　　　　　1465
Va, tu me perds d'honneur; retire-toi, de grâce.

DON RODRIGUE

Je vais mourir, Madame, et vous viens en ce lieu,
Avant le coup mortel, dire un dernier adieu:
Cet immuable amour qui sous vos lois m'engage
N'ose accepter ma mort sans vous en faire hommage. 1470

CHIMÈNE

Tu vas mourir!

DON RODRIGUE

　　　　　　　Je cours à ces heureux moments
Qui vont livrer ma vie à vos ressentiments.

CHIMÈNE

Tu vas mourir! Don Sanche est-il si redoutable
Qu'il donne l'épouvante à ce cœur indomptable?
Qui t'a rendu si foible, ou qui le rend si fort? 1475
Rodrigue va combattre, et se croit déjà mort!
Celui qui n'a pas craint les Mores, ni mon père,
Va combattre don Sanche, et déjà désespère!
Ainsi donc au besoin ton courage s'abat!

DON RODRIGUE

Je cours à mon supplice, et non pas au combat; 1480
Et ma fidèle ardeur sait bien m'ôter l'envie,

Quand vous cherchez ma mort, de défendre ma vie.
  J'ai toujours même cœur; mais je n'ai point de bras
Quand il faut conserver ce qui ne vous plaît pas;
Et déjà cette nuit m'auroit été mortelle,                    1485
Si j'eusse combattu pour ma seule querelle;
Mais défendant mon roi, son peuple et mon pays,
A me défendre mal je les aurois trahis.
Mon esprit généreux ne hait pas tant la vie,
Qu'il en veuille sortir par une perfidie.                    1490
Maintenant qu'il s'agit de mon seul intérêt,
Vous demandez ma mort, j'en accepte l'arrêt.
Votre ressentiment choisit la main d'un autre
(Je ne méritois pas de mourir de la vôtre):
On ne me verra point en repousser les coups;                1495
Je dois plus de respect à qui combat pour vous;
Et ravi de penser que c'est de vous qu'ils viennent,
Puisque c'est votre honneur que ses armes soutiennent,
Je vais lui présenter mon estomac ouvert,
Adorant en sa main la vôtre qui me perd.                     1500

### CHIMÈNE

Si d'un triste devoir la juste violence,
Qui me fait malgré moi poursuivre ta vaillance,
Prescrit à ton amour une si forte loi
Qu'il te rend sans défense à qui combat pour moi,
En cet aveuglement ne perds pas la mémoire                   1505
Qu'ainsi que de ta vie il y va de ta gloire,
Et que dans quelque éclat que Rodrigue ait vécu,
Quand on le saura mort, on le croira vaincu.
  Ton honneur t'est plus cher que je ne te suis chère,
Puisqu'il trempe tes mains dans le sang de mon père,        1510
Et te fait renoncer, malgré ta passion,
A l'espoir le plus doux de ma possession:
Je t'en vois cependant faire si peu de conte
Que sans rendre combat tu veux qu'on te surmonte.

Quelle inégalité ravale ta vertu?                    1515
Pourquoi ne l'as-tu plus, ou pourquoi l'avois-tu?
Quoi? n'es-tu généreux que pour me faire outrage?
S'il ne faut m'offenser, n'as-tu point de courage?
Et traites-tu mon père avec tant de rigueur,
Qu'après l'avoir vaincu tu souffres un vainqueur?    1520
Va, sans vouloir mourir, laisse-moi te poursuivre,
Et défends ton honneur, si tu ne veux plus vivre.

### DON RODRIGUE

Après la mort du Comte, et les Mores défaits,
Faudroit-il à ma gloire encor d'autres effets?
Elle peut dédaigner le soin de me défendre:         1525
On sait que mon courage ose tout entreprendre,
Que ma valeur peut tout, et que dessous les cieux,
Auprès de mon honneur, rien ne m'est précieux.
Non, non, en ce combat, quoi que vous veuilliez croire,
Rodrigue peut mourir sans hasarder sa gloire,       1530
Sans qu'on l'ose accuser d'avoir manqué de cœur,
Sans passer pour vaincu, sans souffrir un vainqueur.
On dira seulement: "Il adoroit Chimène;
Il n'a pas voulu vivre et mériter sa haine;
Il a cédé lui-même à la rigueur du sort             1535
Qui forçoit sa maîtresse à poursuivre sa mort:
Elle vouloit sa tête; et son cœur magnanime,
S'il l'en eût refusée, eût pensé faire un crime.
Pour venger son honneur il perdit son amour,
Pour venger sa maîtresse il a quitté le jour,       1540
Préférant, quelque espoir qu'eût son âme asservie,
Son honneur à Chimène, et Chimène à sa vie."
Ainsi donc vous verrez ma mort en ce combat,
Loin d'obscurcir ma gloire, en rehausser l'éclat;
Et cet honneur suivra mon trépas volontaire,        1545
Que tout autre que moi n'eût pu vous satisfaire.

CHIMÈNE

Puisque, pour t'empêcher de courir au trépas,
Ta vie et ton honneur sont de foibles appas,
Si jamais je t'aimai, cher Rodrigue, en revanche,
Défends-toi maintenant pour m'ôter à don Sanche; 1550
Combats pour m'affranchir d'une condition
Qui me donne à l'objet de mon aversion.
Te dirai-je encor plus? va, songe à ta défense,
Pour forcer mon devoir, pour m'imposer silence;
Et si tu sens pour moi ton cœur encore épris, 1555
Sors vainqueur d'un combat dont Chimène est le prix.
Adieu: ce mot lâché me fait rougir de honte.

DON RODRIGUE

Est-il quelque ennemi qu'à présent je ne dompte?
Paroissez, Navarrois, Mores et Castillans,
Et tout ce que l'Espagne a nourri de vaillants; 1560
Unissez-vous ensemble, et faites une armée,
Pour combattre une main de la sorte animée:
Joignez tous vos efforts contre un espoir si doux;
Pour en venir à bout, c'est trop peu que de vous.

SCÈNE II

*L'Infante*

T'écouterai-je encor, respect de ma naissance,        1565
        Qui fais un crime de mes feux?
T'écouterai-je, amour, dont la douce puissance
Contre ce fier tyran fait révolter mes vœux?
        Pauvre princesse, auquel des deux
        Dois-tu prêter obéissance?        1570
Rodrigue, ta valeur te rend digne de moi;
Mais pour être vaillant, tu n'es pas fils de roi.

Impitoyable sort, dont la rigueur sépare
　　　　Ma gloire d'avec mes désirs !
Est-il dit que le choix d'une vertu si rare          1575
Coûte à ma passion de si grands déplaisirs ?
　　　　O cieux ! à combien de soupirs
　　　　Faut-il que mon cœur se prépare,
Si jamais il n'obtient sur un si long tourment
Ni d'éteindre l'amour, ni d'accepter l'amant !        1580

Mais c'est trop de scrupule, et ma raison s'étonne
　　　　Du mépris d'un si digne choix :
Bien qu'aux monarques seuls ma naissance me donne,
Rodrigue, avec honneur je vivrai sous tes lois.
　　　　Après avoir vaincu deux rois,          1585
　　　　Pourrois-tu manquer de couronne ?
Et ce grand nom de Cid que tu viens de gagner
Ne fait-il pas trop voir sur qui tu dois régner ?

Il est digne de moi, mais il est à Chimène ;
　　　　Le don que j'en ai fait me nuit.          1590
Entre eux la mort d'un père a si peu mis de haine,
Que le devoir du sang à regret le poursuit :
　　　　Ainsi n'espérons aucun fruit
　　　　De son crime, ni de ma peine,
Puisque pour me punir le destin a permis          1595
Que l'amour dure même entre deux ennemis.


## SCÈNE III

### L'Infante, Léonor

#### L'INFANTE

Où viens-tu, Léonor ?

#### LÉONOR

　　　　　　Vous applaudir, Madame,
Sur le repos qu'enfin a retrouvé votre âme.

L'INFANTE

D'où viendroit ce repos dans un comble d'ennui?

LÉONOR

Si l'amour vit d'espoir, et s'il meurt avec lui,          1600
Rodrigue ne peut plus charmer votre courage.
Vous savez le combat où Chimène l'engage:
Puisqu'il faut qu'il y meure, ou qu'il soit son mari,
Votre espérance est morte et votre esprit guéri.          1604

L'INFANTE

Ah! qu'il s'en faut encor! *far from it*

LÉONOR

                                 Que pouvez-vous prétendre?

L'INFANTE

Mais plutôt quel espoir me pourrois-tu défendre?
Si Rodrigue combat sous ces conditions,
Pour en rompre l'effet, j'ai trop d'inventions.
L'amour, ce doux auteur de mes cruels supplices, *punishments*
Aux esprits des amants apprend trop d'artifices.          1610  *tricks*

LÉONOR

Pourrez-vous quelque chose, après qu'un père mort
N'a pu dans leurs esprits allumer de discord?
Car Chimène aisément montre par sa conduite
Que la haine aujourd'hui ne fait pas sa poursuite.
Elle obtient un combat, et pour son combattant          1615
C'est le premier offert qu'elle accepte à l'instant:
Elle n'a point recours à ces mains généreuses
Que tant d'exploits fameux rendent si glorieuses;
Don Sanche lui suffit, et mérite son choix,

Parce qu'il va s'armer pour la première fois.     1620
Elle aime en ce duel son peu d'expérience;
Comme il est sans renom, elle est sans défiance;
Et sa facilité vous doit bien faire voir
Qu'elle cherche un combat qui force son devoir,
Qui livre à son Rodrigue une victoire aisée,     1625
Et l'autorise enfin à paroître apaisée.

L'INFANTE

Je le remarque assez, et toutefois mon cœur
A l'envi de Chimène adore ce vainqueur.
A quoi me résoudrai-je, amante infortunée?

LÉONOR

A vous mieux souvenir de qui vous êtes née:     1630
Le ciel vous doit un roi, vous aimez un sujet!

L'INFANTE

Mon inclination a bien changé d'objet.
Je n'aime plus Rodrigue, un simple gentilhomme;
Non, ce n'est plus ainsi que mon amour le nomme:
Si j'aime, c'est l'auteur de tant de beaux exploits,     1635
C'est le valeureux Cid, le maître de deux rois.
   Je me vaincrai pourtant, non de peur d'aucun blâme,
Mais pour ne troubler pas une si belle flamme;
Et quand pour m'obliger on l'auroit couronné,
Je ne veux point reprendre un bien que j'ai donné.     1640
Puisqu'en un tel combat sa victoire est certaine,
Allons encore un coup le donner à Chimène.
Et toi, qui vois les traits dont mon cœur est percé,
Viens me voir achever comme j'ai commencé.

## SCÈNE IV

*Chimène, Elvire*

CHIMÈNE

Elvire, que je souffre, et que je suis à plaindre !          1645
Je ne sais qu'espérer, et je vois tout à craindre ;
Aucun vœu ne m'échappe où j'ose consentir ;
Je ne souhaite rien sans un prompt repentir.
A deux rivaux pour moi je fais prendre les armes :
Le plus heureux succès me coûtera des larmes ;          1650
Et quoi qu'en ma faveur en ordonne le sort,
Mon père est sans vengeance, ou mon amant est mort.

ELVIRE

D'un et d'autre côté je vous vois soulagée :
Ou vous avez Rodrigue, ou vous êtes vengée ;
Et quoi que le destin puisse ordonner de vous,          1655
Il soutient votre gloire, et vous donne un époux.

CHIMÈNE

Quoi ! l'objet de ma haine ou de tant de colère !
L'assassin de Rodrigue ou celui de mon père !
De tous les deux côtés on me donne un mari
Encor tout teint du sang que j'ai le plus chéri ;          1660
De tous les deux côtés mon âme se rebelle :
Je crains plus que la mort la fin de ma querelle.
Allez, vengeance, amour, qui troublez mes esprits,
Vous n'avez point pour moi de douceurs à ce prix ;
Et toi, puissant moteur du destin qui m'outrage,          1665
Termine ce combat sans aucun avantage,
Sans faire aucun des deux ni vaincu ni vainqueur.

ELVIRE

Ce seroit vous traiter avec trop de rigueur.
Ce combat pour votre âme est un nouveau supplice,
S'il vous laisse obligée à demander justice,                    1670
A témoigner toujours ce haut ressentiment,
Et poursuivre toujours la mort de votre amant.
Madame, il vaut bien mieux que sa rare vaillance,
Lui couronnant le front, vous impose silence;
Que la loi du combat étouffe vos soupirs,                      1675
Et que le Roi vous force à suivre vos désirs.

CHIMÈNE

Quand il sera vainqueur, crois-tu que je me rende?
Mon devoir est trop fort, et ma perte trop grande;
Et ce n'est pas assez, pour leur faire la loi,
Que celle du combat et le vouloir du Roi.                      1680
Il peut vaincre don Sanche avec fort peu de peine,
Mais non pas avec lui la gloire de Chimène;
Et quoi qu'à sa victoire un monarque ait promis,
Mon honneur lui fera mille autres ennemis.

ELVIRE

Gardez, pour vous punir de cet orgueil étrange,               1685
Que le ciel à la fin ne souffre qu'on vous venge.
Quoi! vous voulez encor refuser le bonheur
De pouvoir maintenant vous taire avec honneur?
Que prétend ce devoir, et qu'est-ce qu'il espère?
La mort de votre amant vous rendra-t-elle un père?           1690
Est-ce trop peu pour vous que d'un coup de malheur?
Faut-il perte sur perte, et douleur sur douleur?
Allez, dans le caprice où votre humeur s'obstine,
Vous ne méritez pas l'amant qu'on vous destine;
Et nous verrons du ciel l'équitable courroux                  1695
Vous laisser, par sa mort, don Sanche pour époux.

CHIMÈNE

Elvire, c'est assez des peines que j'endure,
Ne les redouble point de ce funeste augure.
Je veux, si je le puis, les éviter tous deux;
Sinon, en ce combat Rodrigue a tous mes vœux:    1700
Non qu'une folle ardeur de son côté me penche;
Mais s'il étoit vaincu, je serois à don Sanche:
Cette appréhension fait naître mon souhait.
Que vois-je, malheureuse? Elvire, c'en est fait.


SCÈNE V

*Don Sanche, Chimène, Elvire*

DON SANCHE

Obligé d'apporter à vos pieds cette épée . . .    1705

CHIMÈNE

Quoi? du sang de Rodrigue encor toute trempée?
Perfide, oses-tu bien te montrer à mes yeux,
Après m'avoir ôté ce que j'aimois le mieux?
   Éclate, mon amour, tu n'as plus rien à craindre:
Mon père est satisfait, cesse de te contraindre.    1710
Un même coup a mis ma gloire en sûreté,
Mon âme au désespoir, ma flamme en liberté.

DON SANCHE

D'un esprit plus rassis . . .

CHIMÈNE

              Tu me parles encore,
Exécrable assassin d'un héros que j'adore?
Va, tu l'as pris en traître; un guerrier si vaillant    1715
N'eût jamais succombé sous un tel assaillant.

N'espère rien de moi, tu ne m'as point servie:
En croyant me venger, tu m'as ôté la vie.

DON SANCHE

Étrange impression, qui loin de m'écouter . . .

CHIMÈNE

Veux-tu que de sa mort je t'écoute vanter,                    1720
Que j'entende à loisir avec quelle insolence
Tu peindras son malheur, mon crime et ta vaillance?


## SCÈNE VI

*Don Fernand, Don Diègue, Don Arias,*
*Don Sanche, Don Alonse, Chimène, Elvire*

CHIMÈNE

Sire, il n'est plus besoin de vous dissimuler
Ce que tous mes efforts ne vous ont pu celer.
J'aimois, vous l'avez su; mais pour venger mon père,
J'ai bien voulu proscrire une tête si chère:          1726
Votre Majesté, Sire, elle-même a pu voir
Comme j'ai fait céder mon amour au devoir.
Enfin Rodrigue est mort, et sa mort m'a changée
D'implacable ennemie en amante affligée.                  1730
J'ai dû cette vengeance à qui m'a mise au jour,
Et je dois maintenant ces pleurs à mon amour.
Don Sanche m'a perdue en prenant ma défense,
Et du bras qui me perd je suis la récompense!
    Sire, si la pitié peut émouvoir un roi,                   1735
De grâce, révoquez une si dure loi;
Pour prix d'une victoire où je perds ce que j'aime,
Je lui laisse mon bien; qu'il me laisse à moi-même;
Qu'en un cloître sacré je pleure incessamment,
Jusqu'au dernier soupir, mon père et mon amant.          1740

DON DIÈGUE

Enfin elle aime, Sire, et ne croit plus un crime
D'avouer par sa bouche un amour légitime.

DON FERNAND

Chimène, sors d'erreur, ton amant n'est pas mort,
Et don Sanche vaincu t'a fait un faux rapport.

DON SANCHE

Sire, un peu trop d'ardeur malgré moi l'a déçue:            1745
Je venois du combat lui raconter l'issue.
Ce généreux guerrier, dont son cœur est charmé:
"Ne crains rien, m'a-t-il dit, quand il m'a désarmé;
Je laisserois plutôt la victoire incertaine,
Que de répandre un sang hasardé pour Chimène;           1750
Mais puisque mon devoir m'appelle auprès du Roi,
Va de notre combat l'entretenir pour moi,
De la part du vainqueur lui porter ton épée."
Sire, j'y suis venu: cet objet l'a trompée;
Elle m'a cru vainqueur, me voyant de retour,              1755
Et soudain sa colère a trahi son amour
Avec tant de transport et tant d'impatience,
Que je n'ai pu gagner un moment d'audience.
    Pour moi, bien que vaincu, je me répute heureux;
Et malgré l'intérêt de mon cœur amoureux,               1760
Perdant infiniment, j'aime encor ma défaite,
Qui fait le beau succès d'une amour si parfaite.

DON FERNAND

Ma fille, il ne faut point rougir d'un si beau feu,
Ni chercher les moyens d'en faire un désaveu.
Une louable honte en vain t'en sollicite:                1765
Ta gloire est dégagée, et ton devoir est quitte;
Ton père est satisfait, et c'étoit le venger

Que mettre tant de fois ton Rodrigue en danger.
Tu vois comme le ciel autrement en dispose.
Ayant tant fait pour lui, fais pour toi quelque chose, 1770
Et ne sois point rebelle à mon commandement,
Qui te donne un époux aimé si chèrement.

## SCÈNE VII

*Don Fernand, Don Diègue, Don Arias,*
*Don Rodrigue, Don Alonse, Don Sanche, L'Infante,*
*Chimène, Léonor, Elvire*

#### L'INFANTE

Sèche tes pleurs, Chimène, et reçois sans tristesse
Ce généreux vainqueur des mains de ta princesse.

#### DON RODRIGUE

Ne vous offensez point, Sire, si devant vous       1775
Un respect amoureux me jette à ses genoux.
    Je ne viens point ici demander ma conquête :
Je viens tout de nouveau vous apporter ma tête,
Madame ; mon amour n'emploiera point pour moi
Ni la loi du combat, ni le vouloir du Roi.       1780
Si tout ce qui s'est fait est trop peu pour un père,
Dites par quels moyens il vous faut satisfaire.
Faut-il combattre encor mille et mille rivaux,
Aux deux bouts de la terre étendre mes travaux,
Forcer moi seul un camp, mettre en fuite une armée,
Des héros fabuleux passer la renommée ?       1786
Si mon crime par là se peut enfin laver,
J'ose tout entreprendre, et puis tout achever ;
Mais si ce fier honneur, toujours inexorable,
Ne se peut apaiser sans la mort du coupable,       1790
N'armez plus contre moi le pouvoir des humains :
Ma tête est à vos pieds, vengez-vous par vos mains ;

Vos mains seules ont droit de vaincre un invincible;
Prenez une vengeance à tout autre impossible.
Mais du moins que ma mort suffise à me punir:          1795
Ne me bannissez point de votre souvenir;
Et puisque mon trépas conserve votre gloire,
Pour vous en revancher conservez ma mémoire,
Et dites quelquefois, en déplorant mon sort:
"S'il ne m'avoit aimée, il ne seroit pas mort."          1800

CHIMÈNE

Relève-toi, Rodrigue. Il faut l'avouer, Sire,
Je vous en ai trop dit pour m'en pouvoir dédire.
Rodrigue a des vertus que je ne puis haïr;
Et quand un roi commande, on lui doit obéir.
Mais à quoi que déjà vous m'ayez condamnée,          1805
Pourrez-vous à vos yeux souffrir cet hyménée?
Et quand de mon devoir vous voulez cet effort,
Toute votre justice en est-elle d'accord?
Si Rodrigue à l'État devient si nécessaire,
De ce qu'il fait pour vous dois-je être le salaire,          1810
Et me livrer moi-même au reproche éternel
D'avoir trempé mes mains dans le sang paternel?

DON FERNAND

Le temps assez souvent a rendu légitime
Ce qui sembloit d'abord ne se pouvoir sans crime:
Rodrigue t'a gagnée, et tu dois être à lui.          1815
Mais quoique sa valeur t'ait conquise aujourd'hui,
Il faudroit que je fusse ennemi de ta gloire,
Pour lui donner sitôt le prix de sa victoire.
Cet hymen différé ne rompt point une loi
Qui sans marquer de temps lui destine ta foi.          1820
Prends un an, si tu veux, pour essuyer tes larmes.
Rodrigue, cependant il faut prendre les armes.
Après avoir vaincu les Mores sur nos bords,

Renversé leurs desseins, repoussé leurs efforts,
Va jusqu'en leur pays leur reporter la guerre,    1825
Commander mon armée, et ravager leur terre:
A ce nom seul de Cid ils trembleront d'effroi;
Ils t'ont nommé seigneur, et te voudront pour roi.
Mais parmi tes hauts faits sois-lui toujours fidèle:
Reviens-en, s'il se peut, encor plus digne d'elle;    1830
Et par tes grands exploits fais-toi si bien priser,
Qu'il lui soit glorieux alors de t'épouser.

#### DON RODRIGUE

Pour posséder Chimène, et pour votre service,
Que peut-on m'ordonner que mon bras n'accomplisse?
Quoi qu'absent de ses yeux il me faille endurer,    1835
Sire, ce m'est trop d'heur de pouvoir espérer.

#### DON FERNAND

Espère en ton courage, espère en ma promesse;
Et possédant déjà le cœur de ta maîtresse,
Pour vaincre un point d'honneur qui combat contre toi,
Laisse faire le temps, ta vaillance et ton roi.    1840

# HORACE

TRAGÉDIE

# A MONSEIGNEUR
## LE CARDINAL DUC DE RICHELIEU

MONSEIGNEUR,

Je n'aurois jamais eu la témérité de présenter à VOTRE ÉMINENCE ce mauvais portrait d'Horace, si je n'eusse considéré qu'après tant de bienfaits que j'ai reçus d'elle, le silence où mon respect m'a retenu jusqu'à présent passeroit pour ingratitude, et que quelque juste défiance que j'aie de mon travail, je dois avoir encore plus de confiance en votre bonté. C'est d'elle que je tiens tout ce que je suis; et ce n'est pas sans rougir que pour toute reconnoissance, je vous fais un présent si peu digne de vous, et si peu proportionné à ce que je vous dois. Mais, dans cette confusion, qui m'est commune avec tous ceux qui écrivent, j'ai cet avantage qu'on ne peut, sans quelque injustice, condamner mon choix, et que ce généreux Romain, que je mets aux pieds de V. É., eût pu paroître devant elle avec moins de honte, si les forces de l'artisan eussent répondu à la dignité de la matière. J'en ai pour garant l'auteur dont je l'ai tirée, qui commence à décrire cette fameuse histoire par ce glorieux éloge, "qu'il n'y a presque aucune chose plus noble dans toute l'antiquité". Je voudrois que ce qu'il a dit de l'action se pût dire de la peinture que j'en ai faite, non pour en tirer plus de vanité, mais seulement pour vous offrir quelque chose un peu moins indigne de vous être offert. Le sujet étoit capable de plus de grâces, s'il eût été traité d'une main plus savante; mais du moins il a reçu de la mienne toutes

107

celles qu'elle étoit capable de lui donner, et qu'on pouvoit raisonnablement attendre d'une muse de province, qui n'étant pas assez heureuse pour jouir souvent des regards de V. É., n'a pas les mêmes lumières à se conduire qu'ont celles qui en sont continuellement éclairées. Et certes, MONSEIGNEUR, ce changement visible qu'on remarque en mes ouvrages depuis que j'ai l'honneur d'être à V. É., qu'est-ce autre chose qu'un effet des grandes idées qu'elle m'inspire, quand elle daigne souffrir que je lui rende mes devoirs? et à quoi peut-on attribuer ce qui s'y mêle de mauvais, qu'aux teintures grossières que je reprends quand je demeure abandonné à ma propre foiblesse? Il faut, MONSEIGNEUR, que tous ceux qui donnent leurs veilles au théâtre publient hautement avec moi que nous vous avons deux obligations très signalées: l'une, d'avoir ennobli le but de l'art; l'autre, de nous en avoir facilité les connoissances. Vous avez ennobli le but de l'art, puisqu'au lieu de celui de plaire au peuple que nous prescrivent nos maîtres, et dont les deux plus honnêtes gens de leur siècle, Scipion et Lælie, ont autrefois protesté de se contenter, vous nous avez donné celui de vous plaire et de vous divertir; et qu'ainsi nous ne rendons pas un petit service à l'État, puisque, contribuant à vos divertissements, nous contribuons à l'entretien d'une santé qui lui est si précieuse et si nécessaire. Vous nous en avez facilité les connoissances, puisque nous n'avons plus besoin d'autre étude pour les acquérir que d'attacher nos yeux sur V. É., quand elle honore de sa présence et de son attention le récit de nos poèmes. C'est là que lisant sur son visage ce qui lui plaît et ce qui ne lui plaît pas, nous nous instruisons avec certitude de ce qui est bon et de ce qui est mauvais, et tirons des règles infaillibles de ce qu'il faut suivre et de ce qu'il faut éviter; c'est là que j'ai souvent appris en

deux heures ce que mes livres n'eussent pu m'apprendre
en dix ans; c'est là que j'ai puisé ce qui m'a valu
l'applaudissement du public; et c'est là qu'avec votre
faveur j'espère puiser assez pour être un jour une
œuvre digne de vos mains. Ne trouvez donc pas mauvais, Monseigneur, que pour vous remercier de ce que
j'ai de réputation, dont je vous suis entièrement redevable, j'emprunte quatre vers d'un autre Horace que
celui que je vous présente et que je vous exprime par
eux les plus véritables sentiments de mon âme:

> *Totum muneris hoc tui est,*
> *Quod monstror digito prætereuntium,*
> *Scenæ non levis artifex;*
> *Quod spiro et placeo, si placeo, tuum est.*

Je n'ajouterai qu'une vérité à celle-ci, en vous sup-
pliant de croire que je suis et serai toute ma vie, très
passionnément,

> MONSEIGNEUR,
>> De V. É.,
>>> Le très humble, très obéissant,
>>> et très fidèle serviteur,
>>>> Corneille.

## EXAMEN.

C'est une croyance assez générale que cette pièce
pourroit passer pour la plus belle des miennes, si les
derniers actes répondoient aux premiers. Tous veulent
que la mort de Camille en gâte la fin, et j'en demeure
d'accord; mais je ne sais si tous en savent la raison.
On l'attribue communément à ce qu'on voit cette mort
sur la scène; ce qui seroit plutôt la faute de l'actrice

que la mienne, parce que, quand elle voit son frère
mettre l'épée à la main, la frayeur, si naturelle au sexe,
lui doit faire prendre la fuite, et recevoir le coup derrière le théâtre, comme je le marque dans cette impression. D'ailleurs, si c'est une règle de ne le point
ensanglanter, elle n'est pas du temps d'Aristote, qui
nous apprend que pour émouvoir puissamment il faut
de grands déplaisirs, des blessures et des morts en spectacle. Horace ne veut pas que nous y hasardions les
événements trop dénaturés, comme de Médée qui tue ses
enfants; mais je ne vois pas qu'il en fasse une règle
générale pour toutes sortes de morts, ni que l'emportement d'un homme passionné pour sa patrie, contre
une sœur qui la maudit en sa présence avec des impré-
cations horribles, soit de même nature que la cruauté
de cette mère. Sénèque l'expose aux yeux du peuple, en
dépit d'Horace; et chez Sophocle, Ajax ne se cache
point au spectateur lorsqu'il se tue. L'adoucissement
que j'apporte dans le second de ces discours pour rec-
tifier la mort de Clytemnestre ne peut être propre ici
à celle de Camille. Quand elle s'enferreroit d'elle-même
par désespoir en voyant son frère l'épée à la main, ce
frère ne laisseroit pas d'être criminel de l'avoir tirée
contre elle, puisqu'il n'y a point de troisième personne
sur le théâtre à qui il pût adresser le coup qu'elle rece-
vroit, comme peut faire Oreste à Égisthe. D'ailleurs
l'histoire est trop connue pour retrancher le péril qu'il
court d'une mort infâme après l'avoir tuée; et la défense que lui prête son père pour obtenir sa grâce n'auroit plus de lieu, s'il demeuroit innocent. Quoi qu'il en
soit, voyons si cette action n'a pu causer la chute de
ce poème que par là, et si elle n'a point d'autre irrégularité que de blesser les yeux.

Comme je n'ai point accoutumé de dissimuler mes défauts, j'en trouve ici deux ou trois assez considérables.

Le premier est que cette action, qui devient la principale de la pièce, est momentanée, et n'a point cette juste grandeur que lui demande Aristote, et qui consiste en un commencement, un milieu et une fin. Elle surprend tout d'un coup; et toute la préparation que j'y ai donnée par la peinture de la vertu farouche d'Horace et par la défense qu'il fait à sa sœur de regretter qui que ce soit, de lui ou de son amant, qui meure au combat, n'est point suffisante pour faire attendre un emportement si extraordinaire, et servir de commencement à cette action.

Le second défaut est que cette mort fait une action double, par le second péril où tombe Horace après être sorti du premier. L'unité de péril d'un héros dans la tragédie fait l'unité d'action; et quand il en est garanti, la pièce est finie, si ce n'est que la sortie même de ce péril l'engage si nécessairement dans un autre, que la liaison et la continuité des deux n'en fasse qu'une action; ce qui n'arrive point ici, où Horace revient triomphant, sans aucun besoin de tuer sa sœur, ni même de parler à elle; et l'action seroit suffisamment terminée à sa victoire. Cette chute d'un péril en l'autre, sans nécessité, fait ici un effet d'autant plus mauvais, que d'un péril public, où il y va de tout l'État, il tombe en un péril particulier, où il n'y va que de sa vie, et pour dire encore plus, d'un péril illustre, où il ne peut succomber que glorieusement, en un péril infâme, dont il ne peut sortir sans tache. Ajoutez, pour troisième imperfection, que Camille, qui ne tient que le second rang dans les trois premiers actes, et y laisse le premier à Sabine, prend le premier en ces deux derniers, où cette Sabine n'est plus considérable, et qu'ainsi s'il y a égalité dans les mœurs, il n'y en a point dans la dignité des personnages, où se doit étendre ce précepte d'Horace:

*Servetur ad imum*
*Qualis ab incepto processerit, et sibi constet.*

Ce défaut en Rodélinde a été une des principales causes
du mauvais succès de *Pertharite,* et je n'ai point encore
vu sur nos théâtres cette inégalité de rang en un même
acteur, qui n'ait produit un très méchant effet. Il seroit
bon d'en établir une règle inviolable.

Du côté du temps, l'action n'est point trop pressée,
et n'a rien qui ne me semble vraisemblable. Pour le lieu,
bien que l'unité y soit exacte, elle n'est pas sans
quelque contrainte. Il est constant qu'Horace et Curiace
n'ont point de raison de se séparer du reste de la
famille pour commencer le second acte; et c'est une
adresse de théâtre de n'en donner aucune, quand on
n'en peut donner de bonnes. L'attachement de l'auditeur à l'action présente souvent ne lui permet pas de
descendre à l'examen sévère de cette justesse, et ce
n'est pas un crime que de s'en prévaloir pour l'éblouir,
quand il est malaisé de le satisfaire.

Le personnage de Sabine est assez heureusement
inventé, et trouve sa vraisemblance aisée dans le rapport à l'histoire, qui marque assez d'amitié et d'égalité
entre les deux familles pour avoir pu faire cette double
alliance.

Elle ne sert pas davantage à l'action que l'Infante à
celle du *Cid,* et ne fait que se laisser toucher diverse-
ment, comme elle, à la diversité des événements. Néanmoins on a généralement approuvé celle-ci, et condamné
l'autre. J'en ai cherché la raison, et j'en ai trouvé deux.
L'une est la liaison des scènes, qui semble, s'il m'est
permis de parler ainsi, incorporer Sabine dans cette
pièce, au lieu que, dans *le Cid,* toutes celles de l'Infante
sont détachées, et paroissent hors œuvre:

*. . . Tantum series juncturaque pollet!*

L'autre, qu'ayant une fois posé Sabine pour femme d'Horace, il est nécessaire que tous les incidents de ce poème lui donnent les sentiments qu'elle en témoigne avoir, par l'obligation qu'elle a de prendre intérêt à ce qui regarde son mari et ses frères, mais l'Infante n'est point obligée d'en prendre aucun en ce qui touche le Cid ; et si elle a quelque inclination secrète pour lui, il n'est point besoin qu'elle en fasse rien paroître, puisqu'elle ne produit aucun effet.

L'oracle qui est proposé au premier acte trouve son vrai sens à la conclusion du cinquième. Il semble clair d'abord, et porte l'imagination à un sens contraire, et je les aimerois mieux de cette sorte sur nos théâtres, que ceux qu'on fait entièrement obscurs, parce que la surprise de leur véritable effet en est plus belle. J'en ai usé ainsi encore dans l'*Andromède* et dans l'*Œdipe*. Je ne dis pas la même chose des songes, qui peuvent faire encore un grand ornement dans la protase, pourvu qu'on ne s'en serve pas souvent. Je voudrois qu'ils eussent l'idée de la fin véritable de la pièce, mais avec quelque confusion qui n'en permît pas l'intelligence entière. C'est ainsi que je m'en suis servi deux fois, ici et dans *Polyeucte,* mais avec plus d'éclat et d'artifice dans ce dernier poème, où il marque toutes les particularités de l'événement, qu'en celui-ci, où il ne fait qu'exprimer une ébauche tout à fait informe de ce qui doit arriver de funeste.

Il passe pour constant que le second acte est un des plus pathétiques qui soient sur la scène, et le troisième un des plus artificieux. Il est soutenu de la seule narration de la moitié du combat des trois frères, qui est coupée très heureusement pour laisser Horace le père dans la colère et le déplaisir, et lui donner ensuite un beau retour à la joie dans le quatrième. Il a été à propos, pour le jeter dans cette erreur, de se servir de l'impatience d'une femme qui suit brusquement sa première idée, et présume le combat achevé parce qu'elle a vu deux des Horaces par terre, et le troisième en fuite. Un homme, qui doit être plus posé et plus judicieux, n'eût pas été propre à donner cette fausse alarme: il eût dû prendre plus de patience, afin d'avoir plus de certitude de l'événement, et n'eût pas été excusable de se laisser emporter si légèrement par les apparences à présumer le mauvais succès d'un combat dont il n'eût pas vu la fin.

Bien que le Roi n'y paroisse qu'au cinquième, il y est mieux dans sa dignité que dans *le Cid,* parce qu'il a intérêt pour tout son État dans le reste de la pièce; et bien qu'il n'y parle point, il ne laisse pas d'y agir comme roi. Il vient aussi dans ce cinquième comme roi qui veut honorer par cette visite un père dont les fils lui ont conservé sa couronne et acquis celle d'Albe au prix de leur sang. S'il y fait l'office de juge, ce n'est que par accident; et il le fait dans ce logis même d'Horace, par la seule contrainte qu'impose la règle de l'unité de lieu. Tout ce cinquième est encore une des causes du peu de satisfaction que laisse cette tragédie: il est tout en plaidoyers, et ce n'est pas là la place des harangues ni des longs discours; ils peuvent être supportés en un commencement de pièce, où l'action n'est pas encore échauffée; mais le cinquième acte doit plus agir que discourir. L'attention de l'auditeur, déjà lassée, se rebute de ces conclusions qui traînent et tirent la fin en longueur.

Quelques-uns ne veulent pas que Valère y soit un digne accusateur d'Horace, parce que dans la pièce il n'a pas fait voir assez de passion pour Camille; à quoi je réponds que ce n'est pas à dire qu'il n'en eût une très forte, mais qu'un amant mal voulu ne pouvoit se montrer de bonne grâce à sa maîtresse dans le jour qui

la rejoignoit à un amant aimé. Il n'y avoit point de
place pour lui au premier acte, et encore moins au
second; il falloit qu'il tînt son rang à l'armée pendant
le troisième; et il se montre au quatrième, sitôt que la
mort de son rival fait quelque ouverture à son espérance: il tâche à gagner les bonnes grâces du père par
la commission qu'il prend du Roi de lui apporter les
glorieuses nouvelles de l'honneur que ce prince lui veut
faire; et par occasion il lui apprend la victoire de son
fils, qu'il ignorait. Il ne manque pas d'amour durant les
trois premiers actes, mais d'un temps propre à le témoigner; et dès la première scène de la pièce, il paroît bien
qu'il rendoit assez de soins à Camille, puisque Sabine
s'en alarme pour son frère. S'il ne prend pas le procédé
de France, il faut considérer qu'il est Romain, et dans
Rome, où il n'auroit pu entreprendre un duel contre un
autre Romain sans faire un crime d'État, et que j'en
aurois fait un de théâtre, si j'avois habillé un Romain
à la françoise.

# HORACE

## TRAGÉDIE

# PERSONNAGES

TULLE, *roi de Rome.*

LE VIEIL HORACE, *chevalier romain.*

HORACE, *son fils.*

CURIACE, *gentilhomme d'Albe, amant de Camille.*

VALÈRE, *chevalier romain amoureux de Camille.*

SABINE, *femme d'Horace et sœur de Curiace.*

CAMILLE, *amante de Curiace et sœur d'Horace.*

JULIE, *dame romaine, confidente de Sabine et de Camille.*

FLAVIAN, *soldat de l'armée d'Albe.*

PROCULE, *soldat de l'armée de Rome.*

La scène est à Rome,
dans une salle de la maison d'Horace.

# HORACE

## ACTE I

## SCÈNE PREMIÈRE

*Sabine, Julie*

##### SABINE

Approuvez ma foiblesse, et souffrez ma douleur;
Elle n'est que trop juste en un si grand malheur:
Si près de voir sur soi fondre de tels orages,
L'ébranlement sied bien aux plus fermes courages;
Et l'esprit le plus mâle et le moins abattu          5
Ne sauroit sans désordre exercer sa vertu.
Quoique le mien s'étonne à ces rudes alarmes,
Le trouble de mon cœur ne peut rien sur mes larmes,
Et parmi les soupirs qu'il pousse vers les cieux,
Ma constance du moins règne encor sur mes yeux.     10
Quand on arrête là les déplaisirs d'une âme,       [femme.
Si l'on fait moins qu'un homme, on fait plus qu'une
Commander à ses pleurs en cette extrémité,
C'est montrer, pour le sexe, assez de fermeté.

##### JULIE

C'en est peut-être assez pour une âme commune,      15
Qui du moindre péril se fait une infortune;
Mais de cette foiblesse un grand cœur est honteux;
Il ose espérer tout dans un succès douteux.
Les deux camps sont rangés au pied de nos murailles;
Mais Rome ignore encore comme on perd des batailles. 20

119

Loin de trembler pour elle, il lui faut applaudir :
Puisqu'elle va combattre, elle va s'agrandir.
Bannissez, bannissez une frayeur si vaine,
Et concevez des vœux dignes d'une Romaine.

### SABINE

Je suis Romaine, hélas ! puisqu'Horace est Romain ;    25
J'en ai reçu le titre en recevant sa main ;
Mais ce nœud me tiendroit en esclave enchaînée,
S'il m'empêchoit de voir en quels lieux je suis née.
Albe, où j'ai commencé de respirer le jour,
Albe, mon cher pays, et mon premier amour ;    30
Lorsqu'entre nous et toi je vois la guerre ouverte,
Je crains notre victoire autant que notre perte.
    Rome, si tu te plains que c'est là te trahir,
Fais-toi des ennemis que je puisse haïr.
Quand je vois de tes murs leur armée et la nôtre,    35
Mes trois frères dans l'une, et mon mari dans l'autre,
Puis-je former des vœux, et sans impiété
Importuner le ciel pour ta félicité ?
Je sais que ton État, encore en sa naissance,
Ne sauroit, sans la guerre, affermir sa puissance ;    40
Je sais qu'il doit s'accroître, et que tes grands destins
Ne le borneront pas chez les peuples latins ;
Que les Dieux t'ont promis l'empire de la terre,
Et que tu n'en peux voir l'effet que par la guerre :
Bien loin de m'opposer à cette noble ardeur    45
Qui suit l'arrêt des Dieux et court à ta grandeur,
Je voudrois déjà voir tes troupes couronnées,
D'un pas victorieux franchir les Pyrénées.
Va jusqu'en l'Orient pousser tes bataillons ;
Va sur les bords du Rhin planter tes pavillons ;    50
Fais trembler sous tes pas les colonnes d'Hercule ;
Mais respecte une ville à qui tu dois Romule.
Ingrate, souviens-toi que du sang de ses rois

Tu tiens ton nom, tes murs, et tes premières lois.
Albe est ton origine: arrête, et considère          55
Que tu portes le fer dans le sein de ta mère.
Tourne ailleurs les efforts de tes bras triomphants;
Sa joie éclatera dans l'heur de ses enfants,
Et se laissant ravir à l'amour maternelle,
Ses vœux seront pour toi, si tu n'es plus contre elle.    60

JULIE

Ce discours me surprend, vu que depuis le temps
Qu'on a contre son peuple armé nos combattants,
Je vous ai vu pour elle autant d'indifférence
Que si d'un sang romain vous aviez pris naissance.
J'admirois la vertu qui réduisoit en vous          65
Vos plus chers intérêts à ceux de votre époux;
Et je vous consolois au milieu de vos plaintes,
Comme si notre Rome eût fait toutes vos craintes.

SABINE

Tant qu'on ne s'est choqué qu'en de légers combats,
Trop foibles pour jeter un des partis à bas,          70
Tant qu'un espoir de paix a pu flatter ma peine,
Oui, j'ai fait vanité d'être toute Romaine.
Si j'ai vu Rome heureuse avec quelque regret,
Soudain j'ai condamné ce mouvement secret;
Et si j'ai ressenti, dans ses destins contraires,          75
Quelque maligne joie en faveur de mes frères,
Soudain, pour l'étouffer rappelant ma raison,
J'ai pleuré quand la gloire entroit dans leur maison.
Mais aujourd'hui qu'il faut que l'une ou l'autre tombe,
Qu'Albe devienne esclave, ou que Rome succombe,          80
Et qu'après la bataille il ne demeure plus
Ni d'obstacle aux vainqueurs, ni d'espoir aux vaincus,
J'aurois pour mon pays une cruelle haine,
Si je pouvois encore être toute Romaine,

Et si je demandois votre triomphe aux Dieux,                    85
Au prix de tant de sang qui m'est si précieux.
Je m'attache un peu moins aux intérêts d'un homme:
Je ne suis point pour Albe, et ne suis plus pour Rome;
Je crains pour l'une et l'autre en ce dernier effort,
Et serai du parti qu'affligera le sort.                          90
Égale à tous les deux jusques à la victoire,
Je prendrai part aux maux sans en prendre à la gloire;
Et je garde, au milieu de tant d'âpres rigueurs,
Mes larmes aux vaincus, et ma haine aux vainqueurs.

                          JULIE

Qu'on voit naître souvent de pareilles traverses,               95
En des esprits divers, des passions diverses!
Et qu'à nos yeux Camille agit bien autrement!
Son frère est votre époux, le vôtre est son amant;
Mais elle voit d'un œil bien différent du vôtre
Son sang dans une armée, et son amour dans l'autre.            100
    Lorsque vous conserviez un esprit tout romain,
Le sien irrésolu, le sien tout incertain,
De la moindre mêlée appréhendoit l'orage,
De tous les deux partis détestoit l'avantage,
Au malheur des vaincus donnoit toujours ses pleurs,           105
Et nourrissoit ainsi d'éternelles douleurs.
Mais hier, quand elle sut qu'on avoit pris journée,
Et qu'enfin la bataille alloit être donnée,
Une soudaine joie éclatant sur son front . . .

                         SABINE

Ah! que je crains, Julie, un changement si prompt!            110
Hier dans sa belle humeur elle entretint Valère;
Pour ce rival, sans doute, elle quitte mon frère;
Son esprit, ébranlé par les objets présents,
Ne trouve point d'absent aimable après deux ans.
Mais excusez l'ardeur d'une amour fraternelle;                115

Le soin que j'ai de lui me fait craindre tout d'elle;
Je forme des soupçons d'un trop léger sujet:
Près d'un jour si funeste on change peu d'objet;
Les âmes rarement sont de nouveau blessées,
Et dans un si grand trouble on a d'autres pensées;  120
Mais on n'a pas aussi de si doux entretiens,
Ni de contentements qui soient pareils aux siens.

JULIE

Les causes, comme à vous, m'en semblent fort obscures;
Je ne me satisfais d'aucunes conjectures.
C'est assez de constance en un si grand danger  125
Que de le voir, l'attendre, et ne point s'affliger;
Mais certes c'en est trop d'aller jusqu'à la joie.

SABINE

Voyez qu'un bon génie à propos nous l'envoie.
Essayez sur ce point à la faire parler:
Elle vous aime assez pour ne vous rien celer.  130
Je vous laisse. Ma sœur, entretenez Julie:
J'ai honte de montrer tant de mélancolie,
Et mon cœur, accablé de mille déplaisirs,
Cherche la solitude à cacher ses soupirs.

## SCÈNE II

*Camille, Julie*

CAMILLE

Qu'elle a tort de vouloir que je vous entretienne!  135
Croit-elle ma douleur moins vive que la sienne,
Et que plus insensible à de si grands malheurs,
A mes tristes discours je mêle moins de pleurs?
De pareilles frayeurs mon âme est alarmée;
Comme elle je perdrai dans l'une et l'autre armée:  140

Je verrai mon amant, mon plus unique bien,
Mourir pour son pays, ou détruire le mien,
Et cet objet d'amour devenir, pour ma peine,
Digne de mes soupirs, ou digne de ma haine.
Hélas!

JULIE

Elle est pourtant plus à plaindre que vous:     145
On peut changer d'amant, mais non changer d'époux.
Oubliez Curiace, et recevez Valère,
Vous ne tremblerez plus pour le parti contraire;
Vous serez toute nôtre, et votre esprit remis
N'aura plus rien à perdre au camp des ennemis.     150

CAMILLE

Donnez-moi des conseils qui soient plus légitimes,
Et plaignez mes malheurs sans m'ordonner des crimes.
Quoiqu'à peine à mes maux je puisse résister,
J'aime mieux les souffrir que de les mériter.

JULIE

Quoi! vous appelez crime un change raisonnable?     155

CAMILLE

Quoi! le manque de foi vous semble pardonnable?

JULIE

Envers un ennemi qui peut nous obliger?

CAMILLE

D'un serment solennel qui peut nous dégager?

JULIE

Vous déguisez en vain une chose trop claire:
Je vous vis encore hier entretenir Valère;     160
Et l'accueil gracieux qu'il recevoit de vous
Lui permet de nourrir un espoir assez doux.

Si je l'entretins hier et lui fis bon visage,
N'en imaginez rien qu'à son désavantage:
De mon contentement un autre étoit l'objet.          165
Mais pour sortir d'erreur sachez-en le sujet;
Je garde à Curiace une amitié trop pure
Pour souffrir plus longtemps qu'on m'estime parjure.
Il vous souvient qu'à peine on voyoit de sa sœur
Par un heureux hymen mon frère possesseur,          170
Quand, pour comble de joie, il obtint de mon père
Que de ses chastes feux je serois le salaire.
Ce jour nous fut propice et funeste à la fois:
Unissant nos maisons, il désunit nos rois;
Un même instant conclut notre hymen et la guerre,   175
Fit naître notre espoir et le jeta par terre,
Nous ôta tout, sitôt qu'il nous eut tout promis,
Et nous faisant amants, il nous fit ennemis.
Combien nos déplaisirs parurent lors extrêmes!
Combien contre le ciel il vomit de blasphèmes!      180
Et combien de ruisseaux coulèrent de mes yeux!
Je ne vous le dis point, vous vîtes nos adieux;
Vous avez vu depuis les troubles de mon âme!
Vous savez pour la paix quels vœux a faits ma flamme,
Et quels pleurs j'ai versés à chaque événement,     185
Tantôt pour mon pays, tantôt pour mon amant.
Enfin mon désespoir, parmi ces longs obstacles,
M'a fait avoir recours à la voix des oracles.
Écoutez si celui qui me fut hier rendu
Eut droit de rassurer mon esprit éperdu.            190
Ce Grec si renommé, qui depuis tant d'années
Au pied de l'Aventin prédit nos destinées,
Lui qu'Apollon jamais n'a fait parler à faux,
Me promit par ces vers la fin de mes travaux:
    "Albe et Rome demain prendront une autre face;  195

Tes vœux sont exaucés, elles auront la paix,
Et tu seras unie avec ton Curiace,
Sans qu'aucun mauvais sort t'en sépare jamais."
    Je pris sur cet oracle une entière assurance,
Et comme le succès passoit mon espérance,    200
J'abandonnai mon âme à des ravissements
Qui passoient les transports des plus heureux amants.
Jugez de leur excès: je rencontrai Valère,
Et contre sa coutume, il ne put me déplaire,
Il me parla d'amour sans me donner d'ennui;    205
Je ne m'aperçus pas que je parlois à lui;
Je ne lui pus montrer de mépris ni de glace:
Tout ce que je voyois me sembloit Curiace;
Tout ce qu'on me disoit me parloit de ses feux;
Tout ce que je disois l'assuroit de mes vœux.    210
Le combat général aujourd'hui se hasarde;
J'en sus hier la nouvelle, et je n'y pris pas garde,
Mon esprit rejetoit ces funestes objets,
Charmé des doux pensers d'hymen et de la paix.
La nuit a dissipé des erreurs si charmantes:    215
Mille songes affreux, mille images sanglantes,
Ou plutôt mille amas de carnage et d'horreur,
M'ont arraché ma joie et rendu ma terreur.
J'ai vu du sang, des morts, et n'ai rien vu de suite;
Un spectre en paroissant prenoit soudain la fuite;    220
Ils s'effaçoient l'un l'autre, et chaque illusion
Redoubloit mon effroi par sa confusion.

JULIE

C'est en contraire sens qu'un songe s'interprète.

CAMILLE

Je le dois croire ainsi, puisque je le souhaite;
Mais je me trouve enfin, malgré tous mes souhaits,    225
Au jour d'une bataille, et non pas d'une paix.

JULIE

Par là finit la guerre et la paix lui succède.

CAMILLE

Dure à jamais le mal, s'il y faut ce remède!
Soit que Rome y succombe ou qu'Albe ait le dessous,
Cher amant, n'attends plus d'être un jour mon époux;
Jamais, jamais ce nom ne sera pour un homme    231
Qui soit ou le vainqueur, ou l'esclave de Rome.
    Mais quel objet nouveau se présente en ces lieux?
Est-ce toi, Curiace? en croirai-je mes yeux?

SCÈNE III

*Curiace, Camille, Julie*

CURIACE

N'en doutez point, Camille, et revoyez un homme    235
Qui n'est ni le vainqueur ni l'esclave de Rome;
Cessez d'appréhender de voir rougir mes mains
Du poids honteux des fers ou du sang des Romains.
J'ai cru que vous aimiez assez Rome et la gloire
Pour mépriser ma chaîne et haïr ma victoire;    240
Et comme également en cette extrémité
Je craignois la victoire et la captivité . . .

CAMILLE

Curiace, il suffit, je devine le reste:
Tu fuis une bataille à tes vœux si funeste,
Et ton cœur, tout à moi, pour me perdre pas,    245
Dérobe à ton pays le secours de ton bras.
Qu'un autre considère ici ta renommée,
Et te blâme, s'il veut, de m'avoir trop aimée;
Ce n'est point à Camille à t'en mésestimer:

Plus ton amour paroît, plus elle doit t'aimer;               250
Et si tu dois beaucoup aux lieux qui t'ont vu naître,
Plus tu quittes pour moi, plus tu le fais paroître.
Mais as-tu vu mon père, et peut-il endurer
Qu'ainsi dans sa maison tu t'oses retirer?
Ne préfère-t-il point l'État à sa famille?           255
Ne regarde-t-il point Rome plus que sa fille?
Enfin notre bonheur est-il bien affermi?
T'a-t-il vu comme gendre, ou bien comme ennemi?

CURIACE

Il m'a vu comme gendre, avec une tendresse
Qui témoignoit assez une entière allégresse;               260
Mais il ne m'a point vu, par une trahison,
Indigne de l'honneur d'entrer dans sa maison.
Je n'abandonne point l'intérêt de ma ville,
J'aime encor mon honneur en adorant Camille.
Tant qu'a duré la guerre, on m'a vu constamment               265
Aussi bon citoyen que véritable amant.
D'Albe avec mon amour j'accordois la querelle:
Je soupirois pour vous en combattant pour elle;
Et s'il falloit encor que l'on en vînt aux coups,
Je combattrois pour elle en soupirant pour vous.               270
Oui, malgré les désirs de mon âme charmée,
Si la guerre duroit, je serois dans l'armée:
C'est la paix qui chez vous me donne un libre accès,
La paix à qui nos feux doivent ce beau succès.

CAMILLE

La paix! Et le moyen de croire un tel miracle?               275

JULIE

Camille, pour le moins croyez-en votre oracle,
Et sachons pleinement par quels heureux effets
L'heure d'une bataille a produit cette paix.

CURIACE

L'auroit-on jamais cru? Déjà les deux armées,
D'une égale chaleur au combat animées,                          280
Se menaçoient des yeux, et marchant fièrement,
N'attendoient, pour donner, que le commandement,
Quand notre dictateur devant les rangs s'avance,
Demande à votre prince un moment de silence,
Et l'ayant obtenu: "Que faisons-nous, Romains,               285
Dit-il, et quel démon nous fait venir aux mains?
Souffrons que la raison éclaire enfin nos âmes:
Nous sommes vos voisins, nos filles sont vos femmes,
Et l'hymen nous a joints par tant et tant de nœuds,
Qu'il est peu de nos fils qui ne soient vos neveux.           290
Nous ne sommes qu'un sang et qu'un peuple en deux
Pourquoi nous déchirer par des guerres civiles, [villes:
Où la mort des vaincus affoiblit les vainqueurs,
Et le plus beau triomphe est arrosé de pleurs?
Nos ennemis communs attendent avec joie                       295
Qu'un des partis défait leur donne l'autre en proie,
Lassé, demi-rompu, vainqueur, mais, pour tout fruit,
Dénué d'un secours par lui-même détruit.
Ils ont assez longtemps joui de nos divorces;
Contre eux dorénavant joignons toutes nos forces,            300
Et noyons dans l'oubli ces petits différends
Qui de si bons guerriers font de mauvais parents.
Que si l'ambition de commander aux autres
Fait marcher aujourd'hui vos troupes et les nôtres,
Pourvu qu'à moins de sang nous voulions l'apaiser,          305
Elle nous unira, loin de nous diviser.
Nommons des combattants pour la cause commune:
Que chaque peuple aux siens attache sa fortune;
Et suivant ce que d'eux ordonnera le sort,
Que le foible parti prenne loi du plus fort,                 310
Mais sans indignité pour des guerriers si braves,

Qu'ils deviennent sujets sans devenir esclaves,
Sans honte, sans tribut, et sans autre rigueur
Que de suivre en tous lieux les drapeaux du vainqueur.
Ainsi nos deux États ne feront qu'un empire.''      315
Il semble qu'à ces mots notre discorde expire:
Chacun, jetant les yeux dans un rang ennemi,
Reconnoît un beau-frère, un cousin, un ami;
Ils s'étonnent comment leurs mains, de sang avides,
Voloient sans y penser, à tant de parricides,      320
Et font paroître un front couvert tout à la fois
D'horreur pour la bataille, et d'ardeur pour ce choix.
Enfin l'offre s'accepte, et la paix désirée
Sous ces conditions est aussitôt jurée:            [choisir,
Trois combattront pour tous; mais pour les mieux
Nos chefs ont voulu prendre un peu plus de loisir:  326
Le vôtre est au sénat, le nôtre dans sa tente.

CAMILLE

O Dieux, que ce discours rend mon âme contente!

CURIACE

Dans deux heures au plus, par un commun accord,
Le sort de nos guerriers réglera notre sort.        330
Cependant tout est libre, attendant qu'on les nomme:
Rome est dans notre camp, et notre camp dans Rome;
D'un et d'autre côté l'accès étant permis,
Chacun va renouer avec ses vieux amis.
Pour moi, ma passion m'a fait suivre vos frères;    335
Et mes désirs ont eu des succès si prospères,
Que l'auteur de vos jours m'a promis à demain
Le bonheur sans pareil de vous donner la main.
Vous ne deviendrez pas rebelle à sa puissance?

CAMILLE

Le devoir d'une fille est en l'obéissance.          340

CURIACE

Venez donc recevoir ce doux commandement,
Qui doit mettre le comble à mon contentement.

CAMILLE

Je vais suivre vos pas, mais pour revoir mes frères,
Et savoir d'eux encor la fin de nos misères.

JULIE

Allez, et cependant au pied de nos autels      345
J'irai rendre pour vous grâces aux immortels.

## ACTE II

### SCÈNE PREMIÈRE

*Horace, Curiace*

CURIACE

Ainsi Rome n'a point séparé son estime;
Elle eût cru faire ailleurs un choix illégitime:
Cette superbe ville en vos frères et vous
Trouve les trois guerriers qu'elle préfère à tous;    350
Et son illustre ardeur d'oser plus que les autres,
D'une seule maison brave toutes les nôtres:
Nous croirons, à la voir toute entière en vos mains,
Que hors les fils d'Horace il n'est point de Romains.
Ce choix pouvoit combler trois familles de gloire,    355
Consacrer hautement leurs noms à la mémoire:
Oui, l'honneur que reçoit la vôtre par ce choix,
En pouvoit à bon titre immortaliser trois;
Et puisque c'est chez vous que mon heur et ma flamme
M'ont fait placer ma sœur et choisir une femme,    360
Ce que je vais vous être et ce que je vous suis

Me font y prendre part autant que je le puis;
Mais un autre intérêt tient ma joie en contrainte,
Et parmi ses douceurs mêle beaucoup de crainte:
La guerre en tel éclat a mis votre valeur, 365
Que je tremble pour Albe et prévois son malheur:
Puisque vous combattez, sa perte est assurée;
En vous faisant nommer, le destin l'a jurée.
Je vois trop dans ce choix ses funestes projets,
Et me compte déjà pour un de vos sujets. 370

### HORACE

Loin de trembler pour Albe, il vous faut plaindre Rome,
Voyant ceux qu'elle oublie, et les trois qu'elle nomme.
C'est un aveuglement pour elle bien fatal,
D'avoir tant à choisir, et de choisir si mal.
Mille de ses enfants beaucoup plus dignes d'elle 375
Pouvoient bien mieux que nous soutenir sa querelle;
Mais quoique ce combat me promette un cercueil,
La gloire de ce choix m'enfle d'un juste orgueil;
Mon esprit en conçoit une mâle assurance:
J'ose espérer beaucoup de mon peu de vaillance; 380
Et du sort envieux quels que soient les projets,
Je ne me compte point pour un de vos sujets.
Rome a trop cru de moi; mais mon âme ravie
Remplira son attente, ou quittera la vie.
Qui veut mourir ou vaincre, est vaincu rarement; 385
Ce noble désespoir périt malaisément.
Rome, quoi qu'il en soit, ne sera point sujette,
Que mes derniers soupirs n'assurent ma défaite.

### CURIACE

Hélas! c'est bien ici que je dois être plaint.
Ce que veut mon pays, mon amitié le craint.
Dures extrémités, de voir Albe asservie, 390
Ou sa victoire au prix d'une si chère vie,

Et que l'unique bien où tendent ses désirs
S'achète seulement par vos derniers soupirs !          394
Quels vœux puis-je former, et quel bonheur attendre?
De tous les deux côtés j'ai des pleurs à répandre ;
De tous les deux côtés mes désirs sont trahis.

### HORACE

Quoi ! vous me pleureriez mourant pour mon pays !
Pour un cœur généreux ce trépas a des charmes,
La gloire qui le suit ne souffre point de larmes,          400
Et je le recevrois en bénissant mon sort,
Si Rome et tout l'État perdoient moins en ma mort.

### CURIACE

A vos amis pourtant permettez de le craindre ;
Dans un si beau trépas ils sont les seuls à plaindre :
La gloire en est pour vous, et la perte pour eux ;          405
Il vous fait immortel, et les rend malheureux :
On perd tout quand on perd un ami si fidèle.
Mais Flavian m'apporte ici quelque nouvelle.

## SCÈNE II

*Horace, Curiace, Flavian*

### CURIACE

Albe de trois guerriers a-t-elle fait le choix?

### FLAVIAN

Je viens pour vous l'apprendre.          410

### CURIACE

                    Eh bien, qui sont les trois?

### FLAVIAN

Vos deux frères et vous.

CURIACE

Qui?

FLAVIAN

Vous et vos deux frères.
Mais pourquoi ce front triste et ces regards sévères?
Ce choix vous déplaît-il?

CURIACE

Non, mais il me surprend:
Je m'estimois trop peu pour un honneur si grand.

FLAVIAN

Dirai-je au dictateur, dont l'ordre ici m'envoie,      415
Que vous le recevez avec si peu de joie?
Ce morne et froid accueil me surprend à mon tour.

CURIACE

Dis-lui que l'amitié, l'alliance et l'amour
Ne pourront empêcher que les trois Curiaces
Ne servent leur pays contre les trois Horaces.      420

FLAVIAN

Contre eux! Ah! c'est beaucoup me dire en peu de mots.

CURIACE

Porte-lui ma réponse, et nous laisse en repos.

SCÈNE III

*Horace, Curiace*

CURIACE

Que désormais le ciel, les enfers et la terre
Unissent leurs fureurs à nous faire la guerre;
Que les hommes, les Dieux, les démons et le sort      425

Préparent contre nous un général effort!
Je mets à faire pis, en l'état où nous sommes,
Le sort, et les démons, et les Dieux, et les hommes.
Ce qu'ils ont de cruel, et d'horrible et d'affreux,   [deux.
L'est bien moins que l'honneur qu'on nous fait à tous

HORACE

Le sort qui de l'honneur nous ouvre la barrière          431
Offre à notre constance une illustre matière;
Il épuise sa force à former un malheur
Pour mieux se mesurer avec notre valeur;
Et comme il voit en nous des âmes peu communes,         435
Hors de l'ordre commun il nous fait des fortunes.
  Combattre un ennemi pour le salut de tous,
Et contre un inconnu s'exposer seul aux coups,
D'une simple vertu c'est l'effet ordinaire:
Mille déjà l'ont fait, mille pourroient le faire;        440
Mourir pour le pays est un si digne sort,
Qu'on brigueroit en foule une si belle mort;
Mais vouloir au public immoler ce qu'on aime,
S'attacher au combat contre un autre soi-même,
Attaquer un parti qui prend pour défenseur              445
Le frère d'une femme et l'amant d'une sœur,
Et rompant tous ces nœuds, s'armer pour la patrie
Contre un sang qu'on voudroit racheter de sa vie,
Une telle vertu n'appartenoit qu'à nous;
L'éclat de son grand nom lui fait peu de jaloux,         450
Et peu d'hommes au cœur l'ont assez imprimée
Pour oser aspirer à tant de renommée.

CURIACE

Il est vrai que nos noms ne sauroient plus périr.
L'occasion est belle, il nous la faut chérir.
Nous serons les miroirs d'une vertu bien rare;          455
Mais votre fermeté tient un peu du barbare:

Peu, même des grands cœurs, tireroient vanité
D'aller par ce chemin à l'immortalité.
A quelque prix qu'on mette une telle fumée,
L'obscurité vaut mieux que tant de renommée.          460
  Pour moi, je l'ose dire, et vous l'avez pu voir,
Je n'ai point consulté pour suivre mon devoir;
Notre longue amitié, l'amour, ni l'alliance,
N'ont pu mettre un moment mon esprit en balance;
Et puisque par ce choix Albe montre en effet          465
Qu'elle m'estime autant que Rome vous a fait,
Je crois faire pour elle autant que vous pour Rome:
J'ai le cœur aussi bon, mais enfin je suis homme:
Je vois que votre honneur demande tout mon sang,
Que tout le mien consiste à vous percer le flanc,     470
Près d'épouser la sœur, qu'il faut tuer le frère,
Et que pour mon pays j'ai le sort si contraire.
Encor qu'à mon devoir je coure sans terreur,
Mon cœur s'en effarouche, et j'en frémis d'horreur;
J'ai pitié de moi-même, et jette un œil d'envie        475
Sur ceux dont notre guerre a consumé la vie,
Sans souhait toutefois de pouvoir reculer.
Ce triste et fier honneur m'émeut sans m'ébranler:
J'aime ce qu'il me donne, et je plains ce qu'il m'ôte;
Et si Rome demande une vertu plus haute,              480
Je rends grâces aux Dieux de n'être pas Romain,
Pour conserver encor quelque chose d'humain.

### HORACE

Si vous n'êtes Romain, soyez digne de l'être;
Et si vous m'égalez, faites le mieux paroître.
  La solide vertu dont je fais vanité                  485
N'admet point de foiblesse avec sa fermeté;
Et c'est mal de l'honneur entrer dans la carrière
Que dès le premier pas regarder en arrière.
Notre malheur est grand; il est au plus haut point;

Je l'envisage entier, mais je n'en frémis point:          490
Contre qui que ce soit que mon pays m'emploie,
J'accepte aveuglément cette gloire avec joie;
Celle de recevoir de tels commandements
Doit étouffer en nous tous autres sentiments.
Qui, près de le servir, considère autre chose,          495
A faire ce qu'il doit lâchement se dispose;
Ce droit sain et sacré rompt tout autre lien.
Rome a choisi mon bras, je n'examine rien:
Avec une allégresse aussi pleine et sincère
Que j'épousai la sœur, je combattrai le frère;          500
Et pour trancher enfin ces discours superflus,
Albe vous a nommé, je ne vous connois plus.

CURIACE

Je vous connois encore, et c'est ce qui me tue;
Mais cette âpre vertu ne m'étoit pas connue;
Comme notre malheur elle est au plus haut point:          505
Souffrez que je l'admire et ne l'imite point.

HORACE

Non, non, n'embrassez pas de vertu par contrainte;
Et puisque vous trouvez plus de charme à la plainte,
En toute liberté goûtez un bien si doux;
Voici venir ma sœur pour se plaindre avec vous.          510
Je vais revoir la vôtre, et résoudre son âme
A se bien souvenir qu'elle est toujours ma femme,
A vous aimer encor, si je meurs par vos mains,
Et prendre en son malheur des sentiments romains.

## SCÈNE IV
### Horace, Curiace, Camille

HORACE

Avez-vous su l'état qu'on fait de Curiace,          515
Ma sœur?

CAMILLE

Hélas! mon sort a bien changé de face.

HORACE

Armez-vous de constance, et montrez-vous ma sœur;
Et si par mon trépas il retourne vainqueur,
Ne le recevez point en meurtrier d'un frère,
Mais en homme d'honneur qui fait ce qu'il doit faire, 520
Qui sert bien son pays, et sait montrer à tous,
Par sa haute vertu, qu'il est digne de vous.
Comme si je vivois, achevez l'hyménée;
Mais si ce fer aussi tranche sa destinée,
Faites à ma victoire un pareil traitement:            525
Ne me reprochez point la mort de votre amant.
Vos larmes vont couler, et votre cœur se presse.
Consumez avec lui toute cette foiblesse,
Querellez ciel et terre, et maudissez le sort;
Mais après le combat ne pensez plus au mort.          530

(*A Curiace.*)

Je ne vous laisserai qu'un moment avec elle,
Puis nous irons ensemble où l'honneur nous appelle.


SCÈNE V

*Curiace, Camille*


CAMILLE

Iras-tu, Curiace, et ce funeste honneur
Te plaît-il aux dépens de tout notre bonheur?


CURIACE

Hélas! je vois trop bien qu'il faut, quoi que je fasse, 535
Mourir, ou de douleur, ou de la main d'Horace.

Je vais comme au supplice à cet illustre emploi,
Je maudis mille fois l'état qu'on fait de moi,
Je hais cette valeur qui fait qu'Albe m'estime;
Ma flamme au désespoir passe jusques au crime,    540
Elle se prend au ciel, et l'ose quereller;
Je vous plains, je me plains; mais il y faut aller.

### CAMILLE

Non; je te connois mieux, tu veux que je te prie
Et qu'ainsi mon pouvoir t'excuse à ta patrie.
Tu n'es que trop fameux par tes autres exploits:    545
Albe a reçu par eux tout ce que tu lui dois.
Autre n'a mieux que toi soutenu cette guerre;
Autre de plus de morts n'a couvert notre terre.
Ton nom ne peut plus croître, il ne lui manque rien;
Souffre qu'un autre ici puisse ennoblir le sien.    550

### CURIACE

Que je souffre à mes yeux qu'on ceigne une autre tête
Des lauriers immortels que la gloire m'apprête,
Ou que tout mon pays reproche à ma vertu
Qu'il auroit triomphé si j'avois combattu,
Et que sous mon amour ma valeur endormie    555
Couronne tant d'exploits d'une telle infamie!
Non, Albe, après l'honneur que j'ai reçu de toi,
Tu ne succomberas ni vaincras que par moi;
Tu m'as commis ton sort, je t'en rendrai bon conte,
Et vivrai sans reproche, ou périrai sans honte.    560

### CAMILLE

Quoi! tu ne veux pas voir qu'ainsi tu me trahis!

### CURIACE

Avant que d'être à vous, je suis à mon pays.

CAMILLE

Mais te priver pour toi-même d'un beau-frère,
Ta sœur de son mari !

CURIACE

Telle est notre misère :
Le choix d'Albe et de Rome ôte toute douceur          565
Aux noms jadis si doux de beau-frère et de sœur.

CAMILLE

Tu pourras donc, cruel, me présenter sa tête,
Et demander ma main pour prix de ta conquête !

CURIACE

Il n'y faut plus penser : en l'état où je suis,
Vous aimer sans espoir, c'est tout ce que je puis.          570
Vous en pleurez, Camille ?

CAMILLE

Il faut bien que je pleure :
Mon insensible amant ordonne que je meure ;
Et quand l'hymen pour nous allume son flambeau,
Il l'éteint de sa main pour m'ouvrir le tombeau.
Ce cœur impitoyable à ma perte s'obstine,          575
Et dit qu'il m'aime encore alors qu'il m'assassine.

CURIACE

Que les pleurs d'une amante ont de puissants discours,
Et qu'un bel œil est fort avec un tel secours !
Que mon cœur s'attendrit à cette triste vue !
Ma constance contre elle à regret s'évertue.          580
    N'attaquez plus ma gloire avec tant de douleurs,
Et laissez-moi sauver ma vertu de vos pleurs ;
Je sens qu'elle chancelle, et défend mal la place :

Plus je suis votre amant, moins je suis Curiace.
Foible d'avoir déjà combattu l'amitié,                 585
Vaincroit-elle à la fois l'amour et la pitié?
Allez, ne m'aimez plus, ne versez plus de larmes,
Ou j'oppose l'offense à de si fortes armes;
Je me défendrai mieux contre votre courroux,
Et pour le mériter, je n'ai plus d'yeux pour vous:     590
Vengez-vous d'un ingrat, punissez un volage.
Vous ne vous montrez point sensible à cet outrage!
Je n'ai plus d'yeux pour vous, vous en avez pour moi!
En faut-il plus encor? je renonce à ma foi.

    Rigoureuse vertu dont je suis la victime,           595
Ne peux-tu résister sans le secours d'un crime?

### CAMILLE

Ne fais point d'autre crime, et j'atteste les Dieux
Qu'au lieu de t'en haïr, je t'en aimerai mieux;
Oui, je te chérirai, tout ingrat et perfide,
Et cesse d'aspirer au nom de fratricide.               600
Pourquoi suis-je Romaine, ou que n'es-tu Romain?
Je te préparerois des lauriers de ma main;
Je t'encouragerois, au lieu de te distraire;
Et je te traiterois comme j'ai fait mon frère.
Hélas! j'étois aveugle en mes vœux aujourd'hui;        605
J'en ai fait contre toi quand j'en ai fait pour lui.

    Il revient: quel malheur, si l'amour de sa femme
Ne peut non plus sur lui que le mien sur ton âme!


## SCÈNE VI

*Horace, Curiace, Sabine, Camille*

### CURIACE

Dieux! Sabine le suit. Pour ébranler mon cœur,
Est-ce peu de Camille? y joignez-vous ma sœur?        610

Et laissant à ses pleurs vaincre ce grand courage,
L'amenez-vous ici chercher même avantage?

### SABINE

Non, non, mon frère, non; je ne viens en ce lieu
Que pour vous embrasser et pour vous dire adieu.  614
Votre sang est trop bon, n'en craignez rien de lâche,
Rien dont la fermeté de ces grands cœurs se fâche:
Si ce malheur illustre ébranloit l'un de vous,
Je le désavouerois pour frère ou pour époux.
Pourrois-je toutefois vous faire une prière
Digne d'un tel époux et digne d'un tel frère?  620
Je veux d'un coup si noble ôter l'impiété,
A l'honneur qui l'attend rendre sa pureté,
La mettre en son éclat sans mélange de crimes:
Enfin je vous veux faire ennemis légitimes.
    Du saint nœud qui vous joint je suis le seul lien:  625
Quand je ne serai plus, vous ne vous serez rien.
Brisez votre alliance, et rompez-en la chaîne;
Et puisque votre honneur veut des effets de haine,
Achetez par ma mort le droit de vous haïr:
Albe le veut, et Rome; il faut leur obéir.  630
Qu'un de vous deux me tue, et que l'autre me venge:
Alors votre combat n'aura plus rien d'étrange;
Et du moins l'un des deux sera juste agresseur,
Ou pour venger sa femme, ou pour venger sa sœur.
Mais quoi? vous souilleriez une gloire si belle,  635
Si vous vous animiez par quelque autre querelle:
Le zèle du pays vous défend de tels soins;
Vous feriez peu pour lui si vous vous étiez moins:
Il lui faut, et sans haine, immoler un beau-frère.
Ne différez donc plus ce que vous devez faire:  640
Commencez par sa sœur à répandre son sang,
Commencez par sa femme à lui percer le flanc,
Commencez par Sabine à faire de vos vies

Un digne sacrifice à vos chères patries :
Vous êtes ennemis en ce combat fameux,            645
Vous d'Albe, vous de Rome, et moi de toutes deux.
Quoi ? me réservez-vous à voir une victoire
Où pour haut appareil d'une pompeuse gloire,
Je verrai les lauriers d'un frère ou d'un mari
Fumer encor d'un sang que j'aurai tant chéri ?    650
Pourrai-je entre vous deux régler alors mon âme,
Satisfaire aux devoirs et de sœur et de femme,
Embrasser le vainqueur en pleurant le vaincu ?
Non, non, avant ce coup Sabine aura vécu :
Ma mort le préviendra, de qui que je l'obtienne ; 655
Le refus de vos mains y condamne la mienne.
Sus donc, qui vous retient ? Allez, cœurs inhumains,
J'aurai trop de moyens pour y forcer vos mains.
Vous ne les aurez point au combat occupées,
Que ce corps au milieu n'arrête vos épées ;       660
Et malgré vos refus, il faudra que leurs coups
Se fassent jour ici pour aller jusqu'à vous.

HORACE

O ma femme !

CURIACE

O ma sœur !

CAMILLE

Courage ! ils s'amollissent.

SABINE

Vous poussez des soupirs ; vos visages pâlissent !
Quelle peur vous saisit ? Sont-ce là ces grands cœurs, 665
Ces héros qu'Albe et Rome ont pris pour défenseurs ?

HORACE

Que t'ai-je fait, Sabine, et quelle est mon offense
Qui t'oblige à chercher une telle vengeance ?
Que t'a fait mon honneur, et par quel droit viens-tu

Avec toute ta force attaquer ma vertu?                    670
Du moins contente-toi de l'avoir étonnée,
Et me laisse achever cette grande journée.
Tu me viens de réduire en un étrange point;
Aime assez ton mari pour n'en triompher point.
Va-t'en, et ne rends plus la victoire douteuse;          675
La dispute déjà m'en est assez honteuse:
Souffre qu'avec honneur je termine mes jours.

SABINE

Va, cesse de me craindre: on vient à ton secours.

SCÈNE VII

*Le Vieil Horace, Horace, Curiace,*<br>*Sabine, Camille*

LE VIEIL HORACE

Qu'est-ce-ci, mes enfants? écoutez-vous vos flammes,
Et perdez-vous encor le temps avec des femmes?          680
Prêts à verser du sang, regardez-vous des pleurs?
Fuyez, et laissez-les déplorer leurs malheurs.
Leurs plaintes ont pour vous trop d'art et de tendresse.
Elles vous feroient part enfin de leur foiblesse,
Et ce n'est qu'en fuyant qu'on pare de tels coups.       685

SABINE

N'appréhendez rien d'eux, ils sont dignes de vous.
Malgré tous nos efforts, vous en devez attendre
Ce que vous souhaitez et d'un fils et d'un gendre;
Et si notre foiblesse ébranloit leur honneur,
Nous vous laissons ici pour leur rendre du cœur.         690
    Allons, ma sœur, allons, ne perdons plus de larmes:
Contre tant de vertus ce sont de foibles armes.

Ce n'est qu'au désespoir qu'il nous faut recourir.
Tigres, allez combattre, et nous, allons mourir.


## SCÈNE VIII

*Le Vieil Horace, Horace, Curiace*

### HORACE

Mon père, retenez des femmes qui s'emportent,          695
Et de grâce empêchez surtout qu'elles ne sortent.
Leur amour importun viendroit avec éclat
Par des cris et des pleurs troubler notre combat :
Et ce qu'elles nous sont feroit qu'avec justice
On nous imputeroit ce mauvais artifice.          700
L'honneur d'un si beau choix seroit trop acheté,
Si l'on nous soupçonnoit de quelque lâcheté.

### LE VIEIL HORACE

J'en aurai soin. Allez, vos frères vous attendent ;
Ne pensez qu'aux devoirs que vos pays demandent.          704

### CURIACE

Quel adieu vous dirai-je ? et par quels compliments . . .

### LE VIEIL HORACE

Ah ! n'attendrissez point ici mes sentiments ;
Pour vous encourager ma voix manque de termes ;
Mon cœur ne forme point de pensers assez fermes ;
Moi-même en cet adieu j'ai les larmes aux yeux.
Faites votre devoir, et laissez faire aux Dieux.          710

## ACTE III

## SCÈNE PREMIÈRE

### SABINE

Prenons parti, mon âme, en de telles disgrâces:
Soyons femme d'Horace, ou sœur des Curiaces;
Cessons de partager nos inutiles soins;
Souhaitons quelque chose, et craignons un peu moins.
Mais, las! quel parti prendre en un sort si contraire?
Quel ennemi choisir, d'un époux ou d'un frère?          716
La nature ou l'amour parle pour chacun d'eux,
Et la loi du devoir m'attache à tous les deux.
Sur leurs hauts sentiments réglons plutôt les nôtres;
Soyons femme de l'un ensemble et sœur des autres:          720
Regardons leur honneur comme un souverain bien;
Imitons leur constance, et ne craignons plus rien.
La mort qui les menace est une mort si belle,
Qu'il en faut sans frayeur attendre la nouvelle.
N'appelons point alors les destins inhumains;          725
Songeons pour quelle cause, et non par quelles mains;
Revoyons les vainqueurs, sans penser qu'à la gloire
Que toute leur maison reçoit de leur victoire;
Et sans considérer aux dépens de quel sang
Leur vertu les élève en cet illustre rang,          730
Faisons nos intérêts de ceux de leur famille:
En l'une je suis femme, en l'autre je suis fille,
Et tiens à toutes deux par de si forts liens,
Qu'on ne peut triompher que par les bras des miens.
Fortune, quelques maux que ta rigueur m'envoie,          735
J'ai trouvé les moyens d'en tirer de la joie,
Et puis voir aujourd'hui le combat sans terreur,
Les morts sans désespoir, les vainqueurs sans horreur.
    Flatteuse illusion, erreur douce et grossière,

Vain effort de mon âme, impuissante lumière,                     740
De qui le faux brillant prend droit de m'éblouir,
Que tu sais peu durer, et tôt t'évanouir !
Pareille à ces éclairs qui dans le fort des ombres
Poussent un jour qui fuit et rend les nuits plus sombres,
Tu n'as frappé mes yeux d'un moment de clarté              745
Que pour les abîmer dans plus d'obscurité.
Tu charmois trop ma peine, et le ciel, qui s'en fâche,
Me vend déjà bien cher ce moment de relâche.
Je sens mon triste cœur percé de tous les coups
Qui m'ôtent maintenant un frère ou mon époux.              750
Quand je songe à leur mort, quoi que je me propose,
Je songe par quels bras, et non pour quelle cause,
Et ne vois les vainqueurs en leur illustre rang
Que pour considérer aux dépens de quel sang.
La maison des vaincus touche seule mon âme:               755
En l'une je suis fille, en l'autre je suis femme,
Et tiens à toutes deux par de si forts liens,
Qu'on ne peut triompher que par la mort des miens.
C'est là donc cette paix que j'ai tant souhaitée !
Trop favorables Dieux, vous m'avez écoutée !             760
Quels foudres lancez-vous quand vous vous irritez,
Si même vos faveurs ont tant de cruautés ?
Et de quelle façon punissez-vous l'offense,
Si vous traitez ainsi les vœux de l'innocence ?

## SCÈNE II

*Sabine, Julie*

SABINE

En est-ce fait, Julie, et que m'apportez-vous ?           765
Est-ce la mort d'un frère, ou celle d'un époux ?
Le funeste succès de leurs armes impies
De tous les combattants a-t-il fait des hosties,

Et m'enviant l'horreur que j'aurois des vainqueurs,     769
Pour tous tant qu'ils étoient demande-t-il mes pleurs?


                              JULIE

Quoi? ce qui s'est passé, vous l'ignorez encore?


                             SABINE

Vous faut-il étonner de ce que je l'ignore,
Et ne savez-vous point que de cette maison
Pour Camille et pour moi l'on fait une prison?
Julie, on nous renferme, on a peur de nos larmes;     775
Sans cela nous serions au milieu de leurs armes,
Et par les désespoirs d'une chaste amitié,
Nous aurions des deux camps tiré quelque pitié.


                              JULIE

Il n'étoit pas besoin d'un si tendre spectacle:
Leur vue à leur combat apporte assez d'obstacle.     780
   Sitôt qu'ils ont paru prêts à se mesurer,
On a dans les deux camps entendu murmurer:
A voir de tels amis, des personnes si proches,
Venir pour leur patrie aux mortelles approches,
L'un s'émeut de pitié, l'autre est saisi d'horreur,     785
L'autre d'un si grand zèle admire la fureur;
Tel porte jusqu'aux cieux leur vertu sans égale,
Et tel l'ose nommer sacrilège et brutale.
Ces divers sentiments n'ont pourtant qu'une voix;
Tous accusent leurs chefs, tous détestent leur choix;     790
Et ne pouvant souffrir un combat si barbare,
On s'écrie, on s'avance, enfin on les sépare.


                             SABINE

Que je vous dois d'encens, grands Dieux, qui m'exaucez!

JULIE

Vous n'êtes pas, Sabine, encore où vous pensez:
Vous pouvez espérer, vous avez moins à craindre;     795
Mais il vous reste encore assez de quoi vous plaindre.
    En vain d'un sort si triste on les veut garantir;
Ces cruels généreux n'y peuvent consentir:
La gloire de ce choix leur est si précieuse,
Et charme tellement leur âme ambitieuse,              800
Qu'alors qu'on les déplore ils s'estiment heureux,
Et prennent pour affront la pitié qu'on a d'eux.
Le trouble des deux camps souille leur renommée;
Ils combattront plutôt et l'une et l'autre armée,     804
Et mourront par les mains qui leur font d'autres lois,
Que pas un d'eux renonce aux honneurs d'un tel choix.


SABINE

Quoi? dans leur dureté ces cœurs d'acier s'obstinent!


JULIE

Oui, mais d'autre côté les deux camps se mutinent,
Et leurs cris, des deux parts poussés en même temps,
Demandent la bataille, ou d'autres combattants.      810
La présence des chefs à peine est respectée,
Leur pouvoir est douteux, leur voix mal écoutée;
Le Roi même s'étonne; et pour dernier effort:
"Puisque chacun, dit-il, s'échauffe en ce discord,
Consultons des grands Dieux la majesté sacrée,       815
Et voyons si ce change à leurs bontés agrée.
Quel impie osera se prendre à leur vouloir,
Lorsqu'en un sacrifice ils nous l'auront fait voir?
Il se tait, et ces mots semblent être des charmes;
Même aux six combattants ils arrachent les armes;    820
Et ce désir d'honneur qui leur ferme les yeux,
Tout aveugle qu'il est, respecte encor les Dieux.

Leur plus bouillante ardeur cède à l'avis de Tulle;
Et soit par déférence, ou par un prompt scrupule,
Dans l'une et l'autre armée on s'en fait une loi,          825
Comme si toutes deux le connoissoient pour roi.
Le reste s'apprendra par la mort des victimes.

SABINE

Les Dieux n'avoueront point un combat plein de crimes;
J'en espère beaucoup, puisqu'il est différé,
Et je commence à voir ce que j'ai désiré.                  830


SCÈNE III

*Sabine, Camille, Julie*

SABINE

Ma sœur, que je vous die une bonne nouvelle.

CAMILLE

Je pense la savoir, s'il faut la nommer telle.
On l'a dite à mon père, et j'étois avec lui;
Mais je n'en conçois rien qui flatte mon ennui.
Ce délai de nos maux rendra leurs coups plus rudes;  835
Ce n'est qu'un plus long terme à nos inquiétudes;
Et tout l'allégement qu'il en faut espérer,
C'est de pleurer plus tard ceux qu'il faudra pleurer.

SABINE

Les Dieux n'ont pas en vain inspiré ce tumulte.

CAMILLE

Disons plutôt, ma sœur, qu'en vain on les consulte.  840
Ces mêmes Dieux à Tulle ont inspiré ce choix;
Et la voix du public n'est pas toujours leur voix;
Ils descendent bien moins dans de si bas étages

Que dans l'âme des rois, leurs vivantes images,
De qui l'indépendante et sainte autorité                844
Est un rayon secret de leur divinité.

JULIE

C'est vouloir sans raison vous former des obstacles
Que de chercher leur voix ailleurs qu'en leurs oracles ;
Et vous ne vous pouvez figurer tout perdu,
Sans démentir celui qui vous fut hier rendu.                850

CAMILLE

Un oracle jamais ne se laisse comprendre :
On l'entend d'autant moins que plus on croit l'entendre ;
Et loin de s'assurer sur un pareil arrêt,
Qui n'y voit rien d'obscur doit croire que tout l'est.

SABINE

Sur ce qui fait pour nous prenons plus d'assurance,    855
Et souffrons les douceurs d'une juste espérance.
Quand la faveur du ciel ouvre à demi ses bras,
Qui ne s'en promet rien ne la mérite pas ;
Il empêche souvent qu'elle ne se déploie,
Et lorsqu'elle descend, son refus la renvoie.          860

CAMILLE

Le ciel agit sans nous en ces événements,
Et ne les règle point dessus nos sentiments.

JULIE

Il ne vous a fait peur que pour vous faire grâce.
Adieu : je vais savoir comme enfin tout se passe.
Modérez vos frayeurs ; j'espère à mon retour          865
Ne vous entretenir que de propos d'amour,
Et que nous n'emploierons la fin de la journée
Qu'aux doux préparatifs d'un heureux hyménée.

SABINE

J'ose encor l'espérer.

CAMILLE

Moi, je n'espère rien.

JULIE

L'effet vous fera voir que nous en jugeons bien.          870


## SCÈNE IV

*Sabine, Camille*

SABINE

Parmi nos déplaisirs souffrez que je vous blâme:
Je ne puis approuver tant de trouble en votre âme;
Que feriez-vous, ma sœur, au point où je me vois,
Si vous aviez à craindre autant que je le dois,
Et si vous attendiez de leurs armes fatales          875
Des maux pareils aux miens, et des pertes égales?

CAMILLE

Parlez plus sainement de vos maux et des miens:
Chacun voit ceux d'autrui d'un autre œil que les siens;
Mais à bien regarder ceux où le ciel me plonge,
Les vôtres auprès d'eux vous sembleront un songe.          880
   La seule mort d'Horace est à craindre pour vous.
Des frères ne sont rien à l'égal d'un époux;
L'hymen qui nous attache en une autre famille
Nous détache de celle où l'on a vécu fille;
On voit d'un œil divers des nœuds si différents,          885
Et pour suivre un mari l'on quitte ses parents;
Mais si près d'un hymen, l'amant que donne un père
Nous est moins qu'un époux, et non pas moins qu'un
          frère;

Nos sentiments entre eux demeurent suspendus,
Notre choix impossible, et nos vœux confondus.    890
Ainsi, ma sœur, du moins vous avez dans vos plaintes
Où porter vos souhaits et terminer vos craintes;
Mais si le ciel s'obstine à nous persécuter,
Pour moi, j'ai tout à craindre, et rien à souhaiter.

SABINE

Quand il faut que l'un meure et par les mains de l'autre,
C'est un raisonnement bien mauvais que le vôtre.    896
    Quoique ce soient, ma sœur, des nœuds bien différents,
C'est sans les oublier qu'on quitte ses parents:
L'hymen n'efface point ces profonds caractères;
Pour aimer un mari, l'on ne hait pas ses frères:    900
La nature en tout temps garde ses premiers droits;
Aux dépens de leur vie on ne fait point de choix:
Aussi bien qu'un époux ils sont d'autres nous-mêmes;
Et tous maux sont pareils alors qu'ils sont extrêmes.
Mais l'amant qui vous charme et pour qui vous brûlez
Ne vous est, après tout, que ce que vous voulez;    906
Une mauvaise humeur, un peu de jalousie,
En fait assez souvent passer la fantaisie;
Ce que peut le caprice, osez-le par raison,
Et laissez votre sang hors de comparaison:    910
C'est crime qu'opposer des liens volontaires
A ceux que la naissance a rendus nécessaires.
Si donc le ciel s'obstine à nous persécuter,
Seule j'ai tout à craindre, et rien à souhaiter;    914
Mais pour vous, le devoir vous donne, dans vos plaintes,
Où porter vos souhaits et terminer vos craintes.

CAMILLE

Je le vois bien, ma sœur, vous n'aimâtes jamais;
Vous ne connoissez point ni l'amour ni ses traits:
On peut lui résister quand il commence à naître,

Mais non pas le bannir quand il s'est rendu maître,    920
Et que l'aveu d'un père, engageant notre foi,
A fait de ce tyran un légitime roi:
Il entre avec douceur, mais il règne par force;
Et quand l'âme une fois a goûté son amorce,
Vouloir ne plus aimer, c'est ce qu'elle ne peut,    925
Puisqu'elle ne peut plus vouloir que ce qu'il veut:
Ses chaînes sont pour nous aussi fortes que belles.

## SCÈNE V

*Le vieil Horace, Sabine, Camille*

LE VIEIL HORACE

Je viens vous apporter de fâcheuses nouvelles,
Mes filles; mais en vain je voudrois vous celer
Ce qu'on ne vous sauroit longtemps dissimuler:    930
Vos frères sont aux mains, les Dieux ainsi l'ordonnent.

SABINE

Je veux bien l'avouer, ces nouvelles m'étonnent;
Et je m'imaginois dans la divinité
Beaucoup moins d'injustice, et bien plus de bonté.
Ne nous consolez point: contre tant d'infortune    935
La pitié parle en vain, la raison importune.
Nous avons en nos mains la fin de nos douleurs,
Et qui veut bien mourir peut braver les malheurs.
Nous pourrions aisément faire en votre présence
De notre désespoir une fausse constance;    940
Mais quand on peut sans honte être sans fermeté,
L'affecter au dehors, c'est une lâcheté;
L'usage d'un tel art, nous le laissons aux hommes,
Et ne voulons passer que pour ce que nous sommes.
    Nous ne demandons point qu'un courage si fort    945
S'abaisse à notre exemple à se plaindre du sort.

Recevez sans frémir ces mortelles alarmes ;
Voyez couler nos pleurs sans y mêler vos larmes ;
Enfin, pour toute grâce, en de tels déplaisirs,
Gardez votre constance, et souffrez nos soupirs.    950

LE VIEIL HORACE

Loin de blâmer les pleurs que je vous vois répandre,
Je crois faire beaucoup de m'en pouvoir défendre,
Et céderois peut-être à de si rudes coups,
Si je prenois ici même intérêt que vous :
Non qu'Albe par son choix m'ait fait haïr vos frères, 955
Tous trois me sont encor des personnes bien chères ;
Mais enfin l'amitié n'est pas du même rang,
Et n'a point les effets de l'amour ni du sang ;
Je ne sens point pour eux la douleur qui tourmente
Sabine comme sœur, Camille comme amante :    960
Je puis les regarder comme nos ennemis,
Et donne sans regret mes souhaits à mes fils.
Ils sont, grâces aux Dieux, dignes de leur patrie ;
Aucun étonnement n'a leur gloire flétrie ;
Et j'ai vu leur honneur croître de la moitié,    965
Quand ils ont des deux camps refusé la pitié.
Si par quelque foiblesse ils l'avoient mendiée,
Si leur haute vertu ne l'eût répudiée,
Ma main bientôt sur eux m'eût vengé hautement
De l'affront que m'eût fait ce mol consentement.    970
Mais lorsqu'en dépit d'eux on en a voulu d'autres,
Je ne le cèle point, j'ai joint mes vœux aux vôtres,
Si le ciel pitoyable eût écouté ma voix,
Albe seroit réduite à faire un autre choix ;
Nous pourrions voir tantôt triompher les Horaces    975
Sans voir leurs bras souillés du sang des Curiaces,
Et de l'événement d'un combat plus humain
Dépendroit maintenant l'honneur du nom romain.
La prudence des Dieux autrement en dispose ;

Sur leur ordre éternel mon esprit se repose: 980
Il s'arme en ce besoin de générosité,
Et du bonheur public fait sa félicité.
Tâchez d'en faire autant pour soulager vos peines,
Et songez toutes deux que vous êtes Romaines:
Vous l'êtes devenue, et vous l'êtes encor; 985
Un si glorieux titre est un digne trésor.
Un jour, un jour viendra que par toute la terre
Rome se fera craindre à l'égal du tonnerre,
Et que tout l'univers tremblant dessous ses lois,
Ce grand nom deviendra l'ambition des rois: 990
Les Dieux à notre Enée ont promis cette gloire.

## SCÈNE VI

*Le Vieil Horace, Sabine, Camille, Julie*

### LE VIEIL HORACE

Nous venez-vous, Julie, apprendre la victoire?

### JULIE

Mais plutôt du combat les funestes effets:
Rome est sujette d'Albe, et vos fils sont défaits;
Des trois les deux sont morts, son époux seul vous reste.

### LE VIEIL HORACE

O d'un triste combat effet vraiment funeste! 996
Rome est sujette d'Albe, et pour l'en garantir
Il n'a pas employé jusqu'au dernier soupir!
Non, non, cela n'est point, on vous trompe, Julie;
Rome n'est point sujette, ou mon fils est sans vie: 1000
Je connois mieux mon sang, il sait mieux son devoir.

### JULIE

Mille, de nos remparts, comme moi l'ont pu voir.
Il s'est fait admirer tant qu'ont duré ses frères;

Mais comme il s'est vu seul contre trois adversaires,
Près d'être enfermé d'eux, sa fuite l'a sauvé.          1005

LE VIEIL HORACE

Et nos soldats trahis ne l'ont point achevé?
Dans leurs rangs à ce lâche ils ont donné retraite?

JULIE

Je n'ai rien voulu voir après cette défaite.

CAMILLE

O mes frères!

LE VIEIL HORACE

                    Tout beau, ne les pleurez pas tous;
Deux jouissent d'un sort dont leur père est jaloux.     1010
Que des plus nobles fleurs leur tombe soit couverte;
La gloire de leur mort m'a payé de leur perte:
Ce bonheur a suivi leur courage invaincu,
Qu'ils ont vu Rome libre autant qu'ils ont vécu,
Et ne l'auront point vue obéir qu'à son prince,        1015
Ni d'un État voisin devenir la province.
Pleurez l'autre, pleurez l'irréparable affront
Que sa fuite honteuse imprime à notre front;
Pleurez le déshonneur de toute notre race,
Et l'opprobre éternel qu'il laisse au nom d'Horace.     1020

JULIE

Que vouliez-vous quil fît contre trois?

LE VIEIL HORACE

                                        Qu'il mourût,
Ou qu'un beau désespoir alors le secourût.
N'eût-il que d'un moment reculé sa défaite,
Rome eût été du moins un peu plus tard sujette;
Il eût avec honneur laissé mes cheveux gris,           1025

Et c'étoit de sa vie un assez digne prix.
    Il est de tout son sang comptable à sa patrie;
Chaque goutte épargnée a sa gloire flétrie;
Chaque instant de sa vie, après ce lâche tour,
Met d'autant plus ma honte avec la sienne au jour.   1030
J'en romprai bien le cours, et ma juste colère,
Contre un indigne fils usant des droits d'un père,
Saura bien faire voir dans sa punition
L'éclatant désaveu d'une telle action.


                        SABINE

Écoutez un peu moins ces ardeurs généreuses,   1035
Et ne nous rendez point tout à fait malheureuses.

                  LE VIEIL HORACE

Sabine, votre cœur se console aisément;
Nos malheurs jusqu'ici vous touchent foiblement.
Vous n'avez point encor de part à nos misères:
Le ciel vous a sauvé votre époux et vos frères;   1040
Si nous sommes sujets, c'est de votre pays;
Vos frères sont vainqueurs quand nous sommes trahis;
Et voyant le haut point où leur gloire se monte,
Vous regardez fort peu ce qui nous vient de honte.
Mais votre trop d'amour pour cet infâme époux   1045
Vous donnera bientôt à plaindre comme à nous.
Vos pleurs en sa faveur sont de foibles défenses;
J'atteste des grands Dieux les suprêmes puissances
Qu'avant ce jour fini, ces mains, ces propres mains
Laveront dans son sang la honte des Romains.   1050

                        SABINE

Suivons-le promptement, la colère l'emporte.
Dieux! verrons-nous toujours des malheurs de la sorte?
Nous faudra-t-il toujours en craindre de plus grands,
Et toujours redouter la main de nos parents?

## ACTE IV

### SCÈNE PREMIÈRE

*Le Vieil Horace, Camille*

##### LE VIEIL HORACE

Ne me parlez jamais en faveur d'un infâme;          1055
Qu'il me fuie à l'égal des frères de sa femme:
Pour conserver un sang qu'il tient si précieux,
Il n'a rien fait encor s'il n'évite mes yeux.
Sabine y peut mettre ordre, ou derechef j'atteste
Le souverain pouvoir de la troupe céleste . . .          1060

##### CAMILLE

Ah! mon père, prenez un plus doux sentiment;
Vous verrez Rome même en user autrement;
Et de quelque malheur que le ciel l'ait comblée,
Excuser la vertu sous le nombre accablée.

##### LE VIEIL HORACE

Le jugement de Rome est peu pour mon regard,          1065
Camille; je suis père, et j'ai mes droits à part.
Je sais trop comme agit la vertu véritable:
C'est sans en triompher que le nombre l'accable;
Et sa mâle vigueur, toujours en même point,
Succombe sous la force, et ne lui cède point.          1070
Taisez-vous, et sachons ce que nous veut Valère.

### SCÈNE II

*Le Vieil Horace, Valère, Camille*

##### VALÈRE

Envoyé par le Roi pour consoler un père,
Et pour lui témoigner . . .

LE VIEIL HORACE

N'en prenez aucun soin:
C'est un soulagement dont je n'ai pas besoin;
Et j'aime mieux voir morts que couverts d'infamie    1075
Ceux que vient de m'ôter une main ennemie.
Tous deux pour leur pays sont morts en gens d'honneur:
Il me suffit.

VALÈRE

Mais l'autre est un rare bonheur;
De tous les trois chez vous il doit tenir la place.

LE VIEIL HORACE

Que n'a-t-on vu périr en lui le nom d'Horace !    1080

VALÈRE

Seul vous le maltraitez après ce qu'il a fait.

LE VIEIL HORACE

C'est à moi seul aussi de punir son forfait.

VALÈRE

Quel forfait trouvez-vous en sa bonne conduite?

LE VIEIL HORACE

Quel éclat de vertu trouvez-vous en sa fuite?

VALÈRE

La fuite est glorieuse en cette occasion.    1085

LE VIEIL HORACE

Vous redoublez ma honte et ma confusion.
Certes, l'exemple est rare et digne de mémoire,
De trouver dans la fuite un chemin à la gloire.

VALÈRE

Quelle confusion, et quelle honte à vous
D'avoir produit un fils qui nous conserve tous,          1090
Qui fait triompher Rome, et lui gagne un empire?
A quels plus grands honneurs faut-il qu'un père aspire?

LE VIEIL HORACE

Quels honneurs, quel triomphe, et quel empire enfin,
Lorsqu'Albe sous ses lois range notre destin?

VALÈRE

Que parlez-vous ici d'Albe et de sa victoire?          1095
Ignorez-vous encor la moitié de l'histoire?

LE VIEIL HORACE

Je sais que par sa fuite il a trahi l'État.

VALÈRE

Oui, s'il eût en fuyant terminé le combat;
Mais on a bientôt vu qu'il ne fuyoit qu'en homme
Qui savoit ménager l'avantage de Rome.          1100

LE VIEIL HORACE

Quoi, Rome donc triomphe?

VALÈRE

                          Apprenez, apprenez
La valeur de ce fils qu'à tort vous condamnez.
  Resté seul contre trois, mais en cette aventure
Tous trois étant blessés, et lui seul sans blessure,          1104
Trop foible pour eux tous, trop fort pour chacun d'eux,
Il sait bien se tirer d'un pas si dangereux;
Il fuit pour mieux combattre, et cette prompte ruse
Divise adroitement trois frères qu'elle abuse.
Chacun le suit d'un pas ou plus ou moins pressé,

Selon qu'il se rencontre ou plus ou moins blessé;   1110
Leur ardeur est égale à poursuivre sa fuite;
Mais leurs coups inégaux séparent leur poursuite.
  Horace, les voyant l'un de l'autre écartés,
Se retourne, et déjà les croit demi-domptés:
Il attend le premier, et c'étoit votre gendre.   1115
L'autre, tout indigné qu'il ait osé l'attendre,
En vain en l'attaquant fait paroître un grand cœur;
Le sang qu'il a perdu ralentit sa vigueur.
Albe à son tour commence à craindre un sort contraire;
Elle crie au second qu'il secoure son frère:   1120
Il se hâte et s'épuise en efforts superflus;
Il trouve en les joignant que son frère n'est plus.

CAMILLE

Hélas!

VALÈRE

     Tout hors d'haleine il prend pourtant sa place,
Et redouble bientôt la victoire d'Horace:
Son courage sans force est un débile appui;   1125
Voulant venger son frère, il tombe auprès de lui.
L'air résonne des cris qu'au ciel chacun envoie;
Albe en jette d'angoisse, et les Romains de joie.
  Comme notre héros se voit près d'achever,
C'est peu pour lui de vaincre, il veut encor braver:   1130
"J'en viens d'immoler deux aux mânes de mes frères;
Rome aura le dernier de mes trois adversaires.
C'est à ses intérêts que je vais l'immoler,"
Dit-il; et tout d'un temps on le voit y voler.
La victoire entre eux deux n'étoit pas incertaine;   1135
L'Albain percé de coups ne se traînoit qu'à peine,
Et comme une victime aux marches de l'autel,
Il sembloit présenter sa gorge au coup mortel:
Aussi le reçoit-il, peu s'en faut, sans défense,
Et son trépas de Rome établit la puissance.   1140

LE VIEIL HORACE

O mon fils! ô ma joie! ô l'honneur de nos jours!
O d'un État penchant l'inespéré secours!
Vertu digne de Rome, et sang digne d'Horace!
Appui de ton pays, et gloire de ta race!
Quand pourrai-je étouffer dans tes embrassements    1145
L'erreur dont j'ai formé de si faux sentiments?
Quand pourra mon amour baigner avec tendresse
Ton front victorieux de larmes d'allégresse?

VALÈRE

Vos caresses bientôt pourront se déployer:
Le Roi dans un moment vous le va renvoyer,    1150
Et remet à demain la pompe qu'il prépare
D'un sacrifice aux Dieux pour un bonheur si rare,
Aujourd'hui seulement on s'acquitte vers eux
Par des chants de victoire et par de simples vœux.
C'est où le Roi le mène, et tandis il m'envoie    1155
Faire office vers vous de douleur et de joie;
Mais cet office encor n'est pas assez pour lui;
Il y viendra lui-même, et peut-être aujourd'hui:
Il croit mal reconnoître une vertu si pure,
Si de sa propre bouche il ne vous en assure,    1160
S'il ne vous dit chez vous combien vous doit l'État.

LE VIEIL HORACE

De tels remercîments ont pour moi trop d'éclat,
Et je me tiens déjà trop payé par les vôtres
Du service d'un fils, et du sang des deux autres.

VALÈRE

Il ne sait ce que c'est d'honorer à demi;    1165
Et son sceptre arraché des mains de l'ennemi
Fait qu'il tient cet honneur qu'il lui plaît de vous faire

Au-dessous du mérite et du fils et du père.
Je vais lui témoigner quels nobles sentiments
La vertu vous inspire en tous vos mouvements,          1170
Et combien vous montrez d'ardeur pour son service.

LE VIEIL HORACE

Je vous devrai beaucoup pour un si bon office.

## SCÈNE III

*Le Vieil Horace, Camille*

LE VIEIL HORACE

Ma fille, il n'est plus temps de répandre des pleurs;
Il sied mal d'en verser où l'on voit tant d'honneurs;
On pleure injustement des pertes domestiques,          1175
Quand on en voit sortir des victoires publiques.
Rome triomphe d'Albe, et c'est assez pour nous;
Tous nos maux à ce prix doivent nous être doux.
En la mort d'un amant vous ne perdez qu'un homme
Dont la perte est aisée à réparer dans Rome;          1180
Après cette victoire, il n'est point de Romain
Qui ne soit glorieux de vous donner la main.
Il me faut à Sabine en porter la nouvelle;
Ce coup sera sans doute assez rude pour elle,
Et ses trois frères morts par la main d'un époux          1185
Lui donneront des pleurs bien plus justes qu'à vous;
Mais j'espère aisément en dissiper l'orage,
Et qu'un peu de prudence aidant son grand courage
Fera bientôt régner sur un si noble cœur
Le généreux amour qu'elle doit au vainqueur.          1190
Cependant étouffez cette lâche tristesse;
Recevez-le, s'il vient, avec moins de foiblesse;
Faites-vous voir sa sœur, et qu'en un même flanc
Le ciel vous a tous deux formés d'un même sang.

## SCÈNE IV

*Camille*

Oui, je lui ferai voir, par d'infaillibles marques,                    1195
Qu'un véritable amour brave la main des Parques,
Et ne prend point de lois de ces cruels tyrans
Qu'un astre injurieux nous donne pour parents.
Tu blâmes ma douleur, tu l'oses nommer lâche;
Je l'aime d'autant plus que plus elle te fâche,                        1200
Impitoyable père, et par un juste effort
Je la veux rendre égale aux rigueurs de mon sort.
    En vit-on jamais un dont les rudes traverses
Prissent en moins de rien tant de faces diverses,
Qui fût doux tant de fois, et tant de fois cruel,                      1205
Et portât tant de coups avant le coup mortel?
Vit-on jamais une âme en un jour plus atteinte
De joie et de douleur, d'espérance et de crainte,
Asservie en esclave à plus d'événements,
Et le piteux jouet de plus de changements?                            1210
Un oracle m'assure, un songe me travaille;
La paix calme l'effroi que me fait la bataille;
Mon hymen se prépare, et presque en un moment
Pour combattre mon frère on choisit mon amant;
Ce choix me désespère, et tous le désavouent;                         1215
La partie est rompue, et les Dieux la renouent;
Rome semble vaincue, et seul des trois Albains,
Curiace en mon sang n'a point trempé ses mains.
O Dieux! sentois-je alors des douleurs trop légères
Pour le malheur de Rome et la mort de deux frères,
Et me flattois-je trop quand je croyois pouvoir                       1221
L'aimer encor sans crime et nourrir quelque espoir?
Sa mort m'en punit bien, et la façon cruelle
Dont mon âme éperdue en reçoit la nouvelle:
Son rival me l'apprend, et faisant à mes yeux                         1225

D'un si triste succès le récit odieux,
Il porte sur le front une allégresse ouverte,
Que le bonheur public fait bien moins que ma perte;
Et bâtissant en l'air sur le malheur d'autrui,
Aussi bien que mon frère il triomphe de lui.                    1230
Mais ce n'est rien encore au prix de ce qui reste:
On demande ma joie en un jour si funeste;
Il me faut applaudir aux exploits du vainqueur,
Et baiser une main qui me perce le cœur.
En un sujet de pleurs si grand, si légitime,                    1235
Se plaindre est une honte, et soupirer un crime;
Leur brutale vertu veut qu'on s'estime heureux,
Et si l'on n'est barbare, on n'est point généreux.
   Dégénérons, mon cœur, d'un si vertueux père;
Soyons indigne sœur d'un si généreux frère:                     1240
C'est gloire de passer pour un cœur abattu,
Quand la brutalité fait la haute vertu.
Éclatez, mes douleurs: à quoi bon vous contraindre?
Quand on a tout perdu, que sauroit-on plus craindre?
Pour ce cruel vainqueur n'ayez point de respect;               1245
Loin d'éviter ses yeux, croissez à son aspect;
Offensez sa victoire, irritez sa colère,
Et prenez, s'il se peut, plaisir à lui déplaire.
Il vient: préparons-nous à montrer constamment
Ce que doit une amante à la mort d'un amant.                    1250

# SCÈNE V

### Horace, Camille, Procule

(*Procule porte en sa main les trois épées des Curiaces.*)

#### HORACE

Ma sœur, voici le bras qui venge nos deux frères,
Le bras qui rompt le cours de nos destins contraires,
Qui nous rend maîtres d'Albe; enfin voici le bras

Qui seul fait aujourd'hui le sort de deux États ;          1254
Vois ces marques d'honneur, ces témoins de ma gloire,
Et rends ce que tu dois à l'heur de ma victoire.

CAMILLE

Recevez donc mes pleurs, c'est ce que je lui dois.

HORACE

Rome n'en veut point voir après de tels exploits,
Et nos deux frères morts dans le malheur des armes
Sont trop payés de sang pour exiger des larmes :          1260
Quand la perte est vengée, on n'a plus rien perdu.

CAMILLE

Puisqu'ils sont satisfaits par le sang épandu,
Je cesserai pour eux de paroître affligée,
Et j'oublierai leur mort que vous avez vengée ;
Mais qui me vengera de celle d'un amant,          1265
Pour me faire oublier sa perte en un moment ?

HORACE

Que dis-tu, malheureuse ?

CAMILLE

O mon cher Curiace !

HORACE

O d'une indigne sœur insupportable audace !
D'un ennemi public dont je reviens vainqueur          1269
Le nom est dans ta bouche et l'amour dans ton cœur !
Ton ardeur criminelle à la vengeance aspire !
Ta bouche la demande, et ton cœur la respire !
Suis moins ta passion, règle mieux tes désirs,
Ne me fais plus rougir d'entendre tes soupirs ;
Tes flammes désormais doivent être étouffées ;          1275

Bannis-les de ton âme, et songe à mes trophées :
Qu'ils soient dorénavant ton unique entretien.

CAMILLE

Donne-moi donc, barbare, un cœur comme le tien ;
Et si tu veux enfin que je t'ouvre mon âme,
Rends-moi mon Curiace, ou laisse agir ma flamme :  1280
Ma joie et mes douleurs dépendoient de son sort ;
Je l'adorois vivant, et je le pleure mort.
  Ne cherche plus ta sœur où tu l'avois laissée ;
Tu ne revois en moi qu'une amante offensée,
Qui, comme une furie, attachée à tes pas,  1285
Te veut incessamment reprocher son trépas.
Tigre altéré de sang, qui me défends les larmes,
Qui veux que dans sa mort je trouve encor des charmes,
Et que jusques au ciel élevant tes exploits,
Moi-même je le tue une seconde fois !  1290
Puissent tant de malheurs accompagner ta vie,
Que tu tombes au point de me porter envie ;
Et toi, bientôt souiller par quelque lâcheté
Cette gloire si chère à ta brutalité !

HORACE

O ciel, qui vit jamais une pareille rage !  1295
Crois-tu donc que je sois insensible à l'outrage,
Que je souffre en mon sang ce mortel déshonneur ?
Aime, aime cette mort qui fait notre bonheur,
Et préfère du moins au souvenir d'un homme
Ce que doit ta naissance aux intérêts de Rome.  1300

CAMILLE

Rome, l'unique objet de mon ressentiment !
Rome, à qui vient ton bras d'immoler mon amant !
Rome qui t'a vu naître, et que ton cœur adore !
Rome enfin que je hais parce qu'elle t'honore !
Puissent tous ses voisins ensemble conjurés  1305

Saper ses fondements encor mal assurés!
Et si ce n'est assez de toute l'Italie,
Que l'Orient contre elle a l'Occident s'allie;
Que cent peuples unis des bouts de l'univers
Passent pour la détruire et les monts et les mers!      1310
Qu'elle-même sur soi renverse ses murailles,
Et de ses propres mains déchire ses entrailles!
Que le courroux du ciel allumé par mes vœux
Fasse pleuvoir sur elle un déluge de feux!
Puissé-je de mes yeux y voir tomber ce foudre,        1315
Voir ses maisons en cendre, et tes lauriers en poudre,
Voir le dernier Romain à son dernier soupir,
Moi seule en être cause, et mourir de plaisir!

HORACE, *mettant la main à l'épée, et poursuivant sa sœur
qui s'enfuit.*

C'est trop, ma patience à la raison fait place;
Va dedans les enfers plaindre ton Curiace.           1320

CAMILLE, *blessée derrière le théâtre.*

Ah! traître!

HORACE, *revenant sur le théâtre.*

                    Ainsi reçoive un châtiment soudain
Quiconque ose pleurer un ennemi romain!

# SCÈNE VI

*Horace, Procule*

PROCULE

Que venez-vous de faire?

HORACE

                    Un acte de justice:
Un semblable forfait veut un pareil supplice.

PROCULE

Vous deviez la traiter avec moins de rigueur.          1325

HORACE

Ne me dis point qu'elle est et mon sang et ma sœur.
Mon père ne peut plus l'avouer pour sa fille :
Qui maudit son pays renonce à sa famille ;
Des noms si pleins d'amour ne lui sont plus permis ;
De ses plus chers parents il fait ses ennemis :          1330
Le sang même les arme en haine de son crime.
La plus prompte vengeance en est plus légitime ;
Et ce souhait impie, encore qu'impuissant,
Est un monstre qu'il faut étouffer en naissant.


## SCÈNE VII

*Horace, Sabine, Procule*

SABINE

A quoi s'arrête ici ton illustre colère ?          1335
Viens voir mourir ta sœur dans les bras de ton père ;
Viens repaître tes yeux d'un spectacle si doux :
Ou si tu n'es point las de ces généreux coups,
Immole au cher pays des vertueux Horaces
Ce reste malheureux du sang des Curiaces.          1340
Si prodigue du tien, n'épargne pas le leur ;
Joins Sabine à Camille, et ta femme à ta sœur ;
Nos crimes sont pareils, ainsi que nos misères ;
Je soupire comme elle, et déplore mes frères :
Plus coupable en ce point contre tes dures lois,          1345
Qu'elle n'en pleuroit qu'un, et que j'en pleure trois,
Qu'après son châtiment ma faute continue.

HORACE

Sèche tes pleurs, Sabine, ou les cache à ma vue :
Rends-toi digne du nom de ma chaste moitié,

Et ne m'accable point d'une indigne pitié.     1350
Si l'absolu pouvoir d'une pudique flamme
Ne nous laisse à tous deux qu'un penser et qu'une âme,
C'est à toi d'élever tes sentiments aux miens,
Non à moi de descendre à la honte des tiens.
Je t'aime, et je connois la douleur qui te presse;     1355
Embrasse ma vertu pour vaincre ta foiblesse,
Participe à ma gloire au lieu de la souiller.
Tâche à t'en revêtir, non à m'en dépouiller.
Es-tu de mon honneur si mortelle ennemie,
Que je te plaise mieux couvert d'une infamie?     1360
Sois plus femme que sœur, et te réglant sur moi,
Fais-toi de mon exemple une immuable loi.

### SABINE, *seule*

Cherche pour t'imiter des âmes plus parfaites.
Je ne t'impute point les pertes que j'ai faites,
J'en ai les sentiments que je dois en avoir,     1365
Et je m'en prends au sort plutôt qu'à ton devoir;
Mais enfin je renonce à la vertu romaine,
Si pour la posséder je dois être inhumaine;
Et ne puis voir en moi la femme du vainqueur
Sans y voir des vaincus la déplorable sœur.     1370
    Prenons part en public aux victoires publiques,
Pleurons dans la maison nos malheurs domestiques,
Et ne regardons point des biens communs à tous,
Quand nous voyons des maux qui ne sont que pour nous.
Pourquoi veux-tu, cruel, agir d'une autre sorte?     1375
Laisse en entrant ici tes lauriers à la porte;
Mêle tes pleurs aux miens. Quoi? ces lâches discours
N'arment point ta vertu contre mes tristes jours?
Mon crime redoublé n'émeut point ta colère?
Que Camille est heureuse! elle a pu te déplaire;     1380
Elle a reçu de toi ce qu'elle a prétendu,
Et recouvre là-bas tout ce qu'elle a perdu.

Cher époux, cher auteur du tourment qui me presse,
Écoute la pitié, si ta colère cesse;
Exerce l'une ou l'autre, après de tels malheurs,      1385
A punir ma foiblesse, ou finir mes douleurs:
Je demande la mort pour grâce, ou pour supplice;
Qu'elle soit un effet d'amour ou de justice,
N'importe: tous ses traits n'auront rien que de doux,
Si je les vois partir de la main d'un époux.      1390

#### HORACE

Quelle injustice aux Dieux d'abandonner aux femmes
Un empire si grand sur les plus belles âmes,
Et de se plaire à voir de si foibles vainqueurs
Régner si puissamment sur les plus nobles cœurs!
A quel point ma vertu devient-elle réduite!      1395
Rien ne la sauroit plus garantir que la fuite.
Adieu: ne me suis point, ou retiens tes soupirs.

#### SABINE, *seule*

O colère, ô pitié, sourdes à mes désirs,
Vous négligez mon crime, et ma douleur vous lasse.
Et je n'obtiens de vous ni supplice ni grâce!      1400
Allons-y par nos pleurs faire encore un effort,
Et n'employons après que nous à notre mort.

## ACTE V

## SCÈNE PREMIÈRE

*Le Vieil Horace, Horace*

### LE VIEIL HORACE

Retirons nos regards de cet objet funeste,
Pour admirer ici le jugement céleste:
Quand la gloire nous enfle, il sait bien comme il faut

Confondre notre orgueil qui s'élève trop haut.     1406
Nos plaisirs les plus doux ne vont point sans tristesse ;
Il mêle à nos vertus des marques de foiblesse,
Et rarement accorde à notre ambition
L'entier et pur honneur d'une bonne action.     1410
Je ne plains point Camille : elle étoit criminelle ;
Je me tiens plus à plaindre, et je te plains plus qu'elle :
Moi, d'avoir mis au jour un cœur si peu romain ;
Toi, d'avoir par sa mort déshonoré ta main.
Je ne la trouve point injuste ni trop prompte ;     1415
Mais tu pouvois, mon fils, t'en épargner la honte :
Son crime, quoique énorme et digne du trépas,
Etoit mieux impuni que puni par ton bras.

HORACE

Disposez de mon sang, les lois vous en font maître ;
J'ai cru devoir le sien aux lieux qui m'ont vu naître.     1420
Si dans vos sentiments mon zèle est criminel,
S'il m'en faut recevoir un reproche éternel,
Si ma main en devient honteuse et profanée,
Vous pouvez d'un seul mot trancher ma destinée :
Reprenez tout ce sang de qui ma lâcheté     1425
A si brutalement souillé la pureté.
Ma main n'a pu souffrir de crime en votre race ;
Ne souffrez point de tache en la maison d'Horace.
C'est en ces actions dont l'honneur est blessé
Qu'un père tel que vous se montre intéressé :     1430
Son amour doit se taire où toute excuse est nulle ;
Lui-même il y prend part lorsqu'il les dissimule ;
Et de sa propre gloire il fait trop peu de cas,
Quand il ne punit point ce qu'il n'approuve pas.

LE VIEIL HORACE

Il n'use pas toujours d'une rigueur extrême ;     1435
Il épargne ses fils bien souvent pour soi-même ;

Sa vieillesse sur eux aime à se soutenir,
Et ne les punit point, de peur de se punir.
Je te vois d'un autre œil que tu ne te regardes ;    1439
Je sais . . . Mais le Roi vient, je vois entrer ses gardes.

## SCÈNE II

### *Tulle, Valère, Le Vieil Horace*
### *Horace, troupe de gardes*

LE VIEIL HORACE

Ah ! Sire, un tel honneur a trop d'excès pour moi ;
Ce n'est point en ce lieu que je dois voir mon roi :
Permettez qu'à genoux . . .

TULLE

Non, levez-vous, mon père :
Je fais ce qu'en ma place un bon prince doit faire.
Un si rare service et si fort important    1445
Veut l'honneur le plus rare et le plus éclatant.
Vous en aviez déjà sa parole pour gage ;
Je ne l'ai pas voulu différer davantage.
J'ai su par son rapport, et je n'en doutois pas,
Comme de vos deux fils vous portez le trépas,    1450
Et que déjà votre âme étant trop résolue,
Ma consolation vous seroit superflue ;
Mais je viens de savoir quel étrange malheur
D'un fils victorieux a suivi la valeur,
Et que son trop d'amour pour la cause publique    1455
Par ses mains à son père ôte une fille unique.
Ce coup est un peu rude à l'esprit le plus fort ;
Et je doute comment vous portez cette mort.

LE VIEIL HORACE

Sire, avec déplaisir, mais avec patience.

TULLE

C'est l'effet vertueux de votre expérience.       1460
Beaucoup par un long âge ont appris comme vous
Que le malheur succède au bonheur le plus doux :
Peu savent comme vous s'appliquer ce remède,
Et dans leur intérêt toute leur vertu cède.
Si vous pouvez trouver dans ma compassion       1465
Quelque soulagement pour votre affliction,
Ainsi que votre mal sachez qu'elle est extrême,
Et que je vous en plains autant que je vous aime.

VALÈRE

Sire, puisque le ciel entre les mains des rois
Dépose sa justice et la force des lois,       1470
Et que l'État demande aux princes légitimes
Des prix pour les vertus, des peines pour les crimes,
Souffrez qu'un bon sujet vous fasse souvenir
Que vous plaignez beaucoup ce qu'il vous faut punir ;
Souffrez . . .

LE VIEIL HORACE

      Quoi ? qu'on envoie un vainqueur au supplice ?

TULLE

Permettez qu'il achève, et je ferai justice :       1476
J'aime à la rendre à tous, à toute heure, en tout lieu.
C'est par elle qu'un roi se fait un demi-dieu ;
Et c'est dont je vous plains, qu'après un tel service
On puisse contre lui me demander justice.       1480

VALÈRE

Souffrez donc, ô grand Roi, le plus juste des rois,
Que tous les gens de bien vous parlent par ma voix.
Non que nos cœurs jaloux de ses honneurs s'irritent ;
S'il reçoit beaucoup, ses hauts faits le méritent ;

Ajoutez-y plutôt que d'en diminuer:                            1485
Nous sommes tous encor prêts d'y contribuer;
Mais puisque d'un tel crime il s'est montré capable,
Qu'il triomphe en vainqueur, et périsse en coupable.
Arrêtez sa fureur, et sauvez de ses mains,
Si vous voulez régner, le reste des Romains:                   1490
Il y va de la perte ou du salut du reste.
    La guerre avoit un cours si sanglant, si funeste,
Et les nœuds de l'hymen, durant nos bons destins,
Ont tant de fois uni des peuples si voisins,
Qu'il est peu de Romains que le parti contraire               1495
N'intéresse en la mort d'un gendre ou d'un beau-frère,
Et qui ne soient forcés de donner quelques pleurs,
Dans le bonheur public, à leurs propres malheurs.
Si c'est offenser Rome, et que l'heur de ses armes
L'autorise à punir ce crime de nos larmes,                    1500
Quel sang épargnera ce barbare vainqueur,
Qui ne pardonne pas à celui de sa sœur,
Et ne peut excuser cette douleur pressante
Que la mort d'un amant jette au cœur d'une amante,
Quand, près d'être éclairés du nuptial flambeau,               1505
Elle voit avec lui son espoir au tombeau?
Faisant triompher Rome, il se l'est asservie;
Il a sur nous un droit et de mort et de vie;
Et nos jours criminels ne pourront plus durer
Qu'autant qu'à sa clémence il plaira l'endurer.                1510
    Je pourrois ajouter aux intérêts de Rome
Combien un pareil coup est indigne d'un homme;
Je pourrois demander qu'on mît devant vos yeux
Ce grand et rare exploit d'un bras victorieux:
Vous verriez un beau sang, pour accuser sa rage,              1515
D'un frère si cruel rejaillir au visage:
Vous verriez des horreurs qu'on ne peut concevoir;
Son âge et sa beauté vous pourroient émouvoir;
Mais je hais ces moyens qui sentent l'artifice.

Vous avez à demain remis le sacrifice:                    1520
Pensez-vous que les Dieux, vengeurs des innocents,
D'une main parricide acceptent de l'encens ?
Sur vous ce sacrilège attireroit sa peine;
Ne le considérez qu'en objet de leur haine,
Et croyez avec nous qu'en tous ses trois combats    1525
Le bon destin de Rome a plus fait que son bras,
Puisque ces mêmes Dieux, auteurs de sa victoire,
Ont permis qu'aussitôt il en souillât la gloire,
Et qu'un si grand courage, après ce noble effort,
Fût digne en même jour de triomphe et de mort.    1530
Sire, c'est ce qu'il faut que votre arrêt décide.
En ce lieu Rome a vu le premier parricide;
La suite en est à craindre, et la haine des cieux:
Sauvez-nous de sa main, et redoutez les Dieux.

TULLE

Défendez-vous, Horace.

HORACE

                    A quoi bon me défendre ?    1535
Vous savez l'action, vous la venez d'entendre;
Ce que vous en croyez me doit être une loi.
    Sire, on se défend mal contre l'avis d'un roi,
Et le plus innocent devient soudain coupable,    1539
Quand aux yeux de son prince il paroît condamnable.
C'est crime qu'envers lui se vouloir excuser:
Notre sang est son bien, il en peut disposer;
Et c'est à nous de croire, alors qu'il en dispose,
Qu'il ne s'en prive point sans une juste cause.
Sire, prononcez donc, je suis prêt d'obéir;    1545
D'autres aiment la vie, et je la dois haïr.
Je ne reproche point à l'ardeur de Valère
Qu'en amant de la sœur il accuse le frère:
Mes vœux avec les siens conspirent aujourd'hui;

Il demande ma mort, je la veux comme lui.        1550
Un seul point entre nous met cette différence,
Que mon honneur par là cherche son assurance,
Et qu'à ce même but nous voulons arriver,
Lui pour flétrir ma gloire, et moi pour la sauver.

   Sire, c'est rarement qu'il s'offre une matière        1555
A montrer d'un grand cœur la vertu tout entière.
Suivant l'occasion elle agit plus ou moins,
Et paroît forte ou foible aux yeux de ses témoins.
Le peuple, qui voit tout seulement par l'écorce,
S'attache à son effet pour juger de sa force;        1560
Il veut que ses dehors gardent un même cours,
Qu'ayant fait un miracle, elle en fasse toujours:
Après une action pleine, haute, éclatante,
Tout ce qui brille moins remplit mal son attente;
Il veut qu'on soit égal en tout temps, en tous lieux;        1565
Il n'examine point si lors on pouvoit mieux,
Ni que, s'il ne voit pas sans cesse une merveille,
L'occasion est moindre, et la vertu pareille:
Son injustice accable et détruit les grands noms;
L'honneur des premiers faits se perd par les seconds,
Et quand la renommée a passé l'ordinaire,        1571
Si l'on n'en veut déchoir, il faut ne plus rien faire.

   Je ne vanterai point les exploits de mon bras;
Votre Majesté, Sire, a vu mes trois combats:
Il est bien malaisé qu'un pareil les seconde,        1575
Qu'une autre occasion à celle-ci réponde,
Et que tout mon courage, après de si grands coups,
Parvienne à des succès qui n'aillent au-dessous;
Si bien que pour laisser une illustre mémoire,
La mort seule aujourd'hui peut conserver ma gloire:        1580
Encor la falloit-il sitôt que j'eus vaincu,
Puisque pour mon honneur j'ai déjà trop vécu.
Un homme tel que moi voit sa gloire ternie,
Quand il tombe en péril de quelque ignominie,

Et ma main auroit su déjà m'en garantir ;          1585
Mais sans votre congé mon sang n'ose sortir :
Comme il vous appartient, votre aveu doit se prendre ;
C'est vous le dérober qu'autrement le répandre.
Rome ne manque point de généreux guerriers ;
Assez d'autres sans moi soutiendront vos lauriers ;   1590
Que Votre Majesté désormais m'en dispense ;
Et si ce que j'ai fait vaut quelque récompense,
Permettez, ô grand Roi, que de ce bras vainqueur
Je m'immole à ma gloire, et non pas à ma sœur.


## SCÈNE III

### Tulle, Valère, Le Vieil Horace,
### Horace, Sabine

#### SABINE

Sire, écoutez Sabine, et voyez dans son âme          1595
Les douleurs d'une sœur et celles d'une femme,
Qui toute désolée, à vos sacrés genoux,
Pleure pour sa famille, et craint pour son époux.
Ce n'est pas que je veuille avec cet artifice
Dérober un coupable au bras de la justice :          1600
Quoi qu'il ait fait pour vous, traitez-le comme tel,
Et punissez en moi ce noble criminel ;
De mon sang malheureux expiez tout son crime ;
Vous ne changerez point pour cela de victime :
Ce n'en sera point prendre une injuste pitié,        1605
Mais en sacrifier la plus chère moitié.
Les nœuds de l'hyménée et son amour extrême
Font qu'il vit plus en moi qu'il ne vit en lui-même ;
Et si vous m'accordez de mourir aujourd'hui,
Il mourra plus en moi qu'il ne mourroit en lui ;     1610
La mort que je demande, et qu'il faut que j'obtienne,
Augmentera sa peine, et finira la mienne.

Sire, voyez l'excès de mes tristes ennuis,
Et l'effroyable état où mes jours sont réduits.
Quelle horreur d'embrasser un homme dont l'épée   1615
De toute ma famille a la trame coupée !
Et quelle impiété de haïr un époux
Pour avoir bien servi les siens, l'État et vous !
Aimer un bras souillé du sang de tous mes frères !
N'aimer pas un mari qui finit nos misères !   1620
Sire, délivrez-moi par un heureux trépas
Des crimes de l'aimer et de ne l'aimer pas ;
J'en nommerai l'arrêt une faveur bien grande.
Ma main peut me donner ce que je vous demande ;
Mais ce trépas enfin me sera bien plus doux,   1625
Si je puis de sa honte affranchir mon époux ;
Si je puis par mon sang apaiser la colère
Des Dieux qu'a pu fâcher sa vertu trop sévère,
Satisfaire en mourant aux mânes de sa sœur,
Et conserver à Rome un si bon défenseur.   1630

### LE VIEIL HORACE, *au Roi*

Sire, c'est donc à moi de répondre à Valère.
Mes enfants avec lui conspirent contre un père :
Tous trois veulent me perdre, et s'arment sans raison
Contre si peu de sang qui reste en ma maison.

### (*A Sabine.*)

Toi qui par des douleurs à ton devoir contraires,   1635
Veux quitter un mari pour rejoindre tes frères,
Va plutôt consulter leurs mânes généreux ;
Ils sont morts, mais pour Albe, et s'en tiennent heureux :
Puisque le ciel vouloit qu'elle fût asservie,
Si quelque sentiment demeure après la vie,   1640
Ce mal leur semble moindre, et moins rudes ses coups,
Voyant que tout l'honneur en retombe sur nous ;
Tous trois désavoueront la douleur qui te touche,
Les larmes de tes yeux, les soupirs de ta bouche,

L'horreur que tu fais voir d'un mari vertueux.          1645
Sabine, sois leur sœur, suis ton devoir comme eux.
                    (*Au Roi.*)
   Contre ce cher époux Valère en vain s'anime:
Un premier mouvement ne fut jamais un crime;
Et la louange est due, au lieu du châtiment,
Quand la vertu produit ce premier mouvement.          1650
Aimer nos ennemis avec idolâtrie,
De rage en leur trépas maudire la patrie,
Souhaiter à l'État un malheur infini,
C'est ce qu'on nomme crime, et ce qu'il a puni.
Le seul amour de Rome a sa main animée:          1655
Il seroit innocent s'il l'avoit moins aimée.
Qu'ai-je dit, Sire? il l'est, et ce bras paternel
L'auroit déjà puni s'il étoit criminel:
J'aurois su mieux user de l'entière puissance
Que me donnent sur lui les droits de la naissance;          1660
J'aime trop l'honneur, Sire, et ne suis point de rang
A souffrir ni d'affront ni de crime en mon sang.
C'est dont je ne veux point de témoin que Valère;
Il a vu quel accueil lui gardoit ma colère,
Lorsqu'ignorant encor la moitié du combat,          1665
Je croyois que sa fuite avoit trahi l'État.
Qui le fait se charger des soins de ma famille?
Qui le fait, malgré moi, vouloir venger ma fille?
Et par quelle raison, dans son juste trépas,
Prend-il un intérêt qu'un père ne prend pas?          1670
On craint qu'après sa sœur il n'en maltraite d'autres!
Sire, nous n'avons part qu'à la honte des nôtres,
Et de quelque façon qu'un autre puisse agir,
Qui ne nous touche point ne nous fait point rougir.
                    (*A Valère.*)
   Tu peux pleurer, Valère, et même aux yeux d'Horace;
Il ne prend intérêt qu'aux crimes de sa race:          1676
Qui n'est point de son sang ne peut faire d'affront

Aux lauriers immortels qui lui ceignent le front.
Lauriers, sacrés rameaux qu'on veut réduire en poudre,
Vous qui mettez sa tête à couvert de la foudre,          1680
L'abandonnerez-vous à l'infâme couteau
Qui fait choir les méchants sous la main d'un bourreau?
Romains, souffrirez-vous qu'on vous immole un homme
Sans qui Rome aujourd'hui cesseroit d'être Rome,
Et qu'un Romain s'efforce à tacher le renom          1685
D'un guerrier à qui tous doivent un si beau nom?
Dis, Valère, dis-nous, si tu veux qu'il périsse,
Où tu penses choisir un lieu pour son supplice?
Sera-ce entre ces murs que mille et mille voix
Font résonner encor du bruit de ses exploits?          1690
Sera-ce hors des murs, au milieu de ces places
Qu'on voit fumer encor du sang des Curiaces,
Entre leurs trois tombeaux, et dans ce champ d'honneur
Témoin de sa vaillance et de notre bonheur?
Tu ne saurois cacher sa peine à sa victoire;          1695
Dans les murs, hors des murs, tout parle de sa gloire,
Tout s'oppose à l'effort de ton injuste amour,
Qui veut d'un si bon sang souiller un si beau jour.
Albe ne pourra pas souffrir un tel spectacle,
Et Rome par ses pleurs y mettra trop d'obstacle.          1700

(*Au Roi.*)

Vous les préviendrez, Sire; et par un juste arrêt
Vous saurez embrasser bien mieux son intérêt.
Ce qu'il a fait pour elle, il peut encor le faire:
Il peut la garantir encor d'un sort contraire.
Sire, ne donnez rien à mes débiles ans:          1705
Rome, aujourd'hui m'a vu père de quatre enfants;
Trois en ce même jour sont morts pour sa querelle;
Il m'en reste encor un, conservez-le pour elle:
N'ôtez pas à ces murs un si puissant appui;
Et souffrez, pour finir, que je m'adresse à lui.          1710

(*A Horace.*)

Horace, ne crois pas que le peuple stupide
Soit le maître absolu d'un renom bien solide:
Sa voix tumultueuse assez souvent fait bruit;
Mais un moment l'élève, un moment le détruit;
Et ce qu'il contribue à notre renommée            1715
Toujours en moins de rien se dissipe en fumée.
C'est aux rois, c'est aux grands, c'est aux esprits bien
      faits,
A voir la vertu pleine en ses moindres effets;
C'est d'eux seuls qu'on reçoit la véritable gloire;
Eux seuls des vrais héros assurent la mémoire.    1720
Vis toujours en Horace, et toujours auprès d'eux
Ton nom demeurera grand, illustre, fameux,
Bien que l'occasion, moins haute ou moins brillante,
D'un vulgaire ignorant trompe l'injuste attente.
Ne hais donc plus la vie, et du moins vis pour moi,  1725
Et pour servir encor ton pays et ton roi.
    Sire, j'en ai trop dit; mais l'affaire vous touche;
Et Rome tout entière a parlé par ma bouche.

VALÈRE

Sire, permettez-moi . . .

TULLE

                    Valère, c'est assez:
Vos discours par les leurs ne sont pas effacés;    1730
J'en garde en mon esprit les forces plus pressantes,
Et toutes vos raisons me sont encor présentes.
    Cette énorme action faite presque à nos yeux
Outrage la nature, et blesse jusqu'aux Dieux.
Un premier mouvement qui produit un tel crime      1735
Ne sauroit lui servir d'excuse légitime:
Les moins sévères lois en ce point sont d'accord;
Et si nous les suivons, il est digne de mort.
Si d'ailleurs nous voulons regarder le coupable,

Ce crime, quoique grand, énorme, inexcusable,          1740
Vient de la même épée et part du même bras
Qui me fait aujourd'hui maître de deux États.
Deux sceptres en ma main, Albe à Rome asservie,
Parlent bien hautement en faveur de sa vie :
Sans lui j'obéirois où je donne la loi,               1745
Et je serois sujet où je suis deux fois roi.
Assez de bons sujets dans toutes les provinces
Par des vœux impuissants s'acquittent vers leurs princes ;
Tous les peuvent aimer, mais tous ne peuvent pas
Par d'illustres effets assurer leurs États ;          1750
Et l'art et le pouvoir d'affermir des couronnes
Sont des dons que le ciel fait à peu de personnes.
De pareils serviteurs sont les forces des rois,
Et de pareils aussi sont au-dessus des lois.
Qu'elles se taisent donc ; que Rome dissimule         1755
Ce que dès sa naissance elle vit en Romule.
Elle peut bien souffrir en son libérateur
Ce qu'elle a bien souffert en son premier auteur.
Vis donc, Horace, vis, guerrier trop magnanime :
Ta vertu met ta gloire au-dessus de ton crime ;       1760
Sa chaleur généreuse a produit ton forfait ;
D'une cause si belle il faut souffrir l'effet.
Vis pour servir l'État ; vis, mais aime Valère :
Qu'il ne reste entre vous ni haine ni colère ;
Et soit qu'il ait suivi l'amour ou le devoir,         1765
Sans aucun sentiment résous-toi de le voir.
      Sabine, écoutez moins la douleur qui vous presse ;
Chassez de ce grand cœur ces marques de foiblesse :
C'est en séchant vos pleurs que vous vous montrerez
La véritable sœur de ceux que vous pleurez.           1770
      Mais nous devons aux Dieux demain un sacrifice ;
Et nous aurons le ciel à nos vœux mal propice,
Si nos prêtres, avant que de sacrifier,
Ne trouvoient les moyens de le purifier :

Son père en prendra soin; il lui sera facile          1775
D'apaiser tout d'un temps les mânes de Camille.
Je la plains; et pour rendre à son sort rigoureux
Ce que peut souhaiter son esprit amoureux,
Puisqu'en un même jour l'ardeur d'un même zèle
Achève le destin de son amant et d'elle,          1780
Je veux qu'un même jour, témoin de leurs deux morts,
En un même tombeau voie enfermer leurs corps.

# POLYEUCTE, MARTYR

## TRAGÉDIE CHRÉTIENNE

# A LA REINE RÉGENTE

MADAME,

Quelque connoissance que j'aie de ma foiblesse, quelque profond respect qu'imprime Votre Majesté dans les âmes de ceux qui l'approchent, j'avoue que je me jette à ses pieds sans timidité et sans défiance, et que je me tiens assuré de lui plaire parce que je suis assuré de lui parler de ce qu'elle aime le mieux. Ce n'est qu'une pièce de théâtre que je lui présente, mais qui l'entretiendra de Dieu: la dignité de la matière est si haute, que l'impuissance de l'artisan ne la peut ravaler; et votre âme royale se plaît trop à cette sorte d'entretien pour s'offenser des défauts d'un ouvrage où elle rencontrera les délices de son cœur. C'est par là, MADAME, que j'espère obtenir de VOTRE MAJESTÉ le pardon du long temps que j'ai attendu à lui rendre cette sorte d'hommages. Toutes les fois que j'ai mis sur notre scène des vertus morales ou politiques, j'en ai toujours cru les tableaux trop peu dignes de paroître devant Elle, quand j'ai considéré qu'avec quelque soin que je les pusse choisir dans l'histoire, et quelques ornements dont l'artifice les pût enrichir, elle en voyoit de plus grands exemples dans elle-même. Pour rendre les choses proportionnées, il falloit aller à la plus haute espèce, et n'entreprendre pas de rien offrir de cette nature à une reine très chrétienne, et qui l'est beaucoup plus encore par ses actions que par son titre, à moins que de lui offrir un portrait des vertus chrétiennes dont l'amour et la gloire de Dieu formassent les plus beaux traits, et qui rendît les plaisirs qu'elle y pourra prendre aussi propres à exercer sa piété qu'à délasser son esprit. C'est à cette extraordinaire et admirable piété, MADAME, que la France est redevable des bénédictions qu'elle voit tomber sur les premières armes de son roi; les heureux succès qu'elles ont obtenus en sont les rétributions éclatantes, et des coups du ciel, qui répand abondamment sur tout le royaume les récompenses et les grâces que VOTRE MAJESTÉ a méritées. Notre perte sembloit infaillible après celle de notre grand monarque; toute l'Europe avoit déjà pitié de nous, et s'imaginoit que nous nous allions précipiter dans un extrême désordre, parce qu'elle nous voyoit dans une extrême désolation: cependant la prudence et les soins de VOTRE MAJESTÉ, les bons conseils qu'elle a pris, les grands courages qu'elle a choisis pour les exécuter, ont agi si puissamment dans tous les besoins de l'État, que cette première année de sa régence a non seulement égalé les plus glorieuses de l'autre règne, mais a même effacé, par la prise de Thionville, le souvenir du malheur qui, devant ses murs, avoit interrompu une si longue suite de victoires. Permettez que je me laisse emporter au ravissement que me donne cette pensée, et que je m'écrie dans ce transport:

Que vos soins, grande Reine, enfantent de miracles!
Bruxelles et Madrid en sont tous interdits;
Et si notre Apollon me les avoit prédits,
J'aurois moi-même osé douter de ses oracles.

Sous vos commandements, on force tous obstacles;
On porte l'épouvante aux cœurs les plus hardis,
Et par des coups d'essai vos États agrandis
Des drapeaux ennemis font d'illustres spectacles.

La victoire elle-même accourant à mon roi,
Et mettant à ses pieds Thionville et Rocroi,
Fait retentir ces vers sur les bords de la Seine:

"France, attends tout d'un règne ouvert en triomphant,
Puisque tu vois déjà les ordres de ta reine
Faire un foudre en tes mains des armes d'un enfant."

Il ne faut point douter que des commencements si
merveilleux ne soient soutenus par des progrès encore
plus étonnants. Dieu ne laisse point ses ouvrages impar-
faits: il les achèvera, MADAME, et rendra non seulement
la régence de VOTRE MAJESTÉ, mais encore toute sa vie,
un enchaînement continuel de prospérités. Ce sont les
vœux de toute la France, et ce sont ceux que fait avec
plus de zèle,

> MADAME,
>> DE VOTRE MAJESTÉ
>>> Le très humble, très obéissant
>>> et très fidèle serviteur et sujet,
>>>> CORNEILLE.

# ABRÉGÉ

## DU MARTYRE DE SAINT POLYEUCTE

ÉCRIT PAR SIMÉON MÉTAPHRASTE ET RAPPORTÉ PAR
SURIUS

L'ingénieuse tissure des fictions avec la vérité, où
consiste le plus beau secret de la poésie, produit d'ordinaire deux sortes d'effets, selon la diversité des esprits
qui la voient. Les uns se laissent si bien persuader à
cet enchaînement, qu'aussitôt qu'ils ont remarqué
quelques événements véritables, ils s'imaginent la même
chose des motifs qui les font naître et des circonstances
qui les accompagnent; les autres, mieux avertis de
notre artifice, soupçonnent de fausseté tout ce qui n'est
pas de leur connoissance; si bien que, quand nous trai-

tons quelque histoire écartée dont ils ne trouvent rien dans leur souvenir, ils l'attribuent tout entière à l'effort de notre imagination, et la prennent pour une aventure de roman.

L'un et l'autre de ces effets seroit dangereux en cette rencontre: il y va de la gloire de Dieu, qui se plaît dans celle de ses saints, dont la mort si précieuse devant ses yeux ne doit pas passer pour fabuleuse devant ceux des hommes. Au lieu de sanctifier notre théâtre par sa représentation, nous y profanerions la sainteté de leurs souffrances, si nous permettions que la crédulité des uns et la défiance des autres, également abusées par ce mélange, se méprissent également en la vénération qui leur est due, et que les premiers la rendissent mal à propos à ceux qui ne la méritent pas, cependant que les autres la dénieroient à ceux à qui elle appartient.

Saint Polyeucte est un martyr dont, s'il m'est permis de parler ainsi, beaucoup ont plutôt appris le nom à la comédie qu'à l'église. Le *Martyrologe romain* en fait mention sur le 13e de février, mais en deux mots, suivant sa coutume; Baronius, dans ses *Annales,* n'en dit qu'une ligne; le seul Surius, ou plutôt Mosander, qui l'a augmenté dans les dernières impressions, en rapporte la mort assez au long sur le 9e de janvier; et j'ai cru qu'il étoit de mon devoir d'en mettre ici l'abrégé. Comme il a été à propos d'en rendre la représentation agréable, afin que le plaisir pût insinuer plus doucement l'utilité, et lui servir comme de véhicule pour la porter dans l'âme du peuple, il est juste aussi de lui donner cette lumière, pour démêler la vérité d'avec ses ornements, et lui faire reconnoître ce qui lui doit imprimer du respect comme saint, et ce qui le doit seulement divertir comme industrieux. Voici donc ce que ce dernier nous apprend:

Polyeucte et Néarque étoient deux cavaliers étroitement liés ensemble d'amitié; ils vivoient en l'an 250

sous l'empire de Décius; leur demeure étoit dans
Mélitène, capitale d'Arménie; leur religion différente:
Néarque étant chrétien, et Polyeucte suivant encore la
secte des gentils, mais ayant toutes les qualités dignes
d'un chrétien, et une grande inclination à le devenir.
L'Empereur ayant fait publier un édit très rigoureux
contre les chrétiens, cette publication donna un grand
trouble à Néarque, non pour la crainte des supplices
dont il étoit menacé, mais pour l'appréhension qu'il eut
que leur amitié ne souffrît quelque séparation ou refroi-
dissement par cet édit, vu les peines qui y étoient pro-
posées à ceux de sa religion, et les honneurs promis
à ceux du parti contraire. Il en conçut un si profond
déplaisir, que son ami s'en aperçut; et l'ayant obligé
de lui en dire la cause, il prit de là occasion de lui
ouvrir son cœur. Ne craignez point, lui dit-il, que l'édit
de l'Empereur nous désunisse; j'ai vu cette nuit le
Christ que vous adorez; il m'a dépouillé d'une robe sale
pour me revêtir d'une autre toute lumineuse, et m'a
fait monter sur un cheval ailé pour le suivre: cette vision
m'a résolu entièrement à faire ce qu'il y a longtemps
que je médite; le seul nom de chrétien me manque, et
vous-même, toutes les fois que vous m'avez parlé de
votre grand Messie, vous avez pu remarquer que je vous
ai toujours écouté avec respect; et quand vous m'avez
lu sa vie et ses enseignements, j'ai toujours admiré la
sainteté de ses actions et de ses discours. O Néarque!
si je ne me croyois point indigne d'aller à lui sans être
initié de ses mystères et avoir reçu la grâce de ses
sacrements, que vous verriez éclater l'ardeur que j'ai
de mourir pour sa gloire et le soutien de ses éternelles
vérités!   Néarque l'ayant éclairci du scrupule où il
étoit par l'exemple du bon larron, qui en un moment
mérita le ciel, bien qu'il n'eût pas reçu le baptême,
aussitôt notre martyr, plein d'une sainte ferveur, prend

l'édit de l'Empereur, crache dessus, et le déchire en
morceaux qu'il jette au vent; et voyant des idoles que
le peuple portoit sur les autels pour les adorer, il les
arrache à ceux qui les portoient, les brise contre terre,
et les foule aux pieds, étonnant tout le monde et son
ami même, par la chaleur de ce zèle, qu'il n'avoit pas
espéré.

Son beau-père Félix, qui avoit la commission de l'Empereur pour persécuter les chrétiens, ayant vu lui-même
ce qu'avoit fait son gendre, saisi de douleur de voir
l'espoir et l'appui de sa famille perdus, tâche d'ébranler sa constance, premièrement par de belles paroles,
ensuite par des menaces, enfin par des coups qu'il lui
fait donner par ses bourreaux sur tout le visage; mais,
n'en ayant pu venir à bout, pour dernier effort il lui
envoie sa fille Pauline, afin de voir si ses larmes n'auroient point plus de pouvoir sur l'esprit d'un mari que
n'avoient eu ses artifices et ses rigueurs. Il n'avance
rien davantage par là; au contraire, voyant que sa
fermeté convertissoit beaucoup de païens, il le condamne
à perdre la tête. Cet arrêt fut exécuté sur l'heure; et le
saint martyr, sans autre baptême que de son sang, s'en
alla prendre possession de la gloire que Dieu a promise
à ceux qui renonceroient à eux-mêmes pour l'amour de
lui.

Voilà, en peu de mots, ce qu'en dit Surius. Le songe
de Pauline, l'amour de Sévère, le baptême effectif de
Polyeucte, le sacrifice pour la victoire de l'Empereur, la
dignité de Félix, que je fais gouverneur d'Arménie, la
mort de Néarque, la conversion de Félix et de Pauline,
sont des inventions et des embellissements de théâtre.
La seule victoire de l'Empereur contre les Perses a
quelque fondement dans l'histoire; et sans chercher
d'autres auteurs, elle est rapportée par M. Coëffeteau
dans son *Histoire romaine;* mais il ne dit pas, ni qu'il

leur imposa tribut, ni qu'il envoya faire des sacrifices
de remercîment en Arménie.

Si j'ai ajouté ces incidents et ces particularités selon
l'art, ou non, les savants en jugeront: mon but ici n'est
pas de les justifier, mais seulement d'avertir le lecteur
de ce qu'il en peut croire.

## EXAMEN

Ce martyre est rapporté par Surius sur le 9e de janvier. Polyeucte vivoit en l'année 250, sous l'empereur
Décius. Il étoit Arménien, ami de Néarque, et gendre
de Félix, qui avoit la commission de l'Empereur pour
faire exécuter ses édits contre les chrétiens. Cet ami
l'ayant résolu à se faire chrétien, il déchira ces édits
qu'on publioit, arracha les idoles des mains de ceux qui
les portoient sur les autels pour les adorer, les brisa
contre terre, résista aux larmes de sa femme Pauline,
que Félix employa auprès de lui pour le ramener à leur
culte, et perdit la vie par l'ordre de son beau-père, sans
autre baptême que celui de son sang. Voilà ce que m'a
prêté l'histoire; le reste est de mon invention.

Pour donner plus de dignité à l'action, j'ai fait Félix
gouverneur d'Arménie, et ai pratiqué un sacrifice public,
afin de rendre l'occasion plus illustre, et donner un
prétexte à Sévère de venir en cette province, sans faire
éclater son amour avant qu'il en eût l'aveu de Pauline.
Ceux qui veulent arrêter nos héros dans une médiocre
bonté, où quelques interprètes d'Aristote bornent leur
vertu, ne trouveront pas ici leur compte, puisque celle
de Polyeucte va jusqu'à la sainteté, et n'a aucun mélange
de foiblesse. J'en ai déjà parlé ailleurs; et pour con-
firmer ce que j'en ai dit par quelques autorités, j'ajouterai ici que Minturnus, dans son *Traité du Poète,* agite

cette question, *si la Passion de Jésus-Christ et les mar-*
*tyres des saints doivent être exclus du théâtre, à cause*
*qu'ils passent cette médiocre bonté,* et résout en ma
faveur. Le célèbre Heinsius, qui non seulement a traduit
la *Poétique* de notre philosophe, mais a fait un *Traité de*
*la constitution de la tragédie* selon sa pensée, nous en
a donné une sur le martyre des Innocents. L'illustre
Grotius a mis sur la scène la Passion même de Jésus-
Christ et l'histoire de Joseph ; et le savant Buchanan a
fait la même chose de celle de Jephté, et de la mort de
saint Jean-Baptiste. C'est sur ces exemples que j'ai
hasardé ce poème, où je me suis donné des licences
qu'ils n'ont pas prises, de changer l'histoire en quelque
chose, et d'y mêler des épisodes d'invention : aussi
m'étoit-il plus permis sur cette matière qu'à eux sur
celle qu'ils ont choisie. Nous ne devons qu'une croyance
pieuse à la vie des saints, et nous avons le même droit
sur ce que nous en tirons pour le porter sur le théâtre,
que sur ce que nous empruntons des autres histoires ;
mais nous devons une foi chrétienne et indispensable à
tout ce qui est dans la Bible, qui ne nous laisse aucune
liberté d'y rien changer. J'estime toutefois qu'il ne nous
est pas défendu d'y ajouter quelque chose, pourvu qu'il
ne détruise rien de ces vérités dictées par le Saint-
Esprit. Buchanan ni Grotius ne l'ont pas fait dans leurs
poèmes ; mais aussi ne les ont-ils pas rendus assez
fournis pour notre théâtre, et ne s'y sont proposé pour
exemple que la constitution la plus simple des anciens.
Heinsius a plus osé qu'eux dans celui que j'ai nommé :
les anges qui bercent l'enfant Jésus, et l'ombre de
Mariane avec les furies qui agitent l'esprit d'Hérode,
sont des agréments qu'il n'a pas trouvés dans l'Évangile.
Je crois même qu'on en peut supprimer quelque chose,
quand il y a apparence qu'il ne plairoit pas sur le
théâtre, pourvu qu'on ne mette rien en la place ; car

alors ce seroit changer l'histoire, ce que le respect que
nous devons à l'Ecriture ne permet point. Si j'avois à y
exposer celle de David et de Bersabée, je ne décrirois
pas comme il en devint amoureux en la voyant se baigner
dans une fontaine, de peur que l'image de cette nudité
ne fît une impression trop chatouilleuse dans l'esprit de
l'auditeur; mais je me contenterois de le peindre avec
de l'amour pour elle, sans parler aucunement de quelle
manière cet amour se seroit emparé de son cœur.

Je reviens à *Polyeucte,* dont le succès a été très heureux. Le style n'en est pas si fort ni si majestueux que
celui de *Cinna* et de *Pompée,* mais il a quelque chose
de plus touchant, et les tendresses de l'amour humain
y font un si agréable mélange avec la fermeté du divin,
que sa représentation a satisfait tout ensemble les dévots
et les gens du monde. A mon gré, je n'ai point fait de
pièce où l'ordre du théâtre soit plus beau et l'enchaînement des scènes mieux ménagé. L'unité d'action, et celles
de jour et de lieu, y ont leur justesse; et les scrupules
qui peuvent naître touchant ces deux dernières se
dissiperont aisément, pour peu qu'on me veuille prêter
de cette faveur que l'auditeur nous doit toujours, quand
l'occasion s'en offre, en reconnoissance de la peine que
nous avons prise à le divertir.

Il est hors de doute que si nous appliquons ce poème
à nos coutumes, le sacrifice se fait trop tôt après la
venue de Sévère; et cette précipitation sortira du vraisemblable par la nécessité d'obéir à la règle. Quand le
roi envoie ses ordres dans les villes pour y faire rendre
des actions de grâces pour ses victoires, ou pour d'autres
bénédictions qu'il reçoit du ciel, on ne les exécute pas
dès le jour même; mais aussi il faut du temps pour
assembler le clergé, les magistrats et les corps de ville,
et c'est ce qui en fait différer l'exécution. Nos acteurs
n'avoient ici aucune de ces assemblées à faire.

Il suffisoit de la présence de Sévère et de Félix, et du ministère du grand prêtre; ainsi nous n'avons eu aucun besoin de remettre ce sacrifice en un autre jour. D'ailleurs, comme Félix craignoit ce favori, qu'il croyoit irrité du mariage de sa fille, il étoit bien aise de lui donner le moins d'occasion de tarder qu'il lui étoit possible, et de tâcher, durant son peu de séjour, à gagner son esprit par une prompte complaisance, et montrer tout ensemble une impatience d'obéir aux volontés de l'Empereur.

L'autre scrupule regarde l'unité de lieu, qui est assez exacte, puisque tout s'y passe dans une salle ou antichambre commune aux appartements de Félix et de sa fille. Il semble que la bienséance y soit un peu forcée pour conserver cette unité au second acte, en ce que Pauline vient jusque dans cette antichambre pour trouver Sévère, dont elle devroit attendre la visite dans son cabinet. A quoi je réponds qu'elle a eu deux raisons de venir au-devant de lui: l'une, pour faire plus d'honneur à un homme dont son père redoutoit l'indignation, et qu'il lui avoit commandé d'adoucir en sa faveur; l'autre, pour rompre aisément la conversation avec lui, en se retirant dans ce cabinet, s'il ne vouloit pas la quitter à sa prière, et se délivrer, par cette retraite, d'un entretien dangereux pour elle, ce qu'elle n'eût pu faire, si elle eût reçu sa visite dans son appartement.

Sa confidence avec Stratonice, touchant l'amour qu'elle avoit eu pour ce cavalier, me fait faire une réflexion sur le temps qu'elle prend pour cela. Il s'en fait beaucoup sur nos théâtres, d'affections qui ont déjà duré deux ou trois ans, dont on attend à révéler le secret justement au jour de l'action qui se présente, et non seulement sans aucune raison de choisir ce jour-là plutôt qu'un autre pour le déclarer, mais lors même que vraisemblablement on s'en est dû ouvrir beaucoup auparavant avec la

personne à qui on en fait confidence. Ce sont choses
dont il faut instruire le spectateur en les faisant
apprendre par un des acteurs à l'autre; mais il faut
prendre garde avec soin que celui à qui on les apprend
ait eu lieu de les ignorer jusque-là aussi bien que le
spectateur, et que quelque occasion tirée du sujet oblige
celui qui les récite à rompre enfin un silence qu'il a
gardé si longtemps. L'infante, dans *le Cid,* avoue à
Léonor l'amour secret qu'elle a pour lui, et l'auroit pu
faire un an ou six mois plus tôt. Cléopâtre, dans
*Pompée,* ne prend pas des mesures plus justes avec
Charmion; elle lui conte la passion de César pour elle, et
comme

> Chaque jour ses courriers
> Lui portent en tribut ses vœux et ses lauriers.

Cependant, comme il ne paroît personne avec qui elle
ait plus d'ouverture de cœur qu'avec cette Charmion,
il y a grande apparence que c'étoit elle-même dont cette
reine se servoit pour introduire ces courriers, et qu'ainsi
elle devoit savoir déjà tout ce commerce entre César et
sa maîtresse. Du moins il falloit marquer quelque raison
qui lui eût laissé ignorer jusque-là tout ce qu'elle lui
apprend, et de quel autre ministère cette princesse
s'étoit servie pour recevoir ces courriers. Il n'en va pas
de même ici. Pauline ne s'ouvre avec Stratonice que
pour lui faire entendre le songe qui la trouble, et les
sujets qu'elle a de s'en alarmer, et comme elle n'a fait
ce songe que la nuit d'auparavant, et qu'elle ne lui eût
jamais révélé son secret sans cette occasion qu'il l'y
oblige, on peut dire qu'elle n'a point eu lieu de lui faire
cette confidence plus tôt qu'elle ne l'a faite.

Je n'ai point fait de narration de la mort de Polyeucte,
parce que je n'avois personne pour la faire ni pour
l'écouter, que des païens qui ne la pouvoient ni écouter

ni faire, que comme ils avoient fait et écouté celle de
Néarque, ce qui auroit été une répétition et marque de
stérilité, et en outre n'auroit pas répondu à la dignité
de l'action principale, qui est terminée par là. Ainsi j'ai
mieux aimé la faire connoître par un saint emportement de Pauline, que cette mort a convertie, que par
un récit qui n'eût point eu de grâce dans une bouche
indigne de le prononcer. Félix son père se convertit
après elle; et ces deux conversions, quoique miracu-
leuses, sont si ordinaires dans les martyres, qu'elles
ne sortent point de la vraisemblance, parce qu'elles ne
sont pas de ces événements rares et singuliers qu'on
ne peut tirer en exemple; et elles servent à remettre le
calme dans les esprits de Félix, de Sévère et de Pauline,
que sans cela j'aurois eu bien de la peine à retirer du
théâtre dans un état qui rendît la pièce complète, en ne
laissant rien à souhaiter à la curiosité de l'auditeur.

# POLYEUCTE, MARTYR

## TRAGÉDIE CHRÉTIENNE

# PERSONNAGES

FÉLIX, *sénateur romain, gouverneur d'Arménie.*
POLYEUCTE, *seigneur arménien, gendre de Félix.*
SÉVÈRE, *chevalier romain, favori de l'empereur Décie.*
NÉARQUE, *seigneur arménien, ami de Polyeucte.*
PAULINE, *fille de Félix et femme de Polyeucte.*
STRATONICE, *confidente de Pauline.*
ALBIN, *confident de Félix.*
FABIAN, *domestique de Sévère.*
CLÉON, *domestique de Félix.*
TROIS GARDES.

La scène est à Mélitène, capitale d'Arménie,
dans le palais de Félix.

# POLYEUCTE, MARTYR

## ACTE PREMIER

## SCÈNE PREMIÈRE

*Polyeucte, Néarque*

### NÉARQUE

Quoi? vous vous arrêtez aux songes d'une femme!
De si foibles sujets troublent cette grande âme!
Et ce cœur tant de fois dans la guerre éprouvé
S'alarme d'un péril qu'une femme a rêvé!

### POLYEUCTE

Je sais ce qu'est un songe, et le peu de croyance          5
Qu'un homme doit donner à son extravagance,
Qui d'un amas confus des vapeurs de la nuit
Forme de vains objets que le réveil détruit;
Mais vous ne savez pas ce que c'est qu'une femme:
Vous ignorez quels droits elle a sur toute l'âme,          10
Quand après un long temps qu'elle a su nous charmer,
Les flambeaux de l'hymen viennent de s'allumer.
Pauline, sans raison dans la douleur plongée,
Craint et croit déjà voir ma mort qu'elle a songée:
Elle oppose ses pleurs au dessein que je fais,             15
Et tâche à m'empêcher de sortir du palais.
Je méprise sa crainte, et je cède à ses larmes;
Elle me fait pitié sans me donner d'alarmes;
Et mon cœur, attendri sans être intimidé,
N'ose déplaire aux yeux dont il est possédé.               20
L'occasion, Néarque, est-elle si pressante

Qu'il faille être insensible aux soupirs d'une amante?
Par un peu de remise épargnons son ennui,
Pour faire en plein repos ce qu'il trouble aujourd'hui.

NÉARQUE

Avez-vous cependant une pleine assurance                      25
D'avoir assez de vie ou de persévérance?
Et Dieu, qui tient votre âme et vos jours dans sa main,
Promet-il à vos vœux de le pouvoir demain?
Il est toujours tout juste et tout bon; mais sa grâce
Ne descend pas toujours avec même efficace;                  30
Après certains moments que perdent nos longueurs,
Elle quitte ces traits qui pénètrent les cœurs;
Le nôtre s'endurcit, la repousse, l'égare:
Le bras qui la versoit en devient plus avare,
Et cette sainte ardeur qui doit porter au bien               35
Tombe plus rarement, ou n'opère plus rien.
Celle qui vous pressoit de courir au baptême,
Languissante déjà, cesse d'être la même,
Et pour quelques soupirs qu'on vous a fait ouïr,
Sa flamme se dissipe, et va s'évanouir.                      40

POLYEUCTE

Vous me connoissez mal: la même ardeur me brûle,
Et le désir s'accroît quand l'effet se recule:
Ces pleurs, que je regarde avec un œil d'époux,
Me laissent dans le cœur aussi chrétien que vous:
Mais pour en recevoir le sacré caractère,                    45
Qui lave nos forfaits dans une eau salutaire,
Et qui purgeant notre âme et dessillant nos yeux,
Nous rend le premier droit que nous avions aux cieux,
Bien que je le préfère aux grandeurs d'un empire,
Comme le bien suprême et le seul où j'aspire,               50
Je crois, pour satisfaire un juste et saint amour,
Pouvoir un peu remettre, et différer d'un jour.

NÉARQUE

Ainsi du genre humain l'ennemi vous abuse :
Ce qu'il ne peut de force, il l'entreprend de ruse.
Jaloux des bons desseins qu'il tâche d'ébranler,          55
Quand il ne les peut rompre, il pousse à reculer ;
D'obstacle sur obstacle il va troubler le vôtre,
Aujourd'hui par des pleurs, chaque jour par quelque
        autre ;
Et ce songe rempli de noires visions
N'est que le coup d'essai de ses illusions :          60
Il met tout en usage, et prière, et menace ;
Il attaque toujours, et jamais ne se lasse ;
Il croit pouvoir enfin ce qu'encore il n'a pu,
Et que ce qu'on diffère est à demi rompu.
    Rompez ses premiers coups, laissez pleurer Pauline.  65
Dieu ne veut point d'un cœur où le monde domine,
Qui regarde en arrière, et douteux en son choix,
Lorsque sa voix l'appelle, écoute une autre voix.


POLYEUCTE

Pour se donner à lui faut-il n'aimer personne ?


NÉARQUE

Nous pouvons tout aimer : il le souffre, il l'ordonne ;  70
Mais à vous dire tout, ce seigneur des seigneurs
Veut le premier amour et les premiers honneurs.
Comme rien n'est égal à sa grandeur suprême,
Il faut ne rien aimer qu'après lui, qu'en lui-même,
Négliger, pour lui plaire, et femme, et biens, et rang,  75
Exposer pour sa gloire et verser tout son sang.
Mais que vous êtes loin de cette ardeur parfaite,
Qui vous est nécessaire, et que je vous souhaite !
Je ne puis vous parler que les larmes aux yeux.
Polyeucte, aujourd'hui qu'on nous hait en tous lieux,  80

Qu'on croit servir l'État quand on nous persécute,
Qu'aux plus âpres tourments un chrétien est en butte,
Comment en pourrez-vous surmonter les douleurs,
Si vous ne pouvez pas résister à des pleurs?

POLYEUCTE

Vous ne m'étonnez point: la pitié qui me blesse          85
Sied bien aux plus grands cœurs, et n'a point de
        foiblesse.
Sur mes pareils, Néarque, un bel œil est bien fort:
Tel craint de le fâcher qui ne craint pas la mort;
Et s'il faut affronter les plus cruels supplices,
Y trouver des appas, en faire mes délices,               90
Votre Dieu, que je n'ose encor nommer le mien,
M'en donnera la force en me faisant chrétien.

NÉARQUE

Hâtez-vous donc de l'être.

POLYEUCTE

                    Oui, j'y cours, cher Néarque;
Je brûle d'en porter la glorieuse marque;
Mais Pauline s'afflige, et ne peut consentir,            95
Tant ce songe la trouble! à me laisser sortir.

NÉARQUE

Votre retour pour elle en aura plus de charmes;
Dans une heure au plus tard vous essuierez ses larmes;
Et l'heur de vous revoir lui semblera plus doux,
Plus elle aura pleuré pour un si cher époux.             100
Allons, on nous attend.

POLYEUCTE

                    Apaisez donc sa crainte,
Et calmez la douleur dont son âme est atteinte.
Elle revient.

NÉARQUE

Fuyez.

POLYEUCTE

Je ne puis.

NÉARQUE

Il le faut:
Fuyez un ennemi qui sait votre défaut.
Qui le trouve aisément, qui blesse par la vue,      105
Et dont le coup mortel vous plaît quand il vous tue.

## SCÈNE II

*Polyeucte, Néarque, Pauline, Stratonice*

POLYEUCTE

Fuyons, puisqu'il le faut. Adieu, Pauline; adieu:
Dans une heure au plus tard je reviens en ce lieu.

PAULINE

Quel sujet si pressant à sortir vous convie?
Y va-t-il de l'honneur? y va-t-il de la vie?      110

POLYEUCTE

Il y va de bien plus.

PAULINE

Quel est donc ce secret?

POLYEUCTE

Vous le saurez un jour: je vous quitte à regret;
Mais enfin il le faut.

PAULINE

Vous m'aimez?

POLYEUCTE

                            Je vous aime,
Le ciel m'en soit témoin, cent fois plus que moi-même.
Mais . . .

PAULINE

              Mais mon déplaisir ne vous peut émouvoir ! 115
Vous avez des secrets que je ne puis savoir !
Quelle preuve d'amour ! Au nom de l'hyménée,
Donnez à mes soupirs cette seule journée.

POLYEUCTE

Un songe vous fait peur !

PAULINE

                        Ses présages sont vains,
Je le sais ; mais enfin je vous aime, et je crains.      120

POLYEUCTE

Ne craignez rien de mal pour une heure d'absence.
Adieu : vos pleurs sur moi prennent trop de puissance :
Je sens déjà mon cœur prêt à se révolter,
Et ce n'est qu'en fuyant que j'y puis résister.

## SCÈNE III

*Pauline, Stratonice*

PAULINE

Va, néglige mes pleurs, cours, et te précipite      125
Au-devant de la mort que les Dieux m'ont prédite ;
Suis cet agent fatal de tes mauvais destins,
Qui peut-être te livre aux mains des assassins.
  Tu vois, ma Stratonice, en quel siècle nous sommes :

Voilà notre pouvoir sur les esprits des hommes;      130
Voilà ce qui nous reste, et l'ordinaire effet
De l'amour qu'on nous offre, et des vœux qu'on nous fait.
Tant qu'ils ne sont qu'amants, nous sommes souveraines,
Et jusqu'à la conquête ils nous traitent de reines;
Mais après l'hyménée ils sont rois à leur tour.      135

STRATONICE

Polyeucte pour vous ne manque point d'amour;
S'il ne vous traite ici d'entière confidence,
S'il part malgré vos pleurs, c'est un trait de prudence;
Sans vous en affliger, présumez avec moi
Qu'il est plus à propos qu'il vous cèle pourquoi;      140
Assurez-vous sur lui qu'il en a juste cause.
Il est bon qu'un mari nous cache quelque chose,
Qu'il soit quelquefois libre, et ne s'abaisse pas
A nous rendre toujours compte de tous ses pas.
On n'a tous deux qu'un cœur qui sent mêmes traverses;
Mais ce cœur a pourtant ses fonctions diverses,      146
Et la loi de l'hymen qui vous tient assemblés
N'ordonne pas qu'il tremble alors que vous tremblez.
Ce qui fait vos frayeurs ne peut le mettre en peine:
Il est Arménien, et vous êtes Romaine,      150
Et vous pouvez savoir que nos deux nations
N'ont pas sur ce sujet mêmes impressions:
Un songe en notre esprit passe pour ridicule,
Il ne nous laisse espoir, ni crainte, ni scrupule;
Mais il passe dans Rome avec autorité      155
Pour fidèle miroir de la fatalité.

PAULINE

Quelque peu de crédit que chez vous il obtienne,
Je crois que ta frayeur égaleroit la mienne,
Si de telles horreurs t'avoient frappé l'esprit,
Si je t'en avois fait seulement le récit.      160

STRATONICE

A raconter ses maux souvent on les soulage.

PAULINE

Écoute ; mais il faut te dire davantage,
Et que pour mieux comprendre un si triste discours,
Tu saches ma foiblesse et mes autres amours :
Une femme d'honneur peut avouer sans honte          165
Ces surprises des sens que la raison surmonte ;
Ce n'est qu'en ces assauts qu'éclate la vertu,
Et l'on doute d'un cœur qui n'a point combattu.
Dans Rome, où je naquis, ce malheureux visage
D'un chevalier romain captiva le courage ;          170
Il s'appeloit Sévère : excuse les soupirs
Qu'arrache encore un nom trop cher à mes désirs.

STRATONICE

Est-ce lui qui naguère aux dépens de sa vie
Sauva des ennemis votre empereur Décie,
Qui leur tira mourant la victoire des mains,          175
Et fit tourner le sort des Perses aux Romains ?
Lui qu'entre tant de morts immolés à son maître,
On ne put rencontrer, ou du moins reconnoître ;
A qui Décie enfin, pour des exploits si beaux,
Fit si pompeusement dresser de vains tombeaux ?          180

PAULINE

Hélas ! c'étoit lui-même, et jamais notre Rome
N'a produit plus grand cœur, ni vu plus honnête homme.
Puisque tu le connois, je ne t'en dirai rien.
Je l'aimai, Stratonice : il le méritoit bien ;
Mais que sert le mérite où manque la fortune ?          185
L'un étoit grand en lui, l'autre foible et commune ;
Trop invincible obstacle, et dont trop rarement
Triomphe auprès d'un père un vertueux amant !

STRATONICE

La digne occasion d'une rare constance !

PAULINE

Dis plutôt d'une indigne et folle résistance.                190
Quelque fruit qu'une fille en puisse recueillir,
Ce n'est une vertu que pour qui veut faillir.
   Parmi ce grand amour que j'avois pour Sévère,
J'attendois un époux de la main de mon père,
Toujours prête à le prendre ; et jamais ma raison        195
N'avoua de mes yeux l'aimable trahison.
Il possédoit mon cœur, mes désirs, ma pensée ;
Je ne lui cachois point combien j'étois blessée :
Nous soupirions ensemble, et pleurions nos malheurs ;
Mais au lieu d'espérance, il n'avoit que des pleurs ;   200
Et malgré des soupirs si doux, si favorables,
Mon père et mon devoir étoient inexorables.
Enfin je quittai Rome et ce parfait amant,
Pour suivre ici mon père en son gouvernement ;
Et lui, désespéré, s'en alla dans l'armée                   205
Chercher d'un beau trépas l'illustre renommée.
Le reste, tu le sais ; mon abord en ces lieux
Me fit voir Polyeucte, et je plus à ses yeux ;
Et comme il est ici le chef de la noblesse,
Mon père fut ravi qu'il me prît pour maîtresse,        210
Et par son alliance il se crut assuré
D'être plus redoutable et plus considéré :
Il approuva sa flamme, et conclut l'hyménée ;
Et moi, comme à son lit je me vis destinée,
Je donnai par devoir à son affection                         215
Tout ce que l'autre avoit par inclination.
Si tu peux en douter, juge-le par la crainte
Dont en ce triste jour tu me vois l'âme atteinte.

Elle fait assez voir à quel point vous l'aimez.
Mais quel songe, après tout, tient vos sens alarmés ?   220

PAULINE

Je l'ai vu cette nuit, ce malheureux Sévère,
La vengeance à la main, l'œil ardent de colère:
Il n'étoit point couvert de ces tristes lambeaux
Qu'une ombre désolée emporte des tombeaux;
Il n'étoit point percé de ces coups pleins de gloire   225
Qui retranchant sa vie, assurent sa mémoire;
Il sembloit triomphant, et tel que sur son char
Victorieux dans Rome entre notre César.
Après un peu d'effroi que m'a donné sa vue:
"Porte à qui tu voudras la faveur qui m'est due,   230
Ingrate, m'a-t-il dit; et ce jour expiré,
Pleure à loisir l'époux que tu m'as préféré."
A ces mots, j'ai frémi, mon âme s'est troublée;
Ensuite des chrétiens une impie assemblée,
Pour avancer l'effet de ce discours fatal,   235
A jeté Polyeucte aux pieds de son rival.
Soudain à son secours j'ai réclamé mon père;
Hélas; c'est de tout point ce qui me désespère,
J'ai vu mon père même, un poignard à la main,
Entrer le bras levé pour lui percer le sein:   240
Là ma douleur trop forte a brouillé ces images;
Le sang de Polyeucte a satisfait leurs rages.
Je ne sais ni comment ni quand ils l'ont tué,
Mais je sais qu'à sa mort tous ont contribué:
Voilà quel est mon songe.

STRATONICE

                         Il est vrai qu'il est triste;   245
Mais il faut que votre âme à ces frayeurs résiste:

La vision, de soi, peut faire quelque horreur,
Mais non pas vous donner une juste terreur.
Pouvez-vous craindre un mort? pouvez-vous craindre
    un père
Qui chérit votre époux, que votre époux révère,      250
Et dont le juste choix vous a donnée à lui,
Pour s'en faire en ces lieux un ferme et sûr appui?

PAULINE

Il m'en a dit autant, et rit de mes alarmes;
Mais je crains des chrétiens les complots et les charmes,
Et que sur mon époux leur troupeau ramassé      255
Ne venge tant de sang que mon père a versé.

STRATONICE

Leur secte est insensée, impie, et sacrilège,
Et dans son sacrifice use de sortilège;
Mais sa fureur ne va qu'à briser nos autels:
Elle n'en veut qu'aux Dieux, et non pas aux mortels.      260
Quelque sévérité que sur eux on déploie,
Ils souffrent sans murmure, et meurent avec joie;
Et depuis qu'on les traite en criminels d'État,
On ne peut les charger d'aucun assassinat.

PAULINE

Tais-toi, mon père vient.

SCÈNE IV

*Félix, Albin, Pauline, Stratonice*

FÉLIX

            Ma fille, que ton songe      265
En d'étranges frayeurs ainsi que toi me plonge!
Que j'en crains les effets, qui semblent s'approcher!

PAULINE

Quelle subite alarme ainsi vous peut toucher?

FÉLIX

Sévère n'est point mort.

PAULINE

Quel mal nous fait sa vie?

FÉLIX

Il est le favori de l'empereur Décie.                    270

PAULINE

Après l'avoir sauvé des mains des ennemis,
L'espoir d'un si haut rang lui devenoit permis;
Le destin, aux grands cœurs si souvent mal propice,
Se résout quelquefois à leur faire justice.

FÉLIX

Il vient ici lui-même.

PAULINE

Il vient!

FÉLIX

Tu le vas voir.                    275

PAULINE

C'en est trop, mais comment le pouvez-vous savoir?

FÉLIX

Albin l'a rencontré dans la proche campagne;
Un gros de courtisans en foule l'accompagne,
Et montre assez quel est son rang et son crédit;
Mais, Albin, redis-lui ce que ses gens t'ont dit.                    280

**ALBIN**

Vous savez quelle fut cette grande journée,
Que sa perte pour nous rendit si fortunée,
Où l'Empereur captif, par sa main dégagé,
Rassura son parti déjà découragé,
Tandis que sa vertu succomba sous le nombre ;          285
Vous savez les honneurs qu'on fit faire à son ombre,
Après qu'entre les morts on ne le put trouver :
Le roi de Perse aussi l'avoit fait enlever.
Témoin de ses hauts faits et de son grand courage,
Ce monarque en voulut connoître le visage ;          290
On le mit dans sa tente, où tout percé de coups,
Tout mort qu'il paroissoit, il fit mille jaloux ;
Là bientôt il montra quelque signe de vie :
Ce prince généreux en eut l'âme ravie,
Et sa joie, en dépit de son dernier malheur,          295
Du bras qui le causoit honora la valeur ;
Il en fit prendre soin, la cure en fut secrète ;
Et comme au bout d'un mois sa santé fut parfaite,
Il offrit dignités, alliance, trésors,
Et pour gagner Sévère il fit cent vains efforts.          300
Après avoir comblé ses refus de louange,
Il envoie à Décie en proposer l'échange ;
Et soudain l'Empereur, transporté de plaisir,
Offre au Perse son frère et cent chefs à choisir.
Ainsi revint au camp le valeureux Sévère          305
De sa haute vertu recevoir le salaire ;
La faveur de Décie en fut le digne prix.
De nouveau l'on combat, et nous sommes surpris.
Ce malheur toutefois sert à croître sa gloire :
Lui seul rétablit l'ordre, et gagne la victoire,          310
Mais si belle, et si pleine, et par tant de beaux faits,
Qu'on nous offre tribut, et nous faisons la paix.
L'Empereur, qui lui montre une amour infinie,

Après ce grand succès l'envoie en Arménie;
Il vient en apporter la nouvelle en ces lieux,                    315
Et par un sacrifice en rendre hommage aux Dieux.

FÉLIX

O ciel! en quel état ma fortune est réduite!

ALBIN

Voilà ce que j'ai su d'un homme de sa suite,
Et j'ai couru, Seigneur, pour vous y disposer.

FÉLIX

Ah! sans doute, ma fille, il vient pour t'épouser:          320
L'ordre d'un sacrifice est pour lui peu de chose
C'est un prétexte faux dont l'amour est la cause.

PAULINE

Cela pourroit bien être: il m'aimoit chèrement.

FÉLIX

Que ne permettra-t-il à son ressentiment?
Et jusques à quel point ne porte sa vengeance
Une juste colère avec tant de puissance?          325
Il nous perdra, ma fille.

PAULINE

                              Il est trop généreux.

FÉLIX

Tu veux flatter en vain un père malheureux:
Il nous perdra, ma fille. Ah! regret qui me tue
De n'avoir pas aimé la vertu toute nue!          330
Ah! Pauline, en effet, tu m'as trop obéi;
Ton courage étoit bon, ton devoir l'a trahi.

Que ta rébellion m'eût été favorable !
Qu'elle m'eût garanti d'un état déplorable !
Si quelque espoir me reste, il n'est plus aujourd'hui     335
Qu'en l'absolu pouvoir qu'il te donnoit sur lui ;
Ménage en ma faveur l'amour qui le possède,
Et d'où provient mon mal fais sortir le remède.

PAULINE

Moi, moi ! que je revoie un si puissant vainqueur,
Et m'expose à des yeux qui me percent le cœur !     340
Mon père, je suis femme, et je sais ma foiblesse ;
Je sens déjà mon cœur qui pour lui s'intéresse,
Et poussera sans doute, en dépit de ma foi,
Quelque soupir indigne et de vous et de moi.
Je ne le verrai point.

FÉLIX

Rassure un peu ton âme.     345

PAULINE

Il est toujours aimable, et je suis toujours femme ;
Dans le pouvoir sur moi que ses regards ont eu,
Je n'ose m'assurer de toute ma vertu.
Je ne le verrai point.

FÉLIX

Il faut le voir, ma fille,
Ou tu trahis ton père et toute ta famille.     350

PAULINE

C'est à moi d'obéir, puisque vous commandez ;
Mais voyez les périls où vous me hasardez.

FÉLIX

Ta vertu m'est connue.

PAULINE

Elle vaincra sans doute;
Ce n'est pas le succès que mon âme redoute :
Je crains ce dur combat et ces troubles puissants     355
Que fait déjà chez moi la révolte des sens ;
Mais puisqu'il faut combattre un ennemi que j'aime,
Souffrez que je me puisse armer contre moi-même,
Et qu'un peu de loisir me prépare à le voir.

FÉLIX

Jusqu'au-devant des murs je vais le recevoir ;     360
Rappelle cependant tes forces étonnées,
Et songe qu'en tes mains tu tiens nos destinées.

PAULINE

Oui, je vais de nouveau dompter mes sentiments,
Pour servir de victime à vos commandements.

## ACTE II

### SCÈNE PREMIÈRE

*Sévère, Fabian*

SÉVÈRE

Cependant que Félix donne ordre au sacrifice,     365
Pourrai-je prendre un temps à mes vœux si propice ?
Pourrai-je voir Pauline, et rendre à ses beaux yeux
L'hommage souverain que l'on va rendre aux Dieux ?
Je ne t'ai point celé que c'est ce qui m'amène,
Le reste est un prétexte à soulager ma peine ;     370
Je viens sacrifier, mais c'est à ses beautés
Que je viens immoler toutes mes volontés.

FABIAN

Vous la verrez, Seigneur.

SÉVÈRE

                  Ah! quel comble de joie!
Cette chère beauté consent que je la voie!
Mais ai-je sur son âme encor quelque pouvoir?    375
Quelque reste d'amour s'y fait-il encor voir?
Quel trouble, quel transport lui causa ma venue?
Puis-je tout espérer de cette heureuse vue?
Car je voudrois mourir plutôt que d'abuser
Des lettres de faveur que j'ai pour l'épouser;    380
Elles sont pour Félix, non pour triompher d'elle:
Jamais à ses désirs mon cœur ne fut rebelle;
Et si mon mauvais sort avoit changé le sien,
Je me vaincrois moi-même, et ne prétendrois rien.

FABIAN

Vous la verrez, c'est tout ce que je vous puis dire.    385

SÉVÈRE

D'où vient que tu frémis, et que ton cœur soupire?
Ne m'aime-t-elle plus? éclaircis-moi ce point.

FABIAN

M'en croirez-vous, Seigneur? ne la revoyez point;
Portez en lieu plus haut l'honneur de vos caresses:
Vous trouverez à Rome assez d'autres maîtresses;    390
Et dans ce haut degré de puissance et d'honneur,
Les plus grands y tiendront votre amour à bonheur.

SÉVÈRE

Qu'à des pensers si bas mon âme se ravale!
Que je tienne Pauline à mon sort inégale!

Elle en a mieux usé, je la dois imiter ;                    395
Je n'aime mon bonheur que pour la mériter.
Voyons-la, Fabian ; ton discours m'importune ;
Allons mettre à ses pieds cette haute fortune :
Je l'ai dans les combats trouvée heureusement,
En cherchant une mort digne de son amant ;           400
Ainsi ce rang est sien, cette faveur est sienne,
Et je n'ai rien enfin que d'elle je ne tienne.

#### FABIAN

Non, mais encore un coup ne la revoyez point.

#### SÉVÈRE

Ah ! c'en est trop, enfin éclaircis-moi ce point ;
As-tu vu des froideurs quand tu l'en as priée ?      405

#### FABIAN

Je tremble à vous le dire ; elle est . . .

#### SÉVÈRE

### Quoi ?

#### FABIAN

### Mariée.

#### SÉVÈRE

Soutiens-moi, Fabian ; ce coup de foudre est grand,
Et frappe d'autant plus que plus il me surprend.

#### FABIAN

Seigneur, qu'est devenu ce généreux courage ?

#### SÉVÈRE

La constance est ici d'un difficile usage :          410
De pareils déplaisirs accablent un grand cœur ;
La vertu la plus mâle en perd toute vigueur ;
Et quand d'un feu si beau les âmes sont éprises,

La mort les trouble moins que de telles surprises.
Je ne suis plus à moi quand j'entends ce discours.          415
Pauline est mariée!

FABIAN

Oui, depuis quinze jours,
Polyeucte, un seigneur des premiers d'Arménie,
Goûte de son hymen la douceur infinie.

SÉVÈRE

Je ne la puis du moins blâmer d'un mauvais choix,
Polyeucte a du nom, et sort du sang des rois.          420
Foibles soulagements d'un malheur sans remède!
Pauline, je verrai qu'un autre vous possède!
O ciel, qui malgré moi me renvoyez au jour,
O sort, qui redonniez l'espoir à mon amour,
Reprenez la faveur que vous m'avez prêtée,          425
Et rendez-moi la mort que vous m'avez ôtée.
Voyons-la toutefois, et dans ce triste lieu
Achevons de mourir en lui disant adieu;
Que mon cœur, chez les morts emportant son image,
De son dernier soupir puisse lui faire hommage!          430

FABIAN

Seigneur, considérez . . .

SÉVÈRE

Tout est considéré.
Quel désordre peut craindre un cœur désespéré?
N'y consent-elle pas?

FABIAN

Oui, Seigneur, mais . . .

SÉVÈRE

N'importe.

**FABIAN**

Cette vive douleur en deviendra plus forte.

**SÉVÈRE**

Et ce n'est pas un mal que je veuille guérir ;                435
Je ne veux que la voir, soupirer, et mourir.

**FABIAN**

Vous vous échapperez sans doute en sa présence :
Un amant qui perd tout n'a plus de complaisance ;
Dans un tel entretien il suit sa passion,
Et ne pousse qu'injure et qu'imprécation.                    440

**SÉVÈRE**

Juge autrement de moi : mon respect dure encore ;
Tout violent qu'il est, mon désespoir l'adore.
Quels reproches aussi peuvent m'être permis ?
De quoi puis-je accuser qui ne m'a rien promis ?
Elle n'est point parjure, elle n'est point légère :          445
Son devoir m'a trahi, mon malheur, et son père.
Mais son devoir fut juste, et son père eut raison :
J'impute à mon malheur toute la trahison ;
Un peu moins de fortune, et plus tôt arrivée,
Eût gagné l'un par l'autre, et me l'eût conservée ;          450
Trop heureux, mais trop tard, je n'ai pu l'acquérir :
Laisse-la-moi donc voir, soupirer, et mourir.

**FABIAN**

Oui, je vais l'assurer qu'en ce malheur extrême
Vous êtes assez fort pour vous vaincre vous-même.
Elle a craint comme moi ces premiers mouvements            455
Qu'une perte imprévue arrache aux vrais amants,
Et dont la violence excite assez de trouble,
Sans que l'objet présent l'irrite et le redouble.

SÉVÈRE

Fabian, je la vois.

FABIAN

Seigneur, souvenez-vous . . .

SÉVÈRE

Hélas ! elle aime un autre, un autre est son époux.          460

## SCÈNE II

*Sévère, Pauline, Stratonice, Fabian*

PAULINE

Oui, je l'aime, Seigneur, et n'en fais point d'excuse ;
Que tout autre que moi vous flatte et vous abuse,
Pauline a l'âme noble, et parle à cœur ouvert :
Le bruit de votre mort n'est point ce qui vous perd.
Si le ciel en mon choix eût mis mon hyménée,          465
A vos seules vertus je me serois donnée,
Et toute la rigueur de votre premier sort
Contre votre mérite eût fait un vain effort.
Je découvrois en vous d'assez illustres marques          469
Pour vous préférer même aux plus heureux monarques ;
Mais puisque mon devoir m'imposoit d'autres lois,
De quelque amant pour moi que mon père eût fait choix,
Quand à ce grand pouvoir que la valeur vous donne
Vous auriez ajouté l'éclat d'une couronne,
Quand je vous aurois vu, quand je l'aurois haï,          475
J'en aurois soupiré, mais j'aurois obéi,
Et sur mes passions ma raison souveraine
Eût blâmé mes soupirs et dissipé ma haine.

SÉVÈRE

Que vous êtes heureuse, et qu'un peu de soupirs
Fait un aisé remède à tous vos déplaisirs !          480

Ainsi de vos désirs toujours reine absolue,
Les plus grands changements vous trouvent résolue ;
De la plus forte ardeur vous portez vos esprits
Jusqu'à l'indifférence et peut-être au mépris ;
Et votre fermeté fait succéder sans peine                    485
La faveur au dédain, et l'amour à la haine.

  Qu'un peu de votre humeur ou de votre vertu
Soulageroit les maux de ce cœur abattu !
Un soupir, une larme à regret épandue
M'auroit déjà guéri de vous avoir perdue ;                   490
Ma raison pourroit tout sur l'amour affoibli,
Et de l'indifférence iroit jusqu'à l'oubli ;
Et mon feu désormais se réglant sur le vôtre,
Je me tiendrois heureux entre les bras d'une autre.

  O trop aimable objet, qui m'avez trop charmé,              495
Est-ce là comme on aime, et m'avez-vous aimé ?

PAULINE

Je vous l'ai trop fait voir, Seigneur ; et si mon âme
Pouvoit bien étouffer les restes de sa flamme,
Dieux, que j'éviterois de rigoureux tourments !
Ma raison, il est vrai, dompte mes sentiments ;             500
Mais quelque autorité que sur eux elle ait prise,
Elle n'y règne pas, elle les tyrannise ;
Et quoique le dehors soit sans émotion,
Le dedans n'est que trouble et que sédition.
Un je ne sais quel charme encor vers vous m'emporte ;
Votre mérite est grand, si ma raison est forte :            506
Je le vois encor tel qu'il alluma mes feux,
D'autant plus puissamment solliciter mes vœux,
Qu'il est environné de puissance et de gloire,
Qu'en tous lieux après vous il traîne la victoire,          510
Que j'en sais mieux le prix, et qu'il n'a point déçu
Le généreux espoir que j'en avois conçu.
Mais ce même devoir qui le vainquit dans Rome,

Et qui me range ici dessous les lois d'un homme,
Repousse encor si bien l'effort de tant d'appas,        515
Qu'il déchire mon âme et ne l'ébranle pas.
C'est cette vertu même, à nos désirs cruelle,
Que vous louiez alors en blasphémant contre elle :
Plaignez-vous-en encor ; mais louez sa rigueur,
Qui triomphe à la fois de vous et de mon cœur ;        520
Et voyez qu'un devoir moins ferme et moins sincère
N'auroit pas mérité l'amour du grand Sévère.

SÉVÈRE

Ah ! Madame, excusez une aveugle douleur,
Qui ne connoît plus rien que l'excès du malheur :
Je nommois inconstance, et prenois pour un crime        525
De ce juste devoir l'effort le plus sublime.
De grâce, montrez moins à mes sens désolés
La grandeur de ma perte et ce que vous valez ;
Et cachant par pitié cette vertu si rare,
Qui redouble mes feux lorsqu'elle nous sépare,        530
Faites voir des défauts qui puissent à leur tour
Affoiblir ma douleur avecque mon amour.

PAULINE

Hélas ! cette vertu, quoique enfin invincible,
Ne laisse que trop voir une âme trop sensible.
Ces pleurs en sont témoins, et ces lâches soupirs        535
Qu'arrachent de nos feux les cruels souvenirs :
Trop rigoureux effets d'une aimable présence
Contre qui mon devoir a trop peu de défense !
Mais si vous estimez ce vertueux devoir,
Conservez-m'en la gloire, et cessez de me voir.        540
Épargnez-moi des pleurs qui coulent à ma honte :
Épargnez-moi des feux qu'à regret je surmonte ;
Enfin épargnez-moi ces tristes entretiens,
Qui ne font qu'irriter vos tourments et les miens.

SÉVÈRE

Que je me prive ainsi du seul bien qui me reste !          545

PAULINE

Sauvez-vous d'une vue à tous les deux funeste.

SÉVÈRE

Quel prix de mon amour ! quel fruit de mes travaux !

PAULINE

C'est le remède seul qui peut guérir nos maux.

SÉVÈRE

Je veux mourir des miens : aimez-en la mémoire.

PAULINE

Je veux guérir des miens : ils souilleroient ma gloire.          550

SÉVÈRE

Ah ! puisque votre gloire en prononce l'arrêt,
Il faut que ma douleur cède à son intérêt.
Est-il rien que sur moi cette gloire n'obtienne ?
Elle me rend les soins que je dois à la mienne.
Adieu : je vais chercher au milieu des combats          555
Cette immortalité que donne un beau trépas,
Et remplir dignement, par une mort pompeuse,
De mes premiers exploits l'attente avantageuse,
Si toutefois, après ce coup mortel du sort,
J'ai de la vie assez pour chercher une mort.          560

PAULINE

Et moi, dont votre vue augmente le supplice,
Je l'éviterai même en votre sacrifice ;
Et seule dans ma chambre enfermant mes regrets,
Je vais pour vous aux Dieux faire des vœux secrets.

SÉVÈRE

Puisse le juste ciel, content de ma ruine,          565
Combler d'heur et de jours Polyeucte et Pauline !

PAULINE

Puisse trouver Sévère, après tant de malheur,
Une félicité digne de sa valeur !

SÉVÈRE

Il la trouvoit en vous.

PAULINE

Je dépendois d'un père.

SÉVÈRE

O devoir qui me perd et qui me désespère !          570
Adieu, trop vertueux objet, et trop charmant.

PAULINE

Adieu, trop malheureux et trop parfait amant.

SCÈNE III

*Pauline, Stratonice*

STRATONICE

Je vous ai plaints tous deux, j'en verse encor des larmes ;
Mais du moins votre esprit est hors de ses alarmes :
Vous voyez clairement que votre songe est vain ;          575
Sévère ne vient pas la vengeance à la main.

PAULINE

Laisse-moi respirer du moins, si tu m'as plainte :
Au fort de ma douleur tu rappelles ma crainte ;
Souffre un peu de relâche à mes esprits troublés,
Et ne m'accable point par des maux redoublés.          580

STRATONICE

Quoi? vous craignez encor!

PAULINE

Je tremble, Stratonice;
Et bien que je m'effraye avec peu de justice,
Cette injuste frayeur sans cesse reproduit
L'image des malheurs que j'ai vus cette nuit.

STRATONICE

Sévère est généreux.

PAULINE

Malgré sa retenue,          585
Polyeucte sanglant frappe toujours ma vue.

STRATONICE

Vous voyez ce rival faire des vœux pour lui.

PAULINE

Je crois même au besoin qu'il seroit son appui;
Mais soit cette croyance ou fausse ou véritable,
Son séjour en ce lieu m'est toujours redoutable;          590
A quoi que sa vertu puisse le disposer,
Il est puissant, il m'aime, et vient pour m'épouser.

## SCÈNE IV

*Polyeucte, Néarque, Pauline, Stratonice*

POLYEUCTE

C'est trop verser de pleurs: il est temps qu'ils tarissent,
Que votre douleur cesse, et vos craintes finissent;
Malgré les faux avis par vos Dieux envoyés,          595
Je suis vivant, Madame, et vous me revoyez.

PAULINE

Le jour est encor long, et ce qui plus m'effraie,
La moitié de l'avis se trouve déjà vraie:
J'ai cru Sévère mort, et je le vois ici.

POLYEUCTE

Je le sais; mais enfin j'en prends peu de souci.          600
Je suis dans Mélitène, et quel que soit Sévère,
Votre père y commande, et l'on m'y considère;
Et je ne pense pas qu'on puisse avec raison
D'un cœur tel que le sien craindre une trahison.
On m'avoit assuré qu'il vous faisoit visite,          605
Et je venois lui rendre un honneur qu'il mérite.

PAULINE

Il vient de me quitter assez triste et confus;
Mais j'ai gagné sur lui qu'il ne me verra plus.

POLYEUCTE

Quoi! vous me soupçonnez déjà de quelque ombrage?

PAULINE

Je ferois à tous trois un trop sensible outrage.          610
J'assure mon repos, que troublent ses regards.
La vertu la plus ferme évite les hasards:
Qui s'expose au péril veut bien trouver sa perte;
Et pour vous en parler avec une âme ouverte,
Depuis qu'un vrai mérite a pu nous enflammer,          615
Sa présence toujours a droit de nous charmer.
Outre qu'on doit rougir de s'en laisser surprendre,
On souffre à résister, on souffre à s'en défendre;
Et bien que la vertu triomphe de ces feux,
La victoire est pénible, et le combat honteux.          620

POLYEUCTE

O vertu trop parfaite, et devoir trop sincère,
Que vous devez coûter de regrets à Sévère !
Qu'aux dépens d'un beau feu vous me rendez heureux,
Et que vous êtes doux à mon cœur amoureux !
Plus je vois mes défauts et plus je vous contemple,　625
Plus j'admire . . .

## SCÈNE V

*Polyeucte, Pauline, Néarque, Stratonice, Cléon*

CLÉON

　　　　Seigneur, Félix vous mande au temple:
La victime est choisie, et le peuple à genoux,
Et pour sacrifier on n'attend plus que vous.

POLYEUCTE

Va, nous allons te suivre. Y venez-vous, Madame ?

PAULINE

Sévère craint ma vue, elle irrite sa flamme:　　630
Je lui tiendrai parole, et ne veux plus le voir.
Adieu: vous l'y verrez; pensez à son pouvoir,
Et ressouvenez-vous que sa faveur est grande.

POLYEUCTE

Allez, tout son crédit n'a rien que j'appréhende;
Et comme je connois sa générosité,　　635
Nous ne nous combattrons que de civilité.

## SCÈNE VI

### *Polyeucte, Néarque*

NÉARQUE

Où pensez-vous aller?

POLYEUCTE

Au temple, où l'on m'appelle.

NÉARQUE

Quoi? vous mêler aux vœux d'une troupe infidèle!
Oubliez-vous déjà que vous êtes chrétien?

POLYEUCTE

Vous par qui je le suis, vous en souvient-il bien?        640

NÉARQUE

J'abhorre les faux Dieux.

POLYEUCTE

Et moi, je les déteste.

NÉARQUE

Je tiens leur culte impie.

POLYEUCTE

Et je le tiens funeste.

NÉARQUE

Fuyez donc leurs autels.

POLYEUCTE

Je les veux renverser,
Et mourir dans leur temple, ou les y terrasser.        644

Allons, mon cher Néarque, allons aux yeux des hommes
Braver l'idolâtrie, et montrer qui nous sommes :
C'est l'attente du ciel, il nous la faut remplir ;
Je viens de le promettre, et je vais l'accomplir.
Je rends grâces au Dieu que tu m'as fait connoître
De cette occasion qu'il a sitôt fait naître,          650
Où déjà sa bonté, prête à me couronner,
Daigne éprouver la foi qu'il vient de me donner.

NÉARQUE

Ce zèle est trop ardent, souffrez qu'il se modère.

POLYEUCTE

On n'en peut avoir trop pour le Dieu qu'on révère.

NÉARQUE

Vous trouverez la mort.

POLYEUCTE

Je la cherche pour lui.          655

NÉARQUE

Et si ce cœur s'ébranle ?

POLYEUCTE

Il sera mon appui.

NÉARQUE

Il ne commande point que l'on s'y précipite.

POLYEUCTE

Plus elle est volontaire, et plus elle mérite.

NÉARQUE

Il suffit, sans chercher, d'attendre et de souffrir.

POLYEUCTE

On souffre avec regret quand on n'ose s'offrir.          660

NÉARQUE

Mais dans ce temple enfin la mort est assurée.

POLYEUCTE

Mais dans le ciel déjà la palme est préparée.

NÉARQUE

Par une sainte vie il faut la mériter.

POLYEUCTE

Mes crimes, en vivant, me la pourroient ôter.
Pourquoi mettre au hasard ce que la mort assure?          665
Quand elle ouvre le ciel, peut-elle sembler dure?
Je suis chrétien, Néarque, et le suis tout à fait;
La foi que j'ai reçue aspire à son effet.
Qui fuit croit lâchement, et n'a qu'une foi morte.

NÉARQUE

Ménagez votre vie, à Dieu même elle importe:          670
Vivez pour protéger les chrétiens en ces lieux.

POLYEUCTE

L'exemple de ma mort les fortifiera mieux.

NÉARQUE

Vous voulez donc mourir?

POLYEUCTE

Vous aimez donc à vivre?

NÉARQUE

Je ne puis déguiser que j'ai peine à vous suivre:
Sous l'horreur des tourments je crains de succomber. 675

POLYEUCTE

Qui marche assurément n'a point peur de tomber:
Dieu fait part, au besoin, de sa force infinie.
Qui craint de le nier, dans son âme le nie:
Il croit le pouvoir faire, et doute de sa foi.

NÉARQUE

Qui n'appréhende rien présume trop de soi. 680

POLYEUCTE

J'attends tout de sa grâce, et rien de ma foiblesse.
Mais loin de me presser, il faut que je vous presse!
D'où vient cette froideur?

NÉARQUE

　　　　　　　Dieu même a craint la mort.

POLYEUCTE

Il s'est offert pourtant: suivons ce saint effort;
Dressons-lui des autels sur des monceaux d'idoles. 685
Il faut (je me souviens encor de vos paroles)
Négliger, pour lui plaire, et femme, et biens, et rang,
Exposer pour sa gloire et verser tout son sang.
Hélas! qu'avez-vous fait de cette amour parfaite
Que vous me souhaitiez, et que je vous souhaite? 690
S'il vous en reste encor, n'êtes-vous point jaloux
Qu'à grand'peine chrétien, j'en montre plus que vous?

### NÉARQUE

Vous sortez du baptême, et ce qui vous anime,
C'est sa grâce qu'en vous n'affoiblit aucun crime;
Comme encor tout entière, elle agit pleinement,          695
Et tout semble possible à son feu véhément;
Mais cette même grâce, en moi diminuée,
Et par mille péchés sans cesse exténuée,
Agit aux grands effets avec tant de langueur,
Que tout semble impossible à son peu de vigueur.          700
Cette indigne mollesse et ces lâches défenses
Sont des punitions qu'attirent mes offenses;
Mais Dieu, dont on ne doit jamais se défier,
Me donne votre exemple à me fortifier!
   Allons, cher Polyeucte, allons aux yeux des hommes
Braver l'idolâtrie, et montrer qui nous sommes,          706
Puissé-je vous donner l'exemple de souffrir,
Comme vous me donnez celui de vous offrir!

### POLYEUCTE

A cet heureux transport que le ciel vous envoie,
Je reconnois Néarque, et j'en pleure de joie.          710
   Ne perdons plus de temps: le sacrifice est prêt;
Allons-y du vrai Dieu soutenir l'intérêt;
Allons fouler aux pieds ce foudre ridicule
Dont arme un bois pourri ce peuple trop crédule:
Allons en éclairer l'aveuglement fatal;          715
Allons briser ces Dieux de pierre et de métal:
Abandonnons nos jours à cette ardeur céleste;
Faisons triompher Dieu: qu'il dispose du reste!

### NÉARQUE

Allons faire éclater sa gloire aux yeux de tous,
Et répondre avec zèle à ce qu'il veut de nous.          720

## ACTE III

## SCÈNE PREMIÈRE

*Pauline*

Que de soucis flottants, que de confus nuages
Présentent à mes yeux d'inconstantes images !
Douce tranquillité, que je n'ose espérer,
Que ton divin rayon tarde à les éclairer !
Mille agitations, que mes troubles produisent,      725
Dans mon cœur ébranlé tour à tour se détruisent:
Aucun espoir n'y coule où j'ose persister;
Aucun effroi n'y règne où j'ose m'arrêter.
Mon esprit, embrassant tout ce qu'il s'imagine,
Voit tantôt mon bonheur, et tantôt ma ruine,      730
Et suit leur vaine idée avec si peu d'effet,
Qu'il ne peut espérer ni craindre tout à fait.
Sévère incessamment brouille ma fantaisie:
J'espère en sa vertu; je crains sa jalousie;
Et je n'ose penser que d'un œil bien égal      735
Polyeucte en ces lieux puisse voir son rival.
Comme entre deux rivaux la haine est naturelle,
L'entrevue aisément se termine en querelle:
L'un voit aux mains d'autrui ce qu'il croit mériter,
L'autre un désespéré qui peut trop attenter.      740
Quelque haute raison qui règle leur courage,
L'un conçoit de l'envie, et l'autre de l'ombrage;
La honte d'un affront, que chacun d'eux croit voir
Ou de nouveau reçue, ou prête à recevoir,
Consumant dès l'abord toute leur patience,      745
Forme de la colère et de la défiance,
Et saisissant ensemble et l'époux et l'amant,
En dépit d'eux les livre à leur ressentiment.
Mais que je me figure une étrange chimère,

Et que je traite mal Polyeucte et Sévère !          750
Comme si la vertu de ces fameux rivaux
Ne pouvoit s'affranchir de ces communs défauts !
Leurs âmes à tous deux d'elles-mêmes maîtresses
Sont d'un ordre trop haut pour de telles bassesses.
Ils se verront au temple en hommes généreux ;          755
Mais las ! ils se verront, et c'est beaucoup pour eux.
Que sert à mon époux d'être dans Mélitène,
Si contre lui Sévère arme l'aigle romaine,
Si mon père commande, et craint ce favori,
Et se repent déjà du choix de mon mari ?          760
Si peu que j'ai d'espoir ne luit qu'avec contrainte ;
En naissant il avorte, et fait place à la crainte ;
Ce qui doit l'affermir sert à le dissiper.
Dieux ! faites que ma peur puisse enfin se tromper !

## SCÈNE II

*Pauline, Stratonice*

PAULINE

Mais sachons-en l'issue. Eh bien ! ma Stratonice,          765
Comment s'est terminé ce pompeux sacrifice ?
Ces rivaux généreux au temple se sont vus ?

STRATONICE

Ah ! Pauline !

PAULINE

Mes vœux ont-ils été déçus ?
J'en vois sur ton visage une mauvaise marque.
Se sont-ils querellés ?

STRATONICE

Polyeucte, Néarque,          770
Les chrétiens . . .

PAULINE

Parle donc: les chrétiens . . .

STRATONICE

Je ne puis.

PAULINE

Tu prépares mon âme à d'étranges ennuis.

STRATONICE

Vous n'en sauriez avoir une plus juste cause.

PAULINE

L'ont-ils assassiné?

STRATONICE

Ce seroit peu de chose.

Tout votre songe est vrai, Polyeucte n'est plus . . .  775

PAULINE

Il est mort!

STRATONICE

Non, il vit; mais, ô pleurs superflus!

Ce courage si grand, cette âme si divine,

N'est plus digne du jour, ni digne de Pauline.

Ce n'est plus cet époux si charmant à vos yeux;

C'est l'ennemi commun de l'État et des Dieux,      780

Un méchant, un infâme, un rebelle, un perfide,

Un traître, un scélérat, un lâche, un parricide,

Une peste exécrable à tous les gens de bien,

Un sacrilège impie: en un mot, un chrétien.

PAULINE

Ce mot auroit suffi sans ce torrent d'injures.      785

STRATONICE

Ces titres aux chrétiens sont-ce des impostures?

PAULINE

Il est ce que tu dis, s'il embrasse leur foi;
Mais il est mon époux, et tu parles à moi.

STRATONICE

Ne considérez plus que le Dieu qu'il adore.

PAULINE

Je l'aimai par devoir: ce devoir dure encore.          790

STRATONICE

Il vous donne à présent sujet de le haïr:
Qui trahit tous nos Dieux auroit pu vous trahir.

PAULINE

Je l'aimerois encor, quand il m'auroit trahie;
Et si de tant d'amour tu peux être ébahie,
Apprends que mon devoir ne dépend point du sien:          795
Qu'il y manque, s'il veut; je dois faire le mien.
Quoi? s'il aimoit ailleurs, serois-je dispensée
A suivre, à son example, une ardeur insensée?
Quelque chrétien qu'il soit, je n'en ai point d'horreur;
Je chéris sa personne, et je hais son erreur.          800
Mais quel ressentiment en témoigne mon père?

STRATONICE

Une secrète rage, un excès de colère,
Malgré qui toutefois un reste d'amitié
Montre pour Polyeucte encor quelque pitié.
Il ne veut point sur lui faire agir sa justice,          805
Que du traître Néarque il n'ait vu le supplice.

PAULINE

Quoi? Néarque en est donc?

STRATONICE

Néarque l'a séduit:
De leur vieille amitié c'est là l'indigne fruit.
Ce perfide tantôt, en dépit de lui-même,
L'arrachant de vos bras, le traînoit au baptême.          810
Voilà ce grand secret et si mystérieux
Que n'en pouvoit tirer votre amour curieux.

PAULINE

Tu me blâmois alors d'être trop importune.

STRATONICE

Je ne prévoyois pas une telle infortune.

PAULINE

Avant qu'abandonner mon âme à mes douleurs,          815
Il me faut essayer la force de mes pleurs:
En qualité de femme ou de fille, j'espère
Qu'ils vaincront un époux, ou fléchiront un père.
Que si sur l'un et l'autre ils manquent de pouvoir,
Je ne prendrai conseil que de mon désespoir.          820
Apprends-moi cependant ce qu'ils ont fait au temple.

STRATONICE

C'est une impiété qui n'eut jamais d'exemple;
Je ne puis y penser sans frémir à l'instant,
Et crains de faire un crime en vous la racontant.
Apprenez en deux mots leur brutale insolence.          825
Le prêtre avoit à peine obtenu du silence,
Et devers l'orient assuré son aspect,
Qu'ils ont fait éclater leur manque de respect.
A chaque occasion de la cérémonie,
A l'envi l'un et l'autre étaloit sa manie,          830
Des mystères sacrés hautement se moquoit,

Et traitoit de mépris les Dieux qu'on invoquoit.
Tout le peuple en murmure, et Félix s'en offense;
Mais tous deux s'emportant à plus d'irrévérence:
"Quoi? lui dit Polyeucte en élevant sa voix,          835
Adorez-vous des Dieux ou de pierre ou de bois?"
Ici dispensez-moi du récit des blasphèmes
Qu'ils ont vomis tous deux contre Jupiter mêmes.
L'adultère et l'inceste en étoient les plus doux.
"Oyez, dit-il ensuite, oyez, peuple, oyez tous.          840
Le Dieu de Polyeucte et celui de Néarque
De la terre et du ciel est l'absolu monarque,
Seul être indépendant, seul maître du destin,
Seul principe éternel, et souveraine fin.
C'est ce Dieu des chrétiens qu'il faut qu'on remercie          845
Des victoires qu'il donne à l'empereur Décie;
Lui seul tient en sa main le succès des combats;
Il le veut élever, il le peut mettre à bas;
Sa bonté, son pouvoir, sa justice est immense;
C'est lui seul qui punit, lui seul qui récompense.          850
Vous adorez en vain des monstres impuissants."
Se jetant à ces mots sur le vin et l'encens,
Après en avoir mis les saints vases par terre,
Sans crainte de Félix, sans crainte du tonnerre,
D'une fureur pareille ils courent à l'autel!          855
Cieux! a-t-on vu jamais, a-t-on rien vu de tel?
Du plus puissant des Dieux nous voyons la statue
Par une main impie à leurs pieds abattue,
Les mystères troublés, le temple profané,
La fuite et les clameurs d'un peuple mutiné,          860
Qui craint d'être accablé sous le courroux céleste.
Félix . . . Mais le voici qui vous dira le reste.

PAULINE

Que son visage est sombre et plein d'émotion!
Qu'il montre de tristesse et d'indignation!

## SCÈNE III

### *Félix, Pauline, Stratonice*

#### FÉLIX

Une telle insolence avoir osé paroître !                    865
En public ; à ma vue ! il en mourra, le traître.

#### PAULINE

Souffrez que votre fille embrasse vos genoux.

#### FÉLIX

Je parle de Néarque, et non de votre époux.
Quelque indigne qu'il soit de ce doux nom de gendre,
Mon âme lui conserve un sentiment plus tendre :                    870
La grandeur de son crime et de mon déplaisir
N'a pas éteint l'amour qui m'a l'a fait choisir.

#### PAULINE

Je n'attendois pas moins de la bonté d'un père.

#### FÉLIX

Je pouvois l'immoler à ma juste colère ;
Car vous n'ignorez pas à quel comble d'horreur                    875
De son audace impie a monté la fureur ;
Vous l'avez pu savoir du moins de Stratonice.

#### PAULINE

Je sais que de Néarque il doit voir le supplice.

#### FÉLIX

Du conseil qu'il doit prendre il sera mieux instruit
Quand il verra punir celui qui l'a séduit.                    880

Au spectacle sanglant d'un ami qu'il faut suivre,
La crainte de mourir et le désir de vivre
Ressaisissent une âme avec tant de pouvoir,
Que qui voit le trépas cesse de le vouloir.
L'exemple touche plus que ne fait la menace:        885
Cette indiscrète ardeur tourne bientôt en glace,
Et nous verrons bientôt son cœur inquiété
Me demander pardon de tant d'impiété.

PAULINE

Vous pouvez espérer qu'il change de courage?

FÉLIX

Aux dépens de Néarque il doit se rendre sage.        890

PAULINE

Il le doit; mais, hélas! où me renvoyez-vous,
Et quels tristes hasards ne court point mon époux,
Si de son inconstance il faut qu'enfin j'espère
Le bien que j'espérois de la bonté d'un père?

FÉLIX

Je vous en fais trop voir, Pauline, à consentir        895
Qu'il évite la mort par un prompt repentir.
Je devois même peine à des crimes semblables;
Et mettant différence entre ces deux coupables,
J'ai trahi la justice à l'amour paternel;
Je me suis fait pour lui moi-même criminel;        900
Et j'attendois de vous, au milieu de vos craintes,
Plus de remercîments que je n'entends de plaintes.

PAULINE

De quoi remercier qui ne me donne rien?
Je sais quelle est l'humeur et l'esprit d'un chrétien:

Dans l'obstination jusqu'au bout il demeure; 905
Vouloir son repentir, c'est ordonner qu'il meure.

FÉLIX

Sa grâce est en sa main, c'est à lui d'y rêver.

PAULINE

Faites-la tout entière.

FÉLIX

Il la peut achever.

PAULINE

Ne l'abandonnez pas aux fureurs de sa secte.

FÉLIX

Je l'abandonne aux lois, qu'il faut que je respecte. 910

PAULINE

Est-ce ainsi que d'un gendre un beau-père est l'appui?

FÉLIX

Qu'il fasse autant pour soi comme je fais pour lui.

PAULINE

Mais il est aveuglé.

FÉLIX

Mais il se plaît à l'être:
Qui chérit son erreur ne la veut pas connoître.

PAULINE

Mon père, au nom des Dieux . . .

FÉLIX

Ne les réclamez pas, 915

Ces Dieux dont l'intérêt demande son trépas.

PAULINE

Ils écoutent nos vœux.

FÉLIX

Eh bien! qu'il leur en fasse.

PAULINE

Au nom de l'Empereur dont vous tenez la place . . .

FÉLIX

J'ai son pouvoir en main; mais s'il me l'a commis,
C'est pour le déployer contre ses ennemis.        920

PAULINE

Polyeucte l'est-il?

FÉLIX

Tous chrétiens sont rebelles.

PAULINE

N'écoutez point pour lui ces maximes cruelles:
En épousant Pauline il s'est fait votre sang.

FÉLIX

Je regarde sa faute, et ne vois plus son rang.
Quand le crime d'État se mêle au sacrilège,        925
Le sang ni l'amitié n'ont plus de privilège.

PAULINE

Quel excès de rigueur!

FÉLIX

Moindre que son forfait.

PAULINE

O de mon songe affreux trop véritable effet!
Voyez-vous qu'avec lui vous perdez votre fille?

FÉLIX

Les Dieux et l'Empereur sont plus que ma famille.    930

PAULINE

La perte de tous deux ne vous peut arrêter!

FÉLIX

J'ai les Dieux et Décie ensemble à redouter.
Mais nous n'avons encore à craindre rien de triste:
Dans son aveuglement pensez-vous qu'il persiste?
S'il nous sembloit tantôt courir à son malheur,       935
C'est d'un nouveau chrétien la première chaleur.

PAULINE

Si vous l'aimez encor, quittez cette espérance,
Que deux fois en un jour il change de croyance:
Outre que les chrétiens ont plus de dureté,
Vous attendez de lui trop de légèreté.                 940
Ce n'est point une erreur avec le lait sucée,
Que sans l'examiner son âme ait embrassée:
Polyeucte est chrétien, parce qu'il l'a voulu,
Et vous portoit au temple un esprit résolu.
Vous devez présumer de lui comme du reste:            945
Le trépas n'est pour eux ni honteux ni funeste;
Ils cherchent de la gloire à mépriser nos Dieux;
Aveugles pour la terre, ils aspirent aux cieux;
Et croyant que la mort leur en ouvre la porte,
Tourmentés, déchirés, assassinés, n'importe,          950
Les supplices leur sont ce qu'à nous les plaisirs,
Et les mènent au but où tendent leurs désirs:
La mort la plus infâme, ils l'appellent martyre.

FÉLIX

Eh bien donc! Polyeucte aura ce qu'il désire:
N'en parlons plus.

PAULINE

Mon père . . .

## SCÈNE IV

*Félix, Albin, Pauline, Stratonice*

FÉLIX

Albin, en est-ce fait?

ALBIN

Oui, Seigneur, et Néarque a payé son forfait.

FÉLIX

Et notre Polyeucte a vu trancher sa vie?

ALBIN

Il l'a vu, mais, hélas! avec un œil d'envie.
Il brûle de le suivre, au lieu de reculer;
Et son cœur s'affermit, au lieu de s'ébranler.      960

PAULINE

Je vous le disois bien. Encore un coup, mon père,
Si jamais mon respect a pu vous satisfaire,
Si vous l'avez prisé, si vous l'avez chéri . . .

FÉLIX

Vous aimez trop, Pauline, un indigne mari.

PAULINE

Je l'ai de votre main: mon amour est sans crime;      965
Il est de votre choix la glorieuse estime;

Et j'ai, pour l'accepter, éteint le plus beau feu
Qui d'une âme bien née ait mérité l'aveu.

Au nom de cette aveugle et prompte obéissance
Que j'ai toujours rendue aux lois de la naissance, 970
Si vous avez pu tout sur moi, sur mon amour,
Que je puisse sur vous quelque chose à mon tour !
Par ce juste pouvoir à présent trop à craindre,
Par ces beaux sentiments qu'il m'a fallu contraindre,
Ne m'ôtez pas vos dons : ils sont chers à mes yeux, 975
Et m'ont assez coûté pour m'être précieux.

FÉLIX

Vous m'importunez trop : bien que j'aie un cœur tendre,
Je n'aime la pitié qu'au prix que j'en veux prendre ;
Employez mieux l'effort de vos justes douleurs :
Malgré moi m'en toucher, c'est perdre et temps et pleurs ;
J'en veux être le maître, et je veux bien qu'on sache 981
Que je la désavoue alors qu'on me l'arrache.
Préparez-vous à voir ce malheureux chrétien,
Et faites votre effort quand j'aurai fait le mien.
Allez : n'irritez plus un père qui vous aime, 985
Et tâchez d'obtenir votre époux de lui-même.
Tantôt jusqu'en ce lieu je le ferai venir :
Cependant quittez-nous, je veux l'entretenir.

PAULINE

De grâce, permettez . . .

FÉLIX

Laissez-nous seuls, vous dis-je :
Votre douleur m'offense autant qu'elle m'afflige. 990
A gagner Polyeucte appliquez tous vos soins ;
Vous avancerez plus en m'importunant moins.

## SCÈNE V

*Félix, Albin*

FÉLIX

Albin, comme est-il mort?

ALBIN

                    En brutal, en impie,
En bravant les tourments, en dédaignant la vie,
Sans regret, sans murmure, et sans étonnement,     995
Dans l'obstination et l'endurcissement,
Comme un chrétien enfin, le blasphème à la bouche.

FÉLIX

Et l'autre?

ALBIN

                    Je l'ai dit déjà, rien ne le touche.
Loin d'en être abattu, son cœur en est plus haut;
On l'a violenté pour quitter l'échafaud.          1000
Il est dans la prison où je l'ai vu conduire;
Mais vous êtes bien loin encor de le réduire.

FÉLIX

Que je suis malheureux!

ALBIN

                    Tout le monde vous plaint.

FÉLIX

On ne sait pas les maux dont mon cœur est atteint:
De pensers sur pensers mon âme est agitée,         1005
De soucis sur soucis elle est inquiétée;
Je sens l'amour, la haine, et la crainte, et l'espoir,

La joie et la douleur tour à tour l'émouvoir;
J'entre en des sentiments qui ne sont pas croyables:
J'en ai de violents, j'en ai de pitoyables,                      1010
J'en ai de généreux qui n'oseroient agir,
J'en ai même de bas, et qui me font rougir.
J'aime ce malheureux que j'ai choisi pour gendre.
Je hais l'aveugle erreur qui le vient de surprendre;
Je déplore sa perte, et le voulant sauver,                       1015
J'ai la gloire des Dieux ensemble à conserver:
Je redoute leur foudre et celui de Décie;
Il y va de ma charge, il y va de ma vie:
Ainsi tantôt pour lui je m'expose au trépas,
Et tantôt je le perds pour ne me perdre pas.                     1020

ALBIN

Décie excusera l'amitié d'un beau-père;
Et d'ailleurs Polyeucte est d'un sang qu'on révère.

FÉLIX

A punir les chrétiens son ordre est rigoureux;
Et plus l'exemple est grand, plus il est dangereux.
On ne distingue point quand l'offense est publique; 1025
Et lorsqu'on dissimule un crime domestique,
Par quelle autorité peut-on, par quelle loi,
Châtier en autrui ce qu'on souffre chez soi?

ALBIN

Si vous n'osez avoir d'égard à sa personne,
Écrivez à Décie afin qu'il en ordonne.                           1030

FÉLIX

Sévère me perdroit, si j'en usois ainsi:
Sa haine et son pouvoir font mon plus grand souci.
Si j'avois différé de punir un tel crime,
Quoiqu'il soit généreux, quoiqu'il soit magnanime,

Il est homme, et sensible, et je l'ai dédaigné;          1035
Et de tant de mépris son esprit indigné,
Que met au désespoir cet hymen de Pauline,
Du courroux de Décie obtiendroit ma ruine.
Pour venger un affront tout semble être permis,
Et les occasions tentent les plus remis.          1040
Peut-être, et ce soupçon n'est pas sans apparence,
Il rallume en son cœur déjà quelque espérance;
Et croyant bientôt voir Polyeucte puni,
Il rappelle un amour à grand'peine banni.
Juge si sa colère, en ce cas implacable,          1045
Me feroit innocent de sauver un coupable,
Et s'il m'épargneroit, voyant par mes bontés
Une seconde fois ses desseins avortés.
　Te dirai-je un penser indigne, bas et lâche?
Je l'étouffe, il renaît; il me flatte, et me fâche:          1050
L'ambition toujours me le vient présenter,
Et tout ce que je puis, c'est de le détester.
Polyeucte est ici l'appui de ma famille;
Mais si, par son trépas, l'autre épousoit ma fille,
J'acquerrois bien par là de plus puissants appuis,          1055
Qui me mettroient plus haut cent fois que je ne suis.
Mon cœur en prend par force une maligne joie;
Mais que plutôt le ciel à tes yeux me foudroie,
Qu'à des pensers si bas je puisse consentir,
Que jusque-là ma gloire ose se démentir!          1060

#### ALBIN

Votre cœur est trop bon, et votre âme trop haute.
Mais vous résolvez-vous à punir cette faute?

#### FÉLIX

Je vais dans la prison faire tout mon effort
A vaincre cet esprit par l'effroi de la mort;
Et nous verrons après ce que pourra Pauline.          1065

ALBIN

Que ferez-vous enfin, si toujours il s'obstine?

FÉLIX

Ne me presse point tant : dans un tel déplaisir
Je ne puis que résoudre et ne sais que choisir.

ALBIN

Je dois vous avertir, en serviteur fidèle,
Qu'en sa faveur déjà la ville se rebelle, 1070
Et ne peut voir passer par la rigueur des lois
Sa dernière espérance et le sang de ses rois.
Je tiens sa prison même assez mal assurée :
J'ai laissé tout autour une troupe éplorée ;
Je crains qu'on ne la force.

FÉLIX

Il faut donc l'en tirer, 1075
Et l'amener ici pour nous en assurer.

ALBIN

Tirez-l'en donc vous-même, et d'un espoir de grâce
Apaisez la fureur de cette populace.

FÉLIX

Allons, et s'il persiste à demeurer chrétien,
Nous en disposerons sans qu'elle en sache rien. 1080

# ACTE IV

## SCÈNE PREMIÈRE

*Polyeucte, Cléon, trois autres Gardes*

POLYEUCTE

Gardes, que me veut-on?

CLÉON

     Pauline vous demande.

POLYEUCTE

O présence, ô combat que surtout j'appréhende!
Félix, dans la prison j'ai triomphé de toi,
J'ai ri de ta menace, et t'ai vu sans effroi:   1084
Tu prends pour t'en venger de plus puissantes armes;
Je craignois beaucoup moins tes bourreaux que ses larmes.

 Seigneur, qui vois ici les périls que je cours,
En ce pressant besoin redouble ton secours;
Et toi qui, tout sortant encor de la victoire,
Regardes mes travaux du séjour de la gloire,   1090
Cher Néarque, pour vaincre un si fort ennemi,
Prête du haut du ciel la main à ton ami.

 Gardes, oseriez-vous me rendre un bon office?
Non pour me dérober aux rigueurs du supplice:
Ce n'est pas mon dessein qu'on me fasse évader;  1095
Mais comme il suffira de trois à me garder,
L'autre m'obligeroit d'aller querir Sévère;
Je crois que sans péril on peut me satisfaire:
Si j'avois pu lui dire un secret important,
Il vivroit plus heureux, et je mourrois content.   1100

CLÉON

Si vous me l'ordonnez, j'y cours en diligence.

POLYEUCTE

Sévère, à mon défaut, fera ta récompense.
Va, ne perds point de temps, et reviens promptement.

CLÉON

Je serai de retour, Seigneur, dans un moment.


## SCÈNE II

*Polyeucte*

Source délicieuse, en misères féconde,                         1105
Que voulez-vous de moi, flatteuses voluptés?
Honteux attachements de la chair et du monde,
Que ne me quittez-vous, quand je vous ai quittés?
Allez, honneurs, plaisirs, qui me livrez la guerre:
    Toute votre félicité,                     1110
    Sujette à l'instabilité,
    En moins de rien tombe par terre;
    Et comme elle a l'éclat du verre,
    Elle en a la fragilité.

Ainsi n'espérez pas qu'après vous je soupire:                  1115
Vous étalez en vain vos charmes impuissants;
Vous me montrez en vain par tout ce vaste empire
Les ennemis de Dieu pompeux et florissants.
Il étale à son tour des revers équitables
    Par qui les grands sont confondus;         1120
    Et les glaives qu'il tient pendus
    Sur les plus fortunés coupables
    Sont d'autant plus inévitables,
    Que leurs coups sont moins attendus.

Tigre altéré de sang, Décie impitoyable,                       1125
Ce Dieu t'a trop longtemps abandonné les siens;
De ton heureux destin vois la suite effroyable:

Le Scythe va venger la Perse et les chrétiens;
Encore un peu plus outre, et ton heure est venue;
      Rien ne t'en sauroit garantir;          1130
      Et la foudre qui va partir,
      Toute prête à crever la nue,
      Ne peut plus être retenue
      Par l'attente du repentir.

Que cependant Félix m'immole à ta colère;          1135
Qu'un rival plus puissant éblouisse ses yeux;
Qu'aux dépens de ma vie il s'en fasse beau-père,
Et qu'à titre d'esclave il commande en ces lieux;
Je consens, ou plutôt j'aspire à ma ruine.
      Monde, pour moi tu n'as plus rien:          1140
      Je porte en un cœur tout chrétien
      Une flamme toute divine;
      Et je ne regarde Pauline
      Que comme un obstacle à mon bien.

Saintes douceurs du ciel, adorables idées,          1145
Vous remplissez un cœur qui vous peut recevoir:
De vos sacrés attraits les âmes possédées
Ne conçoivent plus rien qui les puisse émouvoir.
Vous promettez beaucoup, et donnez davantage:
      Vos biens ne sont point inconstants;          1150
      Et l'heureux trépas que j'attends
      Ne vous sert que d'un doux passage
      Pour nous introduire au partage
      Qui nous rend à jamais contents.

C'est vous, ô feu divin que rien ne peut éteindre,          1155
Qui m'allez faire voir Pauline sans la craindre.
  Je la vois; mais mon cœur, d'un saint zèle enflammé,
N'en goûte plus l'appas dont il étoit charmé;
Et mes yeux, éclairés des célestes lumières,
Ne trouvent plus aux siens leurs grâces coutumières.

## SCÈNE III

*Polyeucte, Pauline, Gardes*

POLYEUCTE

Madame, quel dessein vous fait me demander?
Est-ce pour me combattre, ou pour me seconder?
Cet effort généreux de votre amour parfaite
Vient-il à mon secours, vient-il à ma défaite?
Apportez-vous ici la haine, ou l'amitié,                     1165
Comme mon ennemie, ou ma chère moitié?

PAULINE

Vous n'avez point ici d'ennemi que vous-même:
Seul vous vous haïssez, lorsque chacun vous aime;
Seul vous exécutez tout ce que j'ai rêvé:
Ne veuillez pas vous perdre, et vous êtes sauvé.            1170
A quelque extrémité que votre crime passe,
Vous êtes innocent si vous vous faites grâce.
Daignez considérer le sang dont vous sortez,
Vos grandes actions, vos rares qualités:
Chéri de tout le peuple, estimé chez le prince,            1175
Gendre du gouverneur de toute la province;
Je ne vous compte à rien le nom de mon époux:
C'est un bonheur pour moi qui n'est pas grand pour vous;
Mais après vos exploits, après votre naissance,
Après votre pouvoir, voyez notre espérance,                1180
Et n'abandonnez pas à la main d'un bourreau
Ce qu'à nos justes vœux promet un sort si beau.

POLYEUCTE

Je considère plus; je sais mes avantages,
Et l'espoir que sur eux forment les grands courages:

Ils n'aspirent enfin qu'à des biens passagers,          1185
Que troublent les soucis, que suivent les dangers;
La mort nous les ravit, la fortune s'en joue;
Aujourd'hui dans le trône, et demain dans la boue;
Et leur plus haut éclat fait tant de mécontents,
Que peu de vos Césars en ont joui longtemps.          1190
    J'ai de l'ambition, mais plus noble et plus belle:
Cette grandeur périt, j'en veux une immortelle,
Un bonheur assuré, sans mesure et sans fin,
Au-dessus de l'envie, au-dessus du destin.
Est-ce trop l'acheter que d'une triste vie          1195
Qui tantôt, qui soudain me peut être ravie,
Qui ne me fait jouir que d'un instant qui fuit,
Et ne peut m'assurer de celui qui le suit?

PAULINE

Voilà de vos chrétiens les ridicules songes;
Voilà jusqu'à quel point vous charment leurs mensonges:
Tout votre sang est peu pour un bonheur si doux!
Mais pour en disposer, ce sang est-il à vous?
Vous n'avez pas la vie ainsi qu'un héritage;
Le jour qui vous la donne en même temps l'engage:
Vous la devez au prince, au public, à l'État.          1205

POLYEUCTE

Je la voudrois pour eux perdre dans un combat;
Je sais quel en est l'heur, et quelle en est la gloire.
Des aïeux de Décie on vante la mémoire;
Et ce nom, précieux encore à vos Romains,          1209
Au bout de six cents ans lui met l'empire aux mains.
Je dois ma vie au peuple, au prince, à sa couronne;
Mais je la dois bien plus au Dieu qui me la donne:
Si mourir pour son prince est un illustre sort,
Quand on meurt pour son Dieu, quelle sera la mort!

PAULINE

Quel Dieu !

POLYEUCTE

         Tout beau, Pauline : il entend vos paroles,
Et ce n'est pas un Dieu comme vos Dieux frivoles,
Insensibles et sourds, impuissants, mutilés,
De bois, de marbre, ou d'or, comme vous les voulez :
C'est le Dieu des chrétiens, c'est le mien, c'est le vôtre ;
Et la terre et le ciel n'en connaissent point d'autre. 1220

PAULINE

Adorez-le dans l'âme, et n'en témoignez rien.

POLYEUCTE

Que je sois tout ensemble idolâtre et chrétien !

PAULINE

Ne feignez qu'un moment, laissez partir Sévère,
Et donnez lieu d'agir aux bontés de mon père.

POLYEUCTE

Les bontés de mon Dieu sont bien plus à chérir :    1225
Il m'ôte des périls que j'aurois pu courir,
Et sans me laisser lieu de tourner en arrière,
Sa faveur me couronne entrant dans la carrière ;
Du premier coup de vent il me conduit au port,
Et sortant du baptême, il m'envoie à la mort.      1230
Si vous pouviez comprendre et le peu qu'est la vie,
Et de quelles douceurs cette mort est suivie !
Mais que sert de parler de ces trésors cachés
A des esprits que Dieu n'a pas encor touchés ?

PAULINE

Cruel, car il est temps que ma douleur éclate,    1235
Et qu'un juste reproche accable une âme ingrate,

Est-ce là ce beau feu? sont-ce là tes serments?
Témoignes-tu pour moi les moindres sentiments?
Je ne te parlois point de l'état déplorable
Où ta mort va laisser ta femme inconsolable;      1240
Je croyois que l'amour t'en parleroit assez,
Et je ne voulois pas de sentiments forcés;
Mais cette amour si ferme et si bien méritée
Que tu m'avois promise, et que je t'ai portée,
Quand tu me veux quitter, quand tu me fais mourir,
Te peut-elle arracher une larme, un soupir?
Tu me quittes, ingrat, et le fais avec joie;
Tu ne la caches pas, tu veux que je la voie,
Et ton cœur insensible à ces tristes appas,
Se figure un bonheur où je ne serai pas!      1250
C'est donc là le dégoût qu'apporte l'hyménée?
Je te suis odieuse après m'être donnée!

POLYEUCTE

Hélas!

PAULINE

Que cet hélas a de peine à sortir!
Encor s'il commençoit un heureux repentir,
Que tout forcé qu'il est, j'y trouverois de charmes!  1255
Mais courage, il s'émeut, je vois couler des larmes.

POLYEUCTE

J'en verse, et plût à Dieu qu'à force d'en verser
Ce cœur trop endurci se pût enfin percer!
Le déplorable état où je vous abandonne
Est bien digne des pleurs que mon amour vous donne;
Et si l'on peut au ciel sentir quelques douleurs,
J'y pleurerai pour vous l'excès de vos malheurs;
Mais si, dans ce séjour de gloire et de lumière,
Ce Dieu tout juste et bon peut souffrir ma prière,
S'il y daigne écouter un conjugal amour,      1265

Sur votre aveuglement il répandra le jour.

  Seigneur, de vos bontés il faut que je l'obtienne;
Elle a trop de vertus pour n'être pas chrétienne:
Avec trop de mérite il vous plut la former,
Pour ne vous pas connoître et ne vous pas aimer,  1270
Pour vivre des enfers esclave infortunée,
Et sous leur triste joug mourir comme elle est née.

PAULINE

Que dis-tu, malheureux? qu'oses-tu souhaiter?

POLYEUCTE

Ce que de tout mon sang je voudrois acheter.

PAULINE

Que plutôt . . .

POLYEUCTE

              C'est en vain qu'on se met en défense:
Ce Dieu touche les cœurs lorsque moins on y pense.
Ce bienheureux moment n'est pas encor venu;  1277
Il viendra, mais le temps ne m'en est pas connu.

PAULINE

Quittez cette chimère, et m'aimez.

POLYEUCTE

                        Je vous aime, [même.
Beaucoup moins que mon Dieu, mais bien plus que moi-

PAULINE

Au nom de cet amour ne m'abandonnez pas.

POLYEUCTE

Au nom de cet amour, daignez suivre mes pas.

PAULINE

C'est peu de me quitter, tu veux donc me séduire?

POLYEUCTE

C'est peu d'aller au ciel, je vous y veux conduire.

PAULINE

Imaginations!

POLYEUCTE

Célestes vérités!        1285

PAULINE

Étrange aveuglement!

POLYEUCTE

Éternelles clartés!

PAULINE

Tu préfères la mort à l'amour de Pauline!

POLYEUCTE

Vous préférez le monde à la bonté divine!

PAULINE

Va, cruel, va mourir: tu ne m'aimas jamais.

POLYEUCTE

Vivez heureuse au monde, et me laissez en paix.        1290

PAULINE

Oui, je t'y vais laisser; ne t'en mets plus en peine;
Je vais . . .

## SCÈNE IV

*Polyeucte, Pauline, Sévère, Fabian,* Gardes

PAULINE

    Mais quel dessein en ce lieu vous amène,
Sévère? Auroit-on cru qu'un cœur si généreux
Pût venir jusqu'ici braver un malheureux?

POLYEUCTE

Vous traitez mal, Pauline, un si rare mérite:        1295
A ma seule prière il rend cette visite.
Je vous ai fait, Seigneur, une incivilité,
Que vous pardonnerez à ma captivité.
Possesseur d'un trésor dont je n'étois pas digne,
Souffrez avant ma mort que je vous le résigne,     1300
Et laisse la vertu la plus rare à nos yeux
Qu'une femme jamais pût recevoir des cieux
Aux mains du plus vaillant et du plus honnête homme
Qu'ait adoré la terre et qu'ait vu naître Rome.
Vous êtes digne d'elle, elle est digne de vous;     1305
Ne la refusez pas de la main d'un époux:
S'il vous a désunis, sa mort vous va rejoindre.
Qu'un feu jadis si beau n'en devienne pas moindre:
Rendez-lui votre cœur, et recevez sa foi;
Vivez heureux ensemble, et mourez comme moi;       1310
C'est le bien qu'à tous deux Polyeucte désire.
    Qu'on me mène à la mort, je n'ai plus rien à dire.
Allons, gardes, c'est fait.

## SCÈNE V

*Sévère, Pauline, Fabian*

SÉVÈRE

Dans mon étonnement,
Je suis confus pour lui de son aveuglement;
Sa résolution a si peu de pareilles,                                1315
Qu'à peine je me fie encore à mes oreilles.
Un cœur qui vous chérit (mais quel cœur assez bas
Auroit pu vous connoître, et ne vous chérir pas?),
Un homme aimé de vous, sitôt qu'il vous possède,
Sans regret il vous quitte; il fait plus, il vous cède; 1320
Et comme si vos feux étoient un don fatal,
Il en fait un présent lui-même à son rival !
Certes ou les chrétiens ont d'étranges manies,
Ou leurs félicités doivent être infinies,
Puisque, pour y prétendre, ils osent rejeter                        1325
Ce que de tout l'empire il faudroit acheter.
    Pour moi, si mes destins, un peu plus tôt propices,
Eussent de votre hymen honoré mes services,
Je n'aurois adoré que l'éclat de vos yeux,
J'en aurois fait mes rois, j'en aurois fait mes Dieux; 1330
On m'auroit mis en poudre, on m'auroit mis en cendre,
Avant que . . .

PAULINE

Brisons là: je crains de trop entendre,
Et que cette chaleur, qui sent vos premiers feux,
Ne pousse quelque suite indigne de tous deux.
Sévère, connoissez Pauline tout entière.                            1335
    Mon Polyeucte touche à son heure dernière;
Pour achever de vivre il n'a plus qu'un moment:
Vous en êtes la cause encor qu'innocemment.
Je ne sais si votre âme, à vos désirs ouverte,

Auroit osé former quelque espoir sur sa perte;   1340
Mais sachez qu'il n'est point de si cruels trépas
Où d'un front assuré je ne porte mes pas,
Qu'il n'est point aux enfers d'horreurs que je n'endure,
Plutôt que de souiller une gloire si pure,
Que d'épouser un homme, après son triste sort,   1345
Qui de quelque façon soit cause de sa mort;
Et si vous me croyiez d'une âme si peu saine,
L'amour que j'eus pour vous tourneroit toute en haine.
Vous êtes généreux; soyez-le jusqu'au bout.
Mon père est en état de vous accorder tout,   1350
Il vous craint; et j'avance encor cette parole,
Que s'il perd mon époux, c'est à vous qu'il l'immole;
Sauvez ce malheureux, employez-vous pour lui;
Faites-vous un effort pour lui servir d'appui.
Je sais que c'est beaucoup que ce que je demande;   1355
Mais plus l'effort est grand, plus la gloire en est grande.
Conserver un rival dont vous êtes jaloux,
C'est un trait de vertu qui n'appartient qu'à vous;
Et si ce n'est assez de votre renommée,
C'est beaucoup qu'une femme autrefois tant aimée,   1360
Et dont l'amour peut-être encor vous peut toucher,
Doive à votre grand cœur ce qu'elle a de plus cher:
Souvenez-vous enfin que vous êtes Sévère.
Adieu: résolvez seul ce que vous voulez faire;
Si vous n'êtes pas tel que je l'ose espérer,   1365
Pour vous priser encor je le veux ignorer.

## SCÈNE VI

### *Sévère, Fabian*

#### SÉVÈRE

Qu'est-ce-ci, Fabian? quel nouveau coup de foudre
Tombe sur mon bonheur, et le réduit en poudre?

Plus je l'estime près, plus il est éloigné;
Je trouve tout perdu quand je crois tout gagné;   1370
Et toujours la fortune, à me nuire obstinée,
Tranche mon espérance aussitôt qu'elle est née:
Avant qu'offrir des vœux je reçois des refus;
Toujours triste, toujours et honteux et confus
De voir que lâchement elle ait osé renaître,   1375
Qu'encor plus lâchement elle ait osé paroître,
Et qu'une femme enfin dans la calamité
Me fasse des leçons de générosité.
   Votre belle âme est haute autant que malheureuse,
Mais elle est inhumaine autant que généreuse,   1380
Pauline, et vos douleurs avec trop de rigueur
D'un amant tout à vous tyrannisent le cœur.
C'est donc peu de vous perdre, il faut que je vous donne,
Que je serve un rival lorsqu'il vous abandonne,
Et que par un cruel et généreux effort,   1385
Pour vous rendre en ses mains, je l'arrache à la mort.

### FABIAN

Laissez à son destin cette ingrate famille;
Qu'il accorde, s'il veut, le père avec la fille,
Polyeucte et Félix, l'épouse avec l'époux.
D'un si cruel effort quel prix espérez-vous?   1390

### SÉVÈRE

La gloire de montrer à cette âme si belle
Que Sévère l'égale, et qu'il est digne d'elle;
Qu'elle m'étoit bien due, et que l'ordre des cieux
En me la refusant m'est trop injurieux.

### FABIAN

Sans accuser le sort ni le ciel d'injustice,   1395
Prenez garde au péril qui suit un tel service:
Vous hasardez beaucoup, Seigneur, pensez-y bien.

Quoi? vous entreprenez de sauver un chrétien!
Pouvez-vous ignorer pour cette secte impie
Quelle est et fut toujours la haine de Décie? 1400
C'est un crime vers lui si grand, si capital,
Qu'à votre faveur même il peut être fatal.

SÉVÈRE

Cet avis seroit bon pour quelque âme commune.
S'il tient entre ses mains ma vie et ma fortune,
Je suis encor Sévère, et tout ce grand pouvoir 1405
Ne peut rien sur ma gloire, et rien sur mon devoir.
Ici l'honneur m'oblige, et j'y veux satisfaire;
Qu'après le sort se montre ou propice ou contraire,
Comme son naturel est toujours inconstant,
Périssant glorieux, je périrai content. 1410
    Je te dirai bien plus, mais avec confidence:
La secte des chrétiens n'est pas ce que l'on pense;
On les hait; la raison, je ne la connois point,
Et je ne vois Décie injuste qu'en ce point.
Par curiosité j'ai voulu les connoître: 1415
On les tient pour sorciers dont l'enfer est le maître,
Et sur cette croyance on punit du trépas
Des mystères secrets que nous n'entendons pas;
Mais Cérès Éleusine et la Bonne Déesse
Ont leurs secrets, comme eux, à Rome et dans la Grèce;
Encore impunément nous souffrons en tous lieux, 1421
Leur Dieu seul excepté, toutes sortes de Dieux: [Rome;
Tous les monstres d'Egypte ont leurs temples dans
Nos aïeux à leur gré faisoient un Dieu d'un homme,
Et leur sang parmi nous conservant leurs erreurs, 1425
Nous remplissons le ciel de tous nos empereurs;
Mais à parler sans fard de tant d'apothéoses,
L'effet est bien douteux de ces métamorphoses.
    Les chrétiens n'ont qu'un Dieu, maître absolu de tout,
De qui le seul vouloir fait tout ce qu'il résout; 1430

Mais si j'ose entre nous dire ce qui me semble,
Les nôtres bien souvent s'accordent mal ensemble;
Et me dût leur colère écraser à tes yeux,
Nous en avons beaucoup pour être de vrais Dieux.
Enfin chez les chrétiens les mœurs sont innocentes,    1435
Les vices détestés, les vertus florissantes;
Ils font des vœux pour nous qui les persécutons;
Et depuis tant de temps que nous les tourmentons,
Les a-t-on vus mutins? les a-t-on vus rebelles?
Nos princes ont-ils des soldats plus fidèles?          1440
Furieux dans la guerre, ils souffrent nos bourreaux,
Et lions au combat, ils meurent en agneaux.
J'ai trop de pitié d'eux pour ne les pas défendre.
Allons trouver Félix; commençons par son gendre;
Et contentons ainsi, d'une seule action,               1445
Et Pauline, et ma gloire, et ma compassion.


## ACTE V

## SCÈNE PREMIÈRE

*Félix, Albin, Cléon*

FÉLIX

Albin, as-tu bien vu la fourbe de Sévère?
As-tu bien vu sa haine? et vois-tu ma misère?

ALBIN

Je n'ai vu rien en lui qu'un rival généreux,
Et ne vois rien en vous qu'un père rigoureux.          1450

FÉLIX

Que tu discernes mal le cœur d'avec la mine!
Dans l'âme il hait Félix et dédaigne Pauline;
Et s'il l'aima jadis, il estime aujourd'hui
Les restes d'un rival trop indignes de lui.

Il parle en sa faveur, il me prie, il menace,                    1455
Et me perdra, dit-il, si je ne lui fais grâce ;
Tranchant du généreux, il croit m'épouvanter :
L'artifice est trop lourd pour ne pas l'éventer.
Je sais des gens de cour quelle est la politique,
J'en connois mieux que lui la plus fine pratique.           1460
C'est en vain qu'il tempête et feint d'être en fureur :
Je vois ce qu'il prétend auprès de l'Empereur.
De ce qu'il me demande il m'y feroit un crime :
Épargnant son rival, je serois sa victime ;
Et s'il avoit affaire à quelque maladroit,                     1465
Le piège est bien tendu, sans doute il le perdroit ;
Mais un vieux courtisan est un peu moins crédule :
Il voit quand on le joue, et quand on dissimule ;
Et moi j'en ai tant vu de toutes les façons,
Qu'à lui-même au besoin j'en ferois des leçons.           1470

### ALBIN

Dieux ! que vous vous gênez par cette défiance !

### FÉLIX

Pour subsister en cour c'est la haute science :
Quand un homme une fois a droit de nous haïr,
Nous devons présumer qu'il cherche à nous trahir ;
Toute son amitié nous doit être suspecte.                     1475
Si Polyeucte enfin n'abandonne sa secte,
Quoi que son protecteur ait pour lui dans l'esprit,
Je suivrai hautement l'ordre qui m'est prescrit.

### ALBIN

Grâce, grâce, Seigneur ! que Pauline l'obtienne !

### FÉLIX

Celle de l'Empereur ne suivroit pas la mienne,           1480
Et loin de le tirer de ce pas dangereux,
Ma bonté ne feroit que nous perdre tous deux.

ALBIN

Mais Sévère promet . . .

FÉLIX

Albin, je m'en défie,
Et connois mieux que lui la haine de Décie:
En faveur des chrétiens s'il choquoit son courroux,     1485
Lui-même assurément se perdroit avec nous.

Je veux tenter pourtant encore une autre voie:
Amenez Polyeucte; et si je le renvoie,
S'il demeure insensible à ce dernier effort,
Au sortir de ce lieu qu'on lui donne la mort.          1490

ALBIN

Votre ordre est rigoureux.

FÉLIX

Il faut que je le suive,
Si je veux empêcher qu'un désordre n'arrive.
Je vois le peuple ému pour prendre son parti;
Et toi-même tantôt tu m'en as averti.
Dans ce zèle pour lui qu'il fait déjà paroître,        1495
Je ne sais si longtemps j'en pourrois être maître;
Peut-être dès demain, dès la nuit, dès ce soir,
J'en verrois des effets que je ne veux pas voir;
Et Sévère aussitôt, courant à sa vengeance,
M'iroit calomnier de quelque intelligence.             1500
Il faut rompre ce coup, qui me seroit fatal.

ALBIN

Que tant de prévoyance est un étrange mal!     [rage;
Tout vous nuit, tout vous perd, tout vous fait de l'om-
Mais voyez que sa mort mettra ce peuple en rage,
Que c'est mal le guérir que le désespérer.             1505

FÉLIX

En vain après sa mort il voudra murmurer ;
Et s'il ose venir à quelque violence,
C'est à faire à céder deux jours à l'insolence :
J'aurai fait mon devoir, quoi qu'il puisse arriver.
Mais Polyeucte vient, tâchons à le sauver.                1510
Soldats, retirez-vous, et gardez bien la porte.

## SCÈNE II

*Félix, Polyeucte, Albin*

FÉLIX

As-tu donc pour la vie une haine si forte,
Malheureux Polyeucte ? et la loi des chrétiens
T'ordonne-t-elle ainsi d'abandonner les tiens ?

POLYEUCTE

Je ne hais point la vie, et j'en aime l'usage,                1515
Mais sans attachement qui sente l'esclavage,
Toujours prêt à la rendre au Dieu dont je la tiens :
La raison me l'ordonne, et la loi des chrétiens ;
Et je vous montre à tous par là comme il faut vivre,
Si vous avez le cœur assez bon pour me suivre.                1520

FÉLIX

Te suivre dans l'abîme où tu te veux jeter ?

POLYEUCTE

Mais plutôt dans la gloire où je m'en vais monter.

FÉLIX

Donne-moi pour le moins le temps de la connoître :
Pour me faire chrétien, sers-moi de guide à l'être,

Et ne dédaigne pas de m'instruire en ta foi,     1525
Ou toi-même à ton Dieu tu répondras de moi.

**POLYEUCTE**

N'en riez point, Félix, il sera votre juge;
Vous ne trouverez point devant lui de refuge:
Les rois et les bergers y sont d'un même rang.
De tous les siens sur vous il vengera le sang.     1530

**FÉLIX**

Je n'en répandrai plus, et quoi qu'il en arrive,
Dans la foi des chrétiens je souffrirai qu'on vive:
J'en serai protecteur.

**POLYEUCTE**

            Non, non, persécutez,
Et soyez l'instrument de nos félicités:
Celle d'un vrai chrétien n'est que dans les souffrances;
Les plus cruels tourments lui sont des récompenses.
Dieu, qui rend le centuple aux bonnes actions,
Pour comble donne encor les persécutions.
Mais ces secrets pour vous sont fâcheux à comprendre:
Ce n'est qu'à ses élus que Dieu les fait entendre.     1540

**FÉLIX**

Je te parle sans fard, et veux être chrétien.

**POLYEUCTE**

Qui peut donc retarder l'effet d'un si grand bien?

**FÉLIX**

La présence importune . . .

**POLYEUCTE**

            Et de qui? de Sévère?

**FÉLIX**

Pour lui seul contre toi j'ai feint tant de colère:
Dissimule un moment jusques à son départ.                    1545

**POLYEUCTE**

Félix, c'est donc ainsi que vous parlez sans fard?
Portez à vos païens, portez à vos idoles
Le sucre empoisonné que sèment vos paroles.
Un chrétien ne craint rien, ne dissimule rien:
Aux yeux de tout le monde il est toujours chrétien.          1550

**FÉLIX**

Ce zèle de ta foi ne sert qu'à te séduire,
Si tu cours à la mort plutôt que de m'instruire.

**POLYEUCTE**

Je vous en parlerois ici hors de saison:
Elle est un don du ciel, et non de la raison;
Et c'est là que bientôt, voyant Dieu face à face,         1555
Plus aisément pour vous j'obtiendrai cette grâce.

**FÉLIX**

Ta perte cependant me va désespérer.

**POLYEUCTE**

Vous avez en vos mains de quoi la réparer:
En vous ôtant un gendre, on vous en donne un autre,
Dont la condition répond mieux à la vôtre;                  1560
Ma perte n'est pour vous qu'un change avantageux.

**FÉLIX**

Cesse de me tenir ce discours outrageux.
Je t'ai considéré plus que tu ne mérites;

Mais malgré ma bonté, qui croît plus tu l'irrites,
Cette insolence enfin te rendroit odieux,                    1565
Et je me vengerois aussi bien que nos Dieux.

POLYEUCTE

Quoi? vous changez bientôt d'humeur et de langage!
Le zèle de vos Dieux rentre en votre courage!
Celui d'être chrétien s'échappe! et par hasard
Je vous viens d'obliger à me parler sans fard!             1570

FÉLIX

Va, ne présume pas que quoi que je te jure,
De tes nouveaux docteurs je suive l'imposture:
Je flattois ta manie, afin de t'arracher
Du honteux précipice où tu vas trébucher;
Je voulois gagner temps, pour ménager ta vie              1575
Après l'éloignement d'un flatteur de Décie;
Mais j'ai fait trop d'injure à nos Dieux tout-puissants:
Choisis de leur donner ton sang, ou de l'encens.

POLYEUCTE

Mon choix n'est point douteux. Mais j'aperçois Pauline.
O ciel!

# SCÈNE III

*Félix, Polyeucte, Pauline, Albin*

PAULINE

Qui de vous deux aujourd'hui m'assassine?             1580
Sont-ce tous deux ensemble, ou chacun à son tour?
Ne pourrai-je fléchir la nature ou l'amour?
Et n'obtiendrai-je rien d'un époux ni d'un père?

FÉLIX

Parlez à votre époux.

POLYEUCTE

Vivez avec Sévère.

PAULINE

Tigre, assassine-moi du moins sans m'outrager.         1585

POLYEUCTE

Mon amour, par pitié, cherche à vous soulager :
Il voit quelle douleur dans l'âme vous possède,
Et sait qu'un autre amour en est le seul remède.
Puisqu'un si grand mérite a pu vous enflammer,
Sa présence toujours a droit de vous charmer :         1590
Vous l'aimiez, il vous aime, et sa gloire augmentée . . .

PAULINE

Que t'ai-je fait, cruel, pour être ainsi traitée,
Et pour me reprocher, au mépris de ma foi,
Un amour si puissant que j'ai vaincu pour toi ?
Vois, pour te faire vaincre un si fort adversaire,   1595
Quels efforts à moi-même il a fallu me faire ;
Quels combats j'ai donnés pour te donner un cœur
Si justement acquis à son premier vainqueur ;
Et si l'ingratitude en ton cœur ne domine,
Fais quelque effort sur toi pour te rendre à Pauline : 1600
Apprends d'elle à forcer ton propre sentiment ;
Prends sa vertu pour guide en ton aveuglement ;
Souffre que de toi-même elle obtienne ta vie,
Pour vivre sous tes lois à jamais asservie.
Si tu peux rejeter de si justes désirs,              1605
Regarde au moins ses pleurs, écoute ses soupirs ;
Ne désespère pas une âme qui t'adore.

POLYEUCTE

Je vous l'ai déjà dit, et vous le dis encore,
Vivez avec Sévère, ou mourez avec moi.

Je ne méprise point vos pleurs ni votre foi ;        1610
Mais de quoi que pour vous notre amour m'entretienne,
Je ne vous connois plus, si vous n'êtes chrétienne.

    C'en est assez, Félix, reprenez ce courroux,
Et sur cet insolent vengez vos Dieux et vous.

PAULINE

Ah ! mon père, son crime à peine est pardonnable ;        1615
Mais s'il est insensé, vous êtes raisonnable.
La nature est trop forte, et ses aimables traits
Imprimés dans le sang ne s'effacent jamais :
Un père est toujours père, et sur cette assurance
J'ose appuyer encore un reste d'espérance.        1620
    Jetez sur votre fille un regard paternel :
Ma mort suivra la mort de ce cher criminel ;
Et les Dieux trouveront sa peine illégitime,
Puisqu'elle confondra l'innocence et le crime,
Et qu'elle changera, par ce redoublement,        1625
En injuste rigueur un juste châtiment ;
Nos destins, par vos mains rendus inséparables,
Nous doivent rendre heureux ensemble, ou misérables ;
Et vous seriez cruel jusques au dernier point,
Si vous désunissiez ce que vous avez joint.        1630
Un cœur à l'autre uni jamais ne se retire,
Et pour l'en séparer il faut qu'on le déchire.
Mais vous êtes sensible à mes justes douleurs,
Et d'un œil paternel vous regardez mes pleurs.

FÉLIX

Oui, ma fille, il est vrai qu'un père est toujours père ;        1635
Rien n'en peut effacer le sacré caractère :
Je porte un cœur sensible, et vous l'avez percé ;
Je me joins avec vous contre cet insensé.
    Malheureux Polyeucte, es-tu seul insensible ?
Et veux-tu rendre seul ton crime irrémissible ?        1640

Peux-tu voir tant de pleurs d'un œil si détaché?
Peux-tu voir tant d'amour sans en être touché?
Ne reconnois-tu plus ni beau-père, ni femme,
Sans amitié pour l'un, et pour l'autre sans flamme?
Pour reprendre les noms et de gendre et d'époux,   1645
Veux-tu nous voir tous deux embrasser tes genoux?

POLYEUCTE

Que tout cet artifice est de mauvaise grâce!
Après avoir deux fois essayé la menace,
Après m'avoir fait voir Néarque dans la mort,
Après avoir tenté l'amour et son effort,   1650
Après m'avoir montré cette soif du baptême,
Pour opposer à Dieu l'intérêt de Dieu même,
Vous vous joignez ensemble! Ah! ruses de l'enfer!
Faut-il tant de fois vaincre avant que triompher?
Vos résolutions usent trop de remise:   1655
Prenez la vôtre enfin, puisque la mienne est prise.
    Je n'adore qu'un Dieu, maître de l'univers,
Sous qui tremblent le ciel, la terre, et les enfers,
Un Dieu qui, nous aimant d'une amour infinie,
Voulut mourir pour nous avec ignominie,   1660
Et qui par un effort de cet excès d'amour,
Veut pour nous en victime être offert chaque jour.
Mais j'ai tort d'en parler à qui ne peut m'entendre.
Voyez l'aveugle erreur que vous osez défendre:
Des crimes les plus noirs vous souillez tous vos Dieux;
Vous n'en punissez point qui n'ait son maître aux cieux:
La prostitution, l'adultère, l'inceste,
Le vol, l'assassinat, et tout ce qu'on déteste,
C'est l'exemple qu'à suivre offrent vos immortels.
J'ai profané leur temple, et brisé leurs autels;   1670
Je le ferois encor, si j'avois à le faire,
Même aux yeux de Félix, même aux yeux de Sévère,
Même aux yeux du sénat, aux yeux de l'Empereur.

FÉLIX

Enfin ma bonté cède à ma juste fureur:
Adore-les, ou meurs.

POLYEUCTE

Je suis chrétien.

FÉLIX

Impie! 1675
Adore-les, te dis-je, ou renonce à la vie.

POLYEUCTE

Je suis chrétien.

FÉLIX

Tu l'es? O cœur trop obstiné!
Soldats, exécutez l'ordre que j'ai donné.

PAULINE

Où le conduisez-vous?

FÉLIX

A la mort.

POLYEUCTE

A la gloire.
Chère Pauline, adieu: conservez ma mémoire. 1680

PAULINE

Je te suivrai partout, et mourrai si tu meurs.

POLYEUCTE

Ne suivez point mes pas, ou quittez vos erreurs.

FÉLIX

Qu'on l'ôte de mes yeux, et que l'on m'obéisse:
Puisqu'il aime à périr, je consens qu'il périsse.

# SCÈNE IV

*Félix, Albin*

FÉLIX

Je me fais violence, Albin; mais je l'ai dû:          1685
Ma bonté naturelle aisément m'eût perdu.
Que la rage du peuple à présent se déploie,
Que Sévère en fureur tonne, éclate, foudroie,
M'étant fait cet effort, j'ai fait ma sûreté.
Mais n'es-tu point surpris de cette dureté?          1690
Vois-tu, comme le sien, des cœurs impénétrables,
Ou des impiétés à ce point exécrables?
Du moins j'ai satisfait mon esprit affligé:
Pour amollir son cœur je n'ai rien négligé;
J'ai feint même à tes yeux des lâchetés extrêmes;          1695
Et certes sans l'horreur de ses derniers blasphèmes,
Qui m'ont rempli soudain de colère et d'effroi,
J'aurois eu de la peine à triompher de moi.

ALBIN

Vous maudirez peut-être un jour cette victoire,
Qui tient je ne sais quoi d'une action trop noire,          1700
Indigne de Félix, indigne d'un Romain,
Répandant votre sang par votre propre main.

FÉLIX

Ainsi l'ont autrefois versé Brute et Manlie;
Mais leur gloire en a crû, loin d'en être affoiblie;
Et quand nos vieux héros avoient de mauvais sang,          1705
Ils eussent, pour le perdre, ouvert leur propre flanc.

ALBIN

Votre ardeur vous séduit; mais quoi qu'elle vous die,
Quand vous la sentirez une fois refroidie,

Quand vous verrez Pauline, et que son désespoir
Par ses pleurs et ses cris saura vous émouvoir . . . 1710

FÉLIX

Tu me fais souvenir qu'elle a suivi ce traître,
Et que ce désespoir qu'elle fera paroître
De mes commandements pourra troubler l'effet;
Va donc; cours y mettre ordre et voir ce qu'elle fait;
Romps ce que ses douleurs y donneroient d'obstacle; 1715
Tire-la, si tu peux, de ce triste spectacle;
Tâche à la consoler. Va donc: qui te retient?

ALBIN

Il n'en est pas besoin, Seigneur, elle revient.

## SCÈNE V

*Félix, Pauline, Albin*

PAULINE

Père barbare, achève, achève ton ouvrage:
Cette seconde hostie est digne de ta rage;          1720
Joins ta fille à ton gendre; ose: que tardes-tu?
Tu vois le même crime, ou la même vertu:
Ta barbarie en elle a les mêmes matières.
Mon époux en mourant m'a laissé ses lumières;
Son sang, dont tes bourreaux viennent de me couvrir, 1725
M'a dessillé les yeux, et me les vient d'ouvrir.
  Je vois, je sais, je crois, je suis désabusée:
De ce bienheureux sang tu me vois baptisée;
Je suis chrétienne enfin, n'est-ce point assez dit?
Conserve en me perdant ton rang et ton crédit;      1730
Redoute l'Empereur, appréhende Sévère:
Si tu ne veux périr, ma perte est nécessaire;
Polyeucte m'appelle à cet heureux trépas;

Je vois Néarque et lui qui me tendent les bras.
Mène, mène-moi voir tes Dieux que je déteste: 1735
Ils n'en ont brisé qu'un, je briserai le reste;
On m'y verra braver tout ce que vous craignez,
Ces foudres impuissants qu'en leurs mains vous peignez,
Et saintement rebelle aux lois de la naissance,
Une fois envers toi manquer d'obéissance. 1740
Ce n'est point ma douleur que par là je fais voir;
C'est la grâce qui parle, et non le désespoir.
Le faut-il dire encor, Félix? je suis chrétienne!
Affermis par ma mort ta fortune et la mienne:
Le coup à l'un et l'autre en sera précieux, 1745
Puisqu'il t'assure en terre et m'élevant aux cieux.

## SCÈNE VI

### *Félix, Sévère, Pauline, Albin, Fabian*

#### SÉVÈRE

Père dénaturé, malheureux politique,
Esclave ambitieux d'une peur chimérique,
Polyeucte est donc mort! et par vos cruautés
Vous pensez conserver vos tristes dignités! 1750
La faveur que pour lui je vous avois offerte,
Au lieu de le sauver, précipite sa perte!
J'ai prié, menacé, mais sans vous émouvoir;
Et vous m'avez cru fourbe ou de peu de pouvoir!
Eh bien! à vos dépens vous verrez que Sévère 1755
Ne se vante jamais que de ce qu'il peut faire;
Et par votre ruine il vous fera juger
Que qui peut bien vous perdre eût pu vous protéger.
Continuez aux Dieux ce service fidèle;
Par de telles horreurs montrez-leur votre zèle. 1760
Adieu; mais quand l'orage éclatera sur vous,
Ne doutez point du bras dont partiront les coups.

#### FÉLIX

Arrêtez-vous, Seigneur, et d'une âme apaisée
Souffrez que je vous livre une vengeance aisée.
   Ne me reprochez plus que par mes cruautés          1765
Je tâche à conserver mes tristes dignités :
Je dépose à vos pieds l'éclat de leur faux lustre.
Celle où j'ose aspirer est d'un rang plus illustre ;
Je m'y trouve forcé par un secret appas ;
Je cède à des transports que je ne connois pas ;          1770
Et par un mouvement que je ne puis entendre,
De ma fureur je passe au zèle de mon gendre.
C'est lui, n'en doutez point, dont le sang innocent
Pour son persécuteur prie un Dieu tout-puissant ;
Son amour épandu sur toute la famille          1775
Tire après lui le père aussi bien que la fille.
J'en ai fait un martyr, sa mort me fait chrétien :
J'ai fait tout son bonheur, il veut faire le mien.
C'est ainsi qu'un chrétien se venge et se courrouce.
Heureuse cruauté dont la suite est si douce !          1780
Donne la main, Pauline. Apportez des liens ;
Immolez à vos Dieux ces deux nouveaux chrétiens :
Je le suis, elle l'est, suivez votre colère.

#### PAULINE

Qu'heureusement enfin je retrouve mon père !
Cet heureux changement rend mon bonheur parfait.          1785

#### FÉLIX

Ma fille, il n'appartient qu'à la main qui le fait.

#### SÉVÈRE

Qui ne seroit touché d'un si tendre spectacle ?
De pareils changements ne vont point sans miracle.
Sans doute vos chrétiens, qu'on persécute en vain,

Ont quelque chose en eux qui surpasse l'humain:        1790
Ils mènent une vie avec tant d'innocence,
Que le ciel leur en doit quelque reconnoissance:
Se relever plus forts, plus ils sont abattus,
N'est pas aussi l'effet des communes vertus.
Je les aimai toujours, quoi qu'on m'en ait pu dire;   1795
Je n'en vois point mourir que mon cœur n'en soupire;
Et peut-être qu'un jour je les connoîtrai mieux.
J'approuve cependant que chacun ait ses Dieux,
Qu'il les serve à sa mode, et sans peur de la peine.
Si vous êtes chrétien, ne craignez plus ma haine;     1800
Je les aime, Félix, et de leur protecteur
Je n'en veux pas sur vous faire un persécuteur.
    Gardez votre pouvoir, reprenez-en la marque.
Servez bien votre Dieu, servez notre monarque.
Je perdrai mon crédit envers Sa Majesté,             1805
Ou vous verrez finir cette sévérité:
Par cette injuste haine il se fait trop d'outrage.

FÉLIX

Daigne le ciel en vous achever son ouvrage,
Et pour vous rendre un jour ce que vous méritez,
Vous inspirer bientôt toutes ses vérités!            1810
    Nous autres, bénissons notre heureuse aventure:
Allons à nos martyrs donner la sépulture,
Baiser leurs corps sacrés, les mettre en digne lieu,
Et faire retentir partout le nom de Dieu.

# LE MENTEUR

## COMÉDIE

# ÉPÎTRE

Monsieur,

Je vous présente une pièce de théâtre d'un style si éloigné de ma dernière, qu'on aura de la peine à croire qu'elles soient parties toutes deux de la même main, dans le même hiver. Aussi les raisons qui m'ont obligé à y travailler ont été bien différentes. J'ai fait *Pompée* pour satisfaire à ceux qui ne trouvoient pas les vers de *Polyeucte* si puissants que ceux de *Cinna,* et leur montrer que j'en saurois bien retrouver la pompe, quand le sujet le pourroit souffrir; j'ai fait *le Menteur* pour contenter les souhaits de beaucoup d'autres qui, suivant l'humeur des François, aiment le changement, et après tant de poëmes graves dont nos meilleures plumes ont enrichi la scène, m'ont demandé quelque chose de plus enjoué qui ne servît qu'à les divertir. Dans le premier, j'ai voulu faire un essai de ce que pouvoit la majesté du raisonnement, et la force des vers dénués de l'agrément du sujet; dans celui-ci, j'ai voulu tenter ce que pourroit l'agrément du sujet, dénué de la force des vers. Et d'ailleurs, étant obligé au genre comique de ma première réputation, je ne pouvois l'abandonner tout à fait sans quelque espèce d'ingratitude. Il est vrai que comme alors que je me hasardai à le quitter, je n'osai me fier à mes seules forces, et que pour m'élever à la dignité du tragique, je pris l'appui du grand Sénèque, à qui j'empruntai tout ce qu'il avoit donné de rare à sa *Médée*: ainsi, quand je me suis résolu de repasser du héroïque au naïf, je n'ai osé descendre

de si haut sans m'assurer d'un guide, et me suis
laissé conduire au fameux Lope de Vega, de peur
de m'égarer dans les détours de tant d'intriques que
fait notre Menteur. En un mot, ce n'est ici qu'une copie
d'un excellent original qu'il a mis au jour sous le titre
de *la Verdad sospechosa*; et me fiant sur notre Horace,
qui donne liberté de tout oser aux poëtes ainsi qu'aux
peintres, j'ai cru que nonobstant la guerre des deux
couronnes, il m'étoit permis de trafiquer en Espagne.
Si cette sorte de commerce étoit un crime, il y a longtemps que je serois coupable, je ne dis pas seulement
pour *le Cid,* où je me suis aidé de don Guillen de
Castro, mais aussi pour *Médée,* dont je viens de parler,
et pour *Pompée* même, où pensant me fortifier du
secours de deux Latins, j'ai pris celui de deux Espagnols, Sénèque et Lucain étant tous deux de Cordoue.
Ceux qui ne voudront pas me pardonner cette intelligence avec nos ennemis approuveront du moins que je
pille chez eux; et soit qu'on fasse passer ceci pour un
larcin ou pour un emprunt, je m'en suis trouvé si bien,
que je n'ai pas envie que ce soit le dernier que je ferai
chez eux. Je crois que vous en serez d'avis, et ne m'en
estimerez pas moins.

Je suis,

**MONSIEUR,**

Votre très humble serviteur,

Corneille.

## AU LECTEUR

Bien que cette comédie et celle qui la suit soient
toutes deux de l'invention de Lope de Vega, je ne
vous les donne point dans le même ordre que je vous
ai donné *le Cid* et *Pompée,* dont en l'un vous avez vu

les vers espagnols, et en l'autre les latins, que j'ai tra-
duits ou imités de Guillen de Castro et de Lucain. Ce
n'est pas que je n'aye ici emprunté beaucoup de
choses de cet admirable original; mais comme j'ai
entièrement dépaysé les sujets pour les habiller à la
françoise, vous trouveriez si peu de rapports entre l'espagnol et le françois, qu'au lieu de satisfaction vous
n'en recevriez que de l'importunité.

Par exemple, tout ce que je fais conter à notre Menteur des guerres d'Allemagne, où il se vante d'avoir été,
l'Espagnol le lui fait dire du Pérou et des Indes, dont
il fait le nouveau revenu; et ainsi de la plupart des
autres incidents, qui, bien qu'ils soient imités de l'original, n'ont presque point de ressemblance avec lui
pour les pensées ni pour les termes qui les expriment.
Je me contenterai donc de vous avouer que les sujets
sont entièrement de lui, comme vous les trouverez dans
la vingt et deuxième partie de ses comédies. Pour le
reste, j'en ai pris tout ce qui s'est pu accommoder à
notre usage; et s'il m'est permis de dire mon sentiment
touchant une chose où j'ai si peu de part, je vous
avouerai en même temps que l'invention de celle-ci me
charme tellement, que je ne trouve rien à mon gré qui
lui soit comparable en ce genre, ni parmi les anciens,
ni parmi les modernes. Elle est toute spirituelle depuis
le commencement jusqu'à la fin, et les incidents si
justes et si gracieux, qu'il faut être, à mon avis, de
bien mauvaise humeur pour n'en approuver pas la
conduite, et n'en aimer pas la représentation.

Je me défierois peut-être de l'estime extraordinaire
que j'ai pour ce poëme, si je n'y étois confirmé par
celle qu'en a faite un des premiers hommes de ce siècle,
et qui non seulement est le protecteur des savantes
muses dans la Hollande, mais fait voir encore par son
propre exemple que les grâces de la poésie ne sont

pas incompatibles avec les plus hauts emplois de la
politique et les plus nobles fonctions d'un homme
d'État. Je parle de M. de Zuylichem, secrétaire des
commandements de Monseigneur le prince d'Orange.
C'est lui que MM. Heinsius et Balzac ont pris comme
pour arbitre de leur fameuse querelle, puisqu'ils lui
ont adressé l'un et l'autre leurs doctes dissertations, et
qui n'a pas dédaigné de montrer au public l'état qu'il
fait de cette comédie par deux épigrammes, l'un
françois et l'autre latin, qu'il a mis au devant de l'impression qu'en ont faite les Elzéviers, à Leyden. Je
vous les donne ici d'autant plus volontiers, que n'ayant
pas l'honneur d'être connu de lui, son témoignage ne
peut être suspect, et qu'on n'aura pas lieu de m'accuser
de beaucoup de vanité pour en avoir fait parade,
puisque toute la gloire qu'il m'y donne doit être attri-
buée au grand Lope de Vega, que peut-être il ne con-
noissoit pas pour le premier auteur de cette merveille
de théâtre.

## IN PRÆSTANTISSIMI POETÆ GALLICI
## CORNELII
### COMŒDIAM QUÆ INSCRIBITUR
### MENDAX

    Gravi cothurno torvus, orchestra truci
    Dudum cruentus, Galliæ justus stupor
    Audivit et vatum decus Cornelius.
    Laudem poetæ num mereret comici
    Pari nitore et elegantia, fuit
    Qui disputaret, et negarunt inscii;
    Et mos gerendus insciis semel fuit;
    Et, ecce, gessit, mentiendi gratia
    Facetiisque, quas Terentius, pater

Amœnitatum, quas Menander, quas merum
Nectar Deorum Plautus et mortalium,
Si sæculo reddantur, agnoscant suas,
Et quas negare non graventur non suas,
Tandem poeta est: fraude, fuco, fabula,
Mendace scena vindicavit se sibi.
Cui Stagiritæ venit in mentem, putas,
Quis qua præivit supputator algebra,
Quis cogitavit illud Euclides prior,
Probare rem verissimam mendacio?

CONSTANTER, 1645.

# A MONSIEUR CORNEILLE
## SUR SA COMÉDIE
### LE MENTEUR

Eh bien! ce beau *Menteur*, cette pièce fameuse,
Qui étonne le Rhin et fait rougir la Meuse,
Et le Tage et le Pô, et le Tibre romain,
De n'avoir rien produit d'égal à cette main,
A ce Plaute rené, à ce nouveau Térence,
La trouve-t-on si loin ou de l'indifférence
Ou du juste mépris des savants d'aujourd'hui?
Je tiens tout au rebours qu'elle a besoin d'appui,
De grâce, de pitié, de faveur affétée,
D'extrême charité, de louange empruntée.
Elle est plate, elle est fade, elle manque de sel,
De pointe et de vigueur; et n'y a carrousel
Où la rage et le vin n'enfante des Corneilles
Capables de fournir de plus fortes merveilles.
   Qu'ai-je dit? Ah! Corneille, aime mon repentir;
Ton excellent *Menteur* m'a porté à mentir.
Il m'a rendu le faux si doux et si aimable,

Que sans m'en aviser, j'ai vu le véritable
Ruiné de crédit, et ai cru constamment
N'y avoir plus d'honneur qu'à mentir vaillamment.
  Après tout, le moyen de s'en pouvoir dédire?
A moins que d'en mentir, je n'en pouvois rien dire.
La plus haute pensée au bas de sa valeur
Devenoit injustice et injure à l'auteur.
Qu'importe donc qu'on mente, ou que d'un foible éloge
A toi et ton *Menteur* faussement on déroge?
Qu'importe que les Dieux se trouvent irrités
De mensonges ou bien de fausses vérités?

CONSTANTER.

## EXAMEN

Cette pièce est en partie traduite, en partie imitée de
l'espagnol. Le sujet m'en semble si spirituel et si bien
tourné, que j'ai dit souvent que je voudrois avoir donné
les deux plus belles que j'aye faites, et qu'il fût de mon
invention. On l'a attribué au fameux Lope de Végue;
mais il m'est tombé depuis peu entre les mains un
volume de don Juan d'Alarcon, où il prétend que cette
comédie est à lui, et se plaint des imprimeurs qui l'ont
fait courir sous le nom d'un autre. Si c'est son bien,
je n'empêche pas qu'il ne s'en ressaisisse. De quelque
main que parte cette comédie, il est constant qu'elle est
très ingénieuse; et je n'ai rien vu dans cette langue qui
m'aye satisfait davantage. J'ai tâché de la réduire à
notre usage et dans nos règles; mais il m'a fallu forcer
mon aversion pour les *a parte,* dont je n'aurois pu la
purger sans lui faire perdre une bonne partie de ses
beautés. Je les ai faits les plus courts que j'ai pu, et je
me les suis permis rarement sans laisser deux acteurs
ensemble qui s'entretiennent tout bas cependant que
d'autres disent ce que ceux-là ne doivent pas écouter.

Cette duplicité d'action particulière ne rompt point l'unité de la principale, mais elle gêne un peu l'attention de l'auditeur, qui ne sait à laquelle s'attacher, et qui se trouve obligé de séparer aux deux ce qu'il est accoutumé de donner à une. L'unité de lieu s'y trouve, en ce que tout s'y passe dans Paris; mais le premier acte est dans les Tuileries, et le reste à la Place Royale, Celle de jour n'y pas forcée, pourvu qu'on lui laisse les vingt et quatre heures entières. Quant à celle d'action, je ne sais s'il n'y a point quelque chose à dire, en ce que Dorante aime Clarice dans toute la pièce, et épouse Lucrèce à la fin, qui par là ne répond pas à la protase. L'auteur espagnol lui donne ainsi le change pour punition de ses menteries, et le réduit à épouser par force cette Lucrèce, qu'il n'aime point. Comme il se méprend toujours au nom, et croit que Clarice porte celui-là, il lui présente la main quand on lui a accordé l'autre et dit hautement, quand on l'avertit de son erreur, que s'il s'est trompé au nom, il ne se trompe point à la personne. Sur quoi, le père de Lucrèce le menace de le tuer s'il n'épouse sa fille après l'avoir demandée et obtenue; et le sien propre lui fait la même menace. Pour moi, j'ai trouvé cette manière de finir un peu dure et cru qu'un mariage moins violenté seroit plus au goût de notre auditoire. C'est ce qui m'a obligé à lui donner une pente vers la personne de Lucrèce au cinquième acte afin qu'après qu'il a reconnu sa méprise aux noms, il fasse de nécessité vertu de meilleure grâce, et que la comédie se termine avec pleine tranquillité de tous côtés.

# LE MENTEUR

# PERSONNAGES

GÉRONTE, *père de Dorante.*

DORANTE, *fils de Géronte.*

ALCIPPE, *ami de Dorante et amant de Clarice.*

PHILISTE, *ami de Dorante et d'Alcippe.*

CLARICE, *maîtresse d'Alcippe.*

LUCRÈCE, *amie de Clarice.*

ISABELLE, *suivante de Clarice.*

SABINE, *femme de chambre de Lucrèce.*

CLITON, *valet de Dorante.*

LYCAS, *valet d'Alcippe.*

La scène est à Paris.

# ACTE I
## SCÈNE PREMIÈRE

*Dorante, Cliton*

**DORANTE**

A la fin j'ai quitté la robe pour l'épée:
L'attente où j'ai vécu n'a point été trompée;
Mon père a consenti que je suive mon choix,
Et j'ai fait banqueroute à ce fatras de lois.
Mais puisque nous voici dedans les Tuileries,            5
Le pays du beau monde et des galanteries,
Dis-moi, me trouves-tu bien fait en cavalier?
Ne vois-tu rien en moi qui sente l'écolier?
Comme il est malaisé qu'aux royaumes du *Code*
On apprenne à se faire un visage à la mode,            10
J'ai lieu d'appréhender . . .

**CLITON**

        Ne craignez rien pour vous:
Vous ferez en une heure ici mille jaloux.
Ce visage et ce port n'ont point l'air de l'école,
Et jamais comme vous on ne peignit Bartole:
Je prévois du malheur pour beaucoup de maris.            15
Mais que vous semble encor maintenant de Paris?

**DORANTE**

J'en trouve l'air bien doux, et cette loi bien rude
Qui m'en avoit banni sous prétexte d'étude.

Toi qui sais les moyens de s'y bien divertir,
Ayant eu le bonheur de n'en jamais sortir,                    20
Dis-moi comme en ce lieu l'on gouverne les dames.

#### CLITON

C'est là le plus beau soin qui vienne aux belles âmes,
Disent les beaux esprits. Mais sans faire le fin,
Vous avez l'appétit ouvert de bon matin:
D'hier au soir seulement vous êtes dans la ville,          25
Et vous vous ennuyez déjà d'être inutile?
Votre humeur sans emploi ne peut passer un jour,
Et déjà vous cherchez à pratiquer l'amour!
Je suis auprès de vous en fort bonne posture
De passer pour un homme à donner tablature;               30
J'ai la taille d'un maître en ce noble métier,
Et je suis, tout au moins, l'intendant du quartier.

#### DORANTE

Ne t'effarouche point: je ne cherche, à vrai dire,
Que quelque connoissance où l'on se plaise à rire,
Qu'on puisse visiter par divertissement,                  35
Où l'on puisse en douceur couler quelque moment.
Pour me connoître mal, tu prends mon sens à gauche.

#### CLITON

J'entends, vous n'êtes pas un homme de débauche,
Et tenez celles-là trop indignes de vous
Que le son d'un écu rend traitables à tous.                40
Aussi que vous cherchiez de ces sages coquettes
Où peuvent tous venants débiter leurs fleurettes,
Mais qui ne font l'amour que de babil et d'yeux,
Vous êtes d'encolure à vouloir un peu mieux.
Loin de passer son temps, chacun le perd chez elles;      45
Et le jeu comme on dit n'en vaut pas les chandelles.
Mais ce seroit pour vous un bonheur sans égal

Que ces femmes de bien qui se gouvernent mal,
Et de qui la vertu, quand on leur fait service,
N'est pas incompatible avec un peu de vice.          50
Vous en verrez ici de toutes les façons.
Ne me demandez point cependant de leçons :
Ou je me connois mal à voir votre visage,
Ou vous n'en êtes pas à votre apprentissage ;
Vos lois ne régloient pas si bien tous vos desseins          55
Que vous eussiez toujours un portefeuille aux mains.

DORANTE

A ne rien déguiser, Cliton, je te confesse
Qu'à Poitiers j'ai vécu comme vit la jeunesse ;
J'étois en ces lieux-là de beaucoup de métiers ;
Mais Paris, après tout, est bien loin de Poitiers.          60
Le climat différent veut une autre méthode ;
Ce qu'on admire ailleurs est ici hors de mode :
La diverse façon de parler et d'agir
Donne aux nouveaux venus souvent de quoi rougir.
Chez les provinciaux on prend ce qu'on rencontre ;          65
Et là, faute de mieux, un sot passe à la montre.
Mais il faut à Paris bien d'autres qualités :
On ne s'éblouit point de ces fausses clartés ;
Et tant d'honnêtes gens, que l'on y voit ensemble,
Font qu'on est mal reçu, si l'on ne leur ressemble.          70

CLITON

Connoissez mieux Paris, puisque vous en parlez.
Paris est un grand lieu plein de marchands mêlés ;
L'effet n'y répond pas toujours à l'apparence :
On s'y laisse duper autant qu'en lieu de France ;
Et parmi tant d'esprits plus polis et meilleurs,          75
Il y croît des badauds autant et plus qu'ailleurs.
Dans la confusion que ce grand monde apporte,
Il y vient de tous lieux des gens de toute sorte ;

Et dans toute la France il est fort peu d'endroits
Dont il n'ait le rebut aussi bien que le choix.                    80
Comme on s'y connoît mal, chacun s'y fait de mise,
Et vaut communément autant comme il se prise:
De bien pires que vous s'y font assez valoir.
Mais pour venir au point que vous voulez savoir,
Êtes vous libéral?

DORANTE

Je ne suis point avare.                    85

CLITON

C'est un secret d'amour et bien grand et bien rare;
Mais il faut de l'adresse à le bien débiter.
Autrement on s'y perd au lieu d'en profiter.
Tel donne à pleines mains qui n'oblige personne:
La façon de donner vaut mieux que ce qu'on donne.    90
L'un perd exprès au jeu son présent déguisé;
L'autre oublie un bijou qu'on auroit refusé.
Un lourdaud libéral auprès d'une maîtresse
Semble donner l'aumône alors qu'il fait largesse;
Et d'un tel contre-temps il fait tout ce qu'il fait,    95
Que quand il tâche à plaire, il offense en effet.

DORANTE

Laissons là ces lourdauds contre qui tu déclames,
Et me dis seulement si tu connois ces dames.

CLITON

Non: cette marchandise est de trop bon aloi;
Ce n'est point là gibier à des gens comme moi;    100
Il est aisé pourtant d'en savoir des nouvelles,
Et bientôt leur cocher m'en dira des plus belles.

DORANTE

Penses-tu qu'il t'en dise?

CLITON

Assez pour en mourir:
Puisque c'est un cocher, il aime à discourir.

## SCÈNE II

*Dorante, Clarice, Lucrèce, Isabelle*

CLARICE, *faisant un faux pas, et comme se laissant choir.*
Ay!

DORANTE, *lui donnant la main.*
Ce malheur me rend un favorable office,          105
Puisqu'il me donne lieu de ce petit service;
Et c'est pour moi, Madame, un bonheur souverain
Que cette occasion de vous donner la main.

CLARICE

L'occasion ici fort peu vous favorise,
Et ce foible bonheur ne vaut pas qu'on le prise.          110

DORANTE

Il est vrai, je le dois tout entier au hasard:
Mes soins ni vos désirs n'y prennent point de part;
Et sa douceur mêlée avec cette amertume
Ne me rend pas le sort plus doux que de coutume,
Puisqu'enfin ce bonheur, que j'ai si fort prisé,          115
A mon peu de mérite eût été refusé.

CLARICE

S'il a perdu sitôt ce qui pouvoit vous plaire,
Je veux être à mon tour d'un sentiment contraire,
Et crois qu'on doit trouver plus de félicité
A posséder un bien sans l'avoir mérité.          120
J'estime plus un don qu'une reconnoissance:

Qui nous donne fait plus que qui nous récompense ;
Et le plus grand bonheur au mérite rendu
Ne fait que nous payer de ce qui nous est dû.
La faveur qu'on mérite est toujours achetée ; 125
L'heur en croît d'autant plus, moins elle est méritée,
Et le bien où sans peine elle fait parvenir
Par le mérite à peine auroit pu s'obtenir.

DORANTE

Aussi ne croyez pas que jamais je prétende
Obtenir par mérite une faveur si grande. 130
J'en sais mieux le haut prix, et mon cœur amoureux,
Moins il s'en connoît digne, et plus s'en tient heureux.
On me l'a pu toujours dénier sans injure ;
Et si la recevant ce cœur même en murmure,
Il se plaint du malheur de ses félicités, 135
Que le hasard lui donne, et non vos volontés.
Un amant a fort peu de quoi se satisfaire
Des faveurs qu'on lui fait sans dessein de les faire :
Comme l'intention seule en forme le prix,
Assez souvent sans elle on les joint au mépris. 140
Jugez par là quel bien peut recevoir ma flamme
D'une main qu'on me donne en me refusant l'âme,
Je la tiens, je la touche et je la touche en vain,
Si je ne puis toucher le cœur avec la main.

CLARICE

Cette flamme, Monsieur, est pour moi fort nouvelle, 145
Puisque j'en viens de voir la première étincelle.
Si votre cœur ainsi s'embrase en un moment,
Le mien ne sut jamais brûler si promptement ;
Mais peut-être à présent que j'en suis avertie,
Le temps donnera place à plus de sympathie. 150
Confessez cependant qu'à tort vous murmurez
Du mépris de vos feux, que j'avois ignorés.

## SCÈNE III

*Dorante, Clarice, Lucrèce, Isabelle, Cliton*

DORANTE

C'est l'effet du malheur qui partout m'accompagne.
Depuis que j'ai quitté les guerres d'Allemagne,
C'est-à-dire du moins depuis un an entier,      155
Je suis et jour et nuit dedans votre quartier ;
Je vous cherche en tous lieux, au bal, aux promenades ;
Vous n'avez que de moi reçu des sérénades ;
Et je n'ai pu trouver que cette occasion
A vous entretenir de mon affection.      160

CLARICE

Quoi ! vous avez donc vu l'Allemagne et la guerre ?

DORANTE

Je m'y suis fait quatre ans craindre comme un tonnerre.

CLITON

Que lui va-t-il conter ?

DORANTE

               Et durant ces quatre ans
Il ne s'est fait combats, ni sièges importants,
Nos armes n'ont jamais remporté de victoire,      165
Où cette main n'ait eu bonne part à la gloire :
Et même la gazette a souvent divulgués . . .

CLITON, *le tirant par la basque.*

Savez-vous bien, Monsieur, que vous extravaguez ?

DORANTE

Tais-toi.

CLITON

Vous rêvez, dis-je, ou . . .

DORANTE

Tais-toi, misérable.

CLITON

Vous venez de Poitiers, ou je me donne au diable;     170
Vous en revîntes hier.

DORANTE, *à Cliton.*

Te tairas-tu, maraud?
Mon nom dans nos succès s'étoit mis assez haut
Pour faire quelque bruit sans beaucoup d'injustice,
Et je suivrois encore un si noble exercice,
N'étoit que l'autre hiver, faisant ici ma cour,     175
Je vous vis, et je fus retenu par l'amour.
Attaqué par vos yeux, je leur rendis les armes;
Je me fis prisonnier de tant d'aimables charmes;
Je leur livrai mon âme; et ce cœur généreux
Dès ce premier moment oublia tout pour eux.     180
Vaincre dans les combats, commander dans l'armée,
De mille exploits fameux enfler ma renommée,
Et tous ces nobles soins qui m'avoient su ravir,
Cédèrent aussitôt à ceux de vous servir.

ISABELLE, *à Clarice, tout bas.*

Madame, Alcippe vient; il aura de l'ombrage.     185

CLARICE

Nous en saurons, Monsieur, quelque jour davantage,
Adieu.

DORANTE

Quoi? me priver sitôt de tout mon bien!

CLARICE

Nous n'avons pas loisir d'un plus long entretien;
Et malgré la douceur de me voir cajolée,
Il faut que nous fassions seules deux tours d'allée.          190

DORANTE

Cependant accordez à mes vœux innocents
La licence d'aimer des charmes si puissants.

CLARICE

Un cœur qui veut aimer, et qui sait comme on aime,
N'en demande jamais licence qu'à soi-même.

SCÈNE IV

*Dorante, Cliton*

DORANTE

Suis-les, Cliton.

CLITON

           J'en sais ce qu'on en peut savoir.          195
La langue du cocher a fait tout son devoir.
"La plus belle des deux, dit-il, est ma maîtresse,
Elle loge à la Place, et son nom est Lucrèce."

DORANTE

Quelle place?

CLITON

        Royale, et l'autre y loge aussi.
Il n'en sait pas le nom, mais j'en prendrai souci.          200

DORANTE

Ne te mets point, Cliton, en peine de l'apprendre.
Celle qui m'a parlé, celle qui m'a su prendre,

C'est Lucrèce, ce l'est sans aucun contredit:
Sa beauté m'en assure, et mon cœur me le dit.

CLITON

Quoique mon sentiment doive respect au vôtre,          205
La plus belle des deux, je crois que ce soit l'autre.

DORANTE

Quoi? celle qui s'est tue, et qui dans nos propos
N'a jamais eu l'esprit de mêler quatre mots?

CLITON

Monsieur, quand une femme a le don de se taire,
Elle a des qualités au-dessus du vulgaire;          210
C'est un effort du ciel qu'on a peine à trouver;
Sans un petit miracle il ne peut l'achever;
Et la nature souffre extrême violence
Lorsqu'il en fait d'humeur à garder le silence.
Pour moi, jamais l'amour n'inquiète mes nuits;          215
Et quand le cœur m'en dit, j'en prends par où je puis;
Mais naturellement femme qui se peut taire
A sur moi tel pouvoir et tel droit de me plaire,
Qu'eût-elle en vrai magot tout le corps fagoté,
Je lui voudrois donner le prix de la beauté.          220
C'est elle assurément qui s'appelle Lucrèce:
Cherchez un autre nom pour l'objet qui vous blesse;
Ce n'est point là le sien: celle qui n'a dit mot,
Monsieur, c'est la plus belle, ou je ne suis qu'un sot.

DORANTE

Je t'en crois sans jurer avec tes incartades.          225
Mais voici les plus chers de mes vieux camarades:
Ils semblent étonnés, à voir leur action.

## SCÈNE V

*Dorante, Alcippe, Philiste, Cliton*

PHILISTE, *à Alcippe.*

Quoi? sur l'eau la musique et la collation?

ALCIPPE, *à Philiste.*

Oui, la collation avecque la musique.

PHILISTE, *à Alcippe.*

Hier au soir?

ALCIPPE, *à Philiste.*

Hier au soir.

PHILISTE, *à Alcippe.*

Et belle?

ALCIPPE, *à Philiste.*

Magnifique.          230

PHILISTE, *à Alcippe.*

Et par qui?

ALCIPPE, *à Philiste.*

C'est de quoi je suis mal éclairci.

DORANTE, *les saluant.*

Que mon bonheur est grand de vous revoir ici!

ALCIPPE

Le mien est sans pareil, puisque je vous embrasse.

DORANTE

J'ai rompu vos discours d'assez mauvaise grâce:
Vous le pardonnerez à l'aise de vous voir.          235

PHILISTE

Avec nous, de tout temps, vous avez tout pouvoir.

DORANTE

Mais de quoi parliez-vous ?

ALCIPPE

D'une galanterie.

DORANTE

D'amour ?

ALCIPPE

Je le présume.

DORANTE

Achevez, je vous prie,
Et souffrez qu'à ce mot ma curiosité
Vous demande sa part de cette nouveauté.          240

ALCIPPE

On dit qu'on a donné musique à quelque dame.

DORANTE

Sur l'eau ?

ALCIPPE

Sur l'eau.

DORANTE

Souvent l'onde irrite la flamme.

PHILISTE

Quelquefois.

DORANTE

Et ce fut hier au soir ?

ALCIPPE

Hier au soir.

DORANTE

Dans l'ombre de la nuit le feu se fait mieux voir:
Le temps étoit bien pris. Cette dame, elle est belle?     245

ALCIPPE

Aux yeux de bien du monde elle passe pour telle.

DORANTE

Et la musique?

ALCIPPE

Assez pour n'en rien dédaigner.

DORANTE

Quelque collation a pu l'accompagner?

ALCIPPE

On le dit.

DORANTE

Fort superbe?

ALCIPPE

Et fort bien ordonnée.

DORANTE

Et vous ne savez point celui qui l'a donnée?     250

ALCIPPE

Vous en riez!

DORANTE

Je ris de vous voir étonné
D'un divertissement que je me suis donné.

ALCIPPE

Vous?

DORANTE

Moi-même.

ALCIPPE

Et déjà vous avez fait maîtresse?

DORANTE

Si je n'en avois fais, j'aurois bien peu d'adresse,
Moi qui depuis un mois suis ici de retour.                    255
Il est vrai que je sors fort peu souvent de jour:
De nuit, *incognito,* je rends quelques visites;
Ainsi . . .

CLITON, à Dorante, à l'oreille.

Vous ne savez, Monsieur, ce que vous dites.

DORANTE

Tais-toi; si jamais plus tu me viens avertir . . .

CLITON

J'enrage de me taire et d'entendre mentir!                    260

PHILISTE, à Alcippe, tout bas.

Voyez qu'heureusement dedans cette rencontre
Votre rival lui-même à vous-même se montre.

DORANTE, revenant à eux.

Comme à mes chers amis je vous veux tout conter.
J'avois pris cinq bateaux pour mieux tout ajuster,
Les quatre contenoient quatre chœurs de musique,                    265
Capables de charmer le plus mélancolique.
Au premier, violons, en l'autre, luths et voix;
Des flûtes, au troisième; au dernier, des hautbois,
Qui tour à tour dans l'air poussoient des harmonies

Dont on pouvoit nommer les douceurs infinies.                    270
Le cinquième était grand, tapissé tout exprès
De rameaux enlacés pour conserver le frais,
Dont chaque extrémité portoit un doux mélange
De bouquets de jasmin, de grenade, et d'orange.
Je fis de ce bateau la salle du festin:                    275
Là je menai l'objet qui fait seul mon destin;
De cinq autres beautés la sienne fut suivie,
Et la collation fut aussitôt servie.
Je ne vous dirai point les différents apprêts,
Le nom de chaque plat, le rang de chaque mets:                    280
Vous saurez seulement qu'en ce lieu de délices
On servit douze plats, et qu'on fit six services,
Cependant que les eaux, les rochers et les airs
Répondoient aux accents de nos quatre concerts.
Après qu'on eut mangé, mille et mille fusées,                    285
S'élançant vers les cieux, ou droites ou croisées,
Firent un nouveau jour, d'où tant de serpenteaux
D'un déluge de flamme attaquèrent les eaux,
Qu'on crut que, pour leur faire une plus rude guerre,
Tout l'élément du feu tomboit du ciel en terre.                    290
Après ce passe-temps on dansa jusqu'au jour,
Dont le soleil jaloux avança le retour:
S'il eût pris notre avis, sa lumière importune
N'eût pas troublé sitôt ma petite fortune;
Mais n'étant pas d'humeur à suivre nos désirs,                    295
Il sépara la troupe et finit nos plaisirs.

ALCIPPE

Certes, vous avez grâce à conter ces merveilles;
Paris, tout grand qu'il est, en voit peu de pareilles.

DORANTE

J'avois été surpris; et l'objet de mes vœux
Ne m'avoit tout au plus donné qu'une heure ou deux.                    300

PHILISTE

Cependant l'ordre est rare, et la dépense belle.

DORANTE

Il s'est fallu passer à cette bagatelle:
Alors que le temps presse, on n'a pas à choisir.

ALCIPPE

Adieu: nous nous verrons avec plus de loisir.

DORANTE

Faites état de moi.

ALCIPPE, *à Philiste, en s'en allant.*

Je meurs de jalousie.                    305

PHILISTE, *à Alcippe.*

Sans raison toutefois votre âme en est saisie:
Les signes du festin ne s'accordent pas bien.

ALCIPPE, *à Philiste.*

Le lieu s'accorde, et l'heure; et le reste n'est rien.

SCÈNE VI

*Cliton, Dorante*

CLITON

Monsieur, puis-je à présent parler sans vous déplaire?

DORANTE

Je remets à ton choix de parler ou te taire;      310
Mais quand tu vois quelqu'un, ne fais plus l'insolent.

CLITON

Votre ordinaire est-il de rêver en parlant?

DORANTE

Où me vois-tu rêver?

CLITON

J'appelle rêveries
Ce qu'en d'autres qu'un maître on nomme menteries;
Je parle avec respect.

DORANTE

Pauvre esprit!

CLITON

Je le perds  315
Quand je vous oy parler de guerre et de concerts.
Vous voyez sans périls nos batailles dernières,
Et faites des festins qui ne vous coûtent guères.
Pourquoi depuis un an vous feindre de retour?  319

DORANTE

J'en montre plus de flamme, et j'en fais mieux ma cour.

CLITON

Qu'a de propre la guerre à montrer votre flamme?

DORANTE

Oh! le beau compliment à charmer une dame,
De lui dire d'abord: "J'apporte à vos beautés
Un cœur nouveau venu des universités;
Si vous avez besoin de lois et de rubriques,  325
Je sais le *Code* entier avec les *Authentiques*,
Le *Digeste* nouveau, le vieux, l'*Infortiat*,
Ce qu'en a dit Jason, Balde, Accurse, Alciat!"

Qu'un si riche discours nous rend considérables!
Qu'on amollit par là de cœurs inexorables!                      330
Qu'un homme à paragraphe est un joli galant!
  On s'introduit bien mieux à titre de vaillant:
Tout le secret ne gît qu'en un peu de grimace,
A mentir à propos, jurer de bonne grâce,
Étaler force mots qu'elles n'entendent pas,                      335
Faire sonner Lamboy, Jean de Vert, et Galas,
Nommer quelques châteaux de qui les noms barbares
Plus ils blessent l'oreille, et plus leur semblent rares,
Avoir toujours en bouche angles, lignes, fossés,
Vedette, contrescarpe, et travaux avancés:                      340
Sans ordre et sans raison, n'importe, on les étonne;
On leur fait admirer les bayes qu'on leur donne,
Et tel, à la faveur d'un semblable débit,
Passe pour homme illustre, et se met en crédit.

CLITON

A qui vous veut ouïr, vous en faites bien croire;               345
Mais celle-ci bientôt peut savoir votre histoire.

DORANTE

J'aurai déjà gagné chez elle quelque accès;
Et loin d'en redouter un malheureux succès,
Si jamais un fâcheux nous nuit par sa présence,
Nous pourrons sous ces mots être d'intelligence.               350
Voilà traiter l'amour, Cliton, et comme il faut.

CLITON

A vous dire le vrai, je tombe de bien haut.
Mais parlons du festin: Urgande et Mélusine
N'ont jamais sur-le-champ mieux fourni leur cuisine;
Vous allez au delà de leurs enchantements:                     355
Vous seriez un grand maître à faire des romans;
Ayant si bien en main le festin et la guerre,

Vos gens en moins de rien courroient toute la terre;
Et ce seroit pour vous des travaux fort légers
Que d'y mêler partout la pompe et les dangers.        360
Ces hautes fictions vous sont bien naturelles.

### DORANTE

J'aime à braver ainsi les conteurs de nouvelles;
Et sitôt que j'en vois quelqu'un s'imaginer
Que ce qu'il veut m'apprendre a de quoi m'étonner,
Je le sers aussitôt d'un conte imaginaire,        365
Qui l'étonne lui-même, et le force à se taire.
Si tu pouvois savoir quel plaisir on a lors
De leur faire rentrer leurs nouvelles au corps . . .

### CLITON

Je le juge assez grand, mais enfin ces pratiques
Vous peuvent engager en de fâcheux intriques.        370

### DORANTE

Nous nous en tirerons; mais tous ces vains discours
M'empêchent de chercher l'objet de mes amours:
Tâchons de le rejoindre, et sache qu'à me suivre
Je t'apprendrai bientôt d'autres façons de vivre.

# ACTE II

## SCÈNE PREMIÈRE

*Géronte, Clarice, Isabelle*

### CLARICE

Je sais qu'il vaut beaucoup étant sorti de vous;        375
Mais, Monsieur, sans le voir accepter un époux,
Par quelque haut récit qu'on en soit conviée,
C'est grande avidité de se voir mariée.

D'ailleurs, en recevoir visite et compliment,
Et lui permettre accès en qualité d'amant,            380
A moins qu'à vos projets un plein effet réponde,
Ce seroit trop donner à discourir au monde.
Trouvez donc un moyen de me le faire voir,
Sans m'exposer au blâme et manquer au devoir.

GÉRONTE

Oui, vous avez raison, belle et sage Clarice:        385
Ce que vous m'ordonnez est la même justice,
Et comme c'est à nous à subir votre loi,
Je reviens tout à l'heure, et Dorante avec moi.
Je le tiendrai longtemps dessous votre fenêtre,
Afin qu'avec loisir vous puissiez le connoître,     390
Examiner sa taille, et sa mine, et son air,
Et voir quel est l'époux que je vous veux donner.
Il vint hier de Poitiers, mais il sent peu l'école;
Et si l'on pouvoit croire un père à sa parole,
Quelque écolier qu'il soit, je dirois qu'aujourd'hui 395
Peu de nos gens de cour sont mieux taillés que lui.
Mais vous en jugerez après la voix publique.
Je cherche à l'arrêter, parce qu'il m'est unique,
Et je brûle surtout de le voir sous vos lois.

CLARICE

Vous m'honorez beaucoup d'un si glorieux choix:      400
Je l'attendrai, Monsieur, avec impatience,
Et je l'aime déjà sur cette confiance.

<h2 style="text-align:center">SCÈNE II</h2>

Isabelle, Clarice

ISABELLE

Ainsi, vous le verrez, et sans vous engager.

CLARICE

Mais pour le voir ainsi qu'en pourrai-je juger ?
J'en verrai le dehors, la mine, l'apparence ;                405
Mais du reste, Isabelle, où prendre l'assurance ?
Le dedans paroît mal en ces miroirs flatteurs ;
Les visages souvent sont de doux imposteurs.
Que de défauts d'esprit se couvrent de leurs grâces,
Et que de beaux semblants cachent des âmes basses ! 410
Les yeux en ce grand choix ont la première part ;
Mais leur déférer tout, c'est tout mettre au hasard :
Qui veut vivre en repos ne doit pas leur déplaire,
Mais sans leur obéir, il doit les satisfaire,
En croire leur refus, et non pas leur aveu,                415
Et sur d'autres conseils laisser naître son feu.
Cette chaîne, qui dure autant que notre vie,
Et qui devroit donner plus de peur que d'envie,
Si l'on n'y prend bien garde, attache assez souvent
Le contraire au contraire, et le mort au vivant ;        420
Et pour moi, puisqu'il faut qu'elle me donne un maître,
Avant que l'accepter je voudrois le connoître,
Mais connoître dans l'âme.

ISABELLE

                    Eh bien ! qu'il parle à vous.

CLARICE

Alcippe le sachant en deviendroit jaloux.

ISABELLE

Qu'importe qu'il le soit, si vous avez Dorante ?        425

CLARICE

Sa perte ne m'est pas encore indifférente ;
Et l'accord de l'hymen entre nous concerté,

Si son père venoit, seroit exécuté.
Depuis plus de deux ans il promet et diffère:
Tantôt c'est maladie, et tantôt quelque affaire;     430
Le chemin est mal sûr, ou les jours sont trop courts,
Et le bonhomme enfin ne peut sortir de Tours.
Je prends tous ces délais pour une résistance,
Et ne suis pas d'humeur à mourir de constance.
Chaque moment d'attente ôte de notre prix,     435
Et fille qui vieillit tombe dans le mépris:
C'est un nom glorieux qui se garde avec honte,
Sa défaite est fâcheuse à moins que d'être prompte,
Le temps n'est pas un Dieu qu'elle puisse braver,
Et son honneur se perd à le trop conserver.     440

### ISABELLE

Ainsi vous quitteriez Alcippe pour un autre
De qui l'humeur auroit de quoi plaire à la vôtre?

### CLARICE

Oui, je le quitterois; mais pour ce changement
Il me faudroit en main avoir un autre amant,
Savoir qu'il me fût propre, et que son hyménée     445
Dût bientôt à la sienne unir ma destinée.
Mon humeur sans cela ne s'y résout pas bien,
Car Alcippe, après tout, vaut toujours mieux que rien;
Son père peut venir, quelque long temps qu'il tarde.

### ISABELLE

Pour en venir à bout sans que rien s'y hasarde,     450
Lucrèce est votre amie, et peut beaucoup pour vous;
Elle n'a point d'amants qui deviennent jaloux:
Qu'elle écrive à Dorante, et lui fasse paroître
Qu'elle veut cette nuit le voir par sa fenêtre.
Come il est jeune encore, on l'y verra voler;     455
Et là, sous ce faux nom, vous pourrez lui parler,

Sans qu'Alcippe jamais en découvre l'adresse,
Ni que lui-même pense à d'autres qu'à Lucrèce.

CLARICE

L'invention est belle, et Lucrèce aisément
Se résoudra pour moi d'écrire un compliment:          460
J'admire ton adresse à trouver cette ruse.

ISABELLE

Puis-je vous dire encor que si je ne m'abuse,
Tantôt cet inconnu ne vous déplaisoit pas?

CLARICE

Ah! bon Dieu! si Dorante avoit autant d'appas,
Que d'Alcippe aisément il obtiendroit la place!          465

ISABELLE

Ne parlez pas d'Alcippe; il vient.

CLARICE

                                 Qu'il  m'embarrasse!
Va pour moi chez Lucrèce, et lui dis mon projet,
Et tout ce qu'on peut dire en un pareil sujet.

SCÈNE III

*Clarice, Alcippe*

ALCIPPE

Ah! Clarice, ah! Clarice, inconstante! volage!

CLARICE

Auroit-il deviné déjà ce mariage?          470
Alcippe, qu'avez-vous? qui vous fait soupirer?

**ALCIPPE**

Ce que j'ai, déloyale! et peux-tu l'ignorer?
Parle à ta conscience, elle devroit t'apprendre . . .

**CLARICE**

Parlez un peu plus bas, mon père va descendre.

**ALCIPPE**

Ton père va descendre, âme double et sans foi!          475
Confesse que tu n'as un père que pour moi.
La nuit, sur la rivière . . .

**CLARICE**

                    Eh bien! sur la rivière?
La nuit! quoi? qu'est-ce enfin?

**ALCIPPE**

                    Oui, la nuit tout entière.

**CLARICE**

Après?

**ALCIPPE**

Quoi! sans rougir?

**CLARICE**

                    Rougir! à quel propos?

**ALCIPPE**

Tu ne meurs pas de honte, entendant ces deux mots?          480

**CLARICE**

Mourir pour les entendre! et qu'ont-ils de funeste?

ALCIPPE

Tu peux donc les ouïr et demander le reste?
Ne saurois-tu rougir, si je ne te dis tout?

CLARICE

Quoi, tout?

ALCIPPE

Tes passe-temps de l'un à l'autre bout.

CLARICE

Je meure en vos discours si je puis rien comprendre!  485

ALCIPPE

Quand je te veux parler, ton père va descendre,
Il t'en souvient alors; le tour est excellent!
Mais pour passer la nuit auprès de ton galant . . .

CLARICE

Alcippe, êtes-vous fol?

ALCIPPE

Je n'ai plus lieu de l'être,
A présent que le ciel me fait te mieux connoître.  490
Oui, pour passer la nuit en danses et festin,
Être avec ton galant du soir jusqu'au matin
(Je ne parle que d'hier), tu n'as point lors de père.

CLARICE

Rêvez-vous? raillez-vous? et quel est ce mystère?

ALCIPPE

Ce mystère est nouveau, mais non pas fort secret:  495
Choisis une autre fois un amant plus discret;
Lui-même il m'a tout dit.

CLARICE

Qui, lui-même?

ALCIPPE

Dorante.

CLARICE

Dorante!

ALCIPPE

Continue, et fais bien l'ignorante.

CLARICE

Si je le vis jamais et si je le connoi! . . .

ALCIPPE

Ne viens-je pas de voir son père avecque **toi**?  500
Tu passes, infidèle, âme ingrate et légère,
La nuit avec le fils, le jour avec le père!

CLARICE

Son père, de vieux temps, est grand ami du mien.

ALCIPPE

Cette vieille amitié faisoit votre entretien?
Tu te sens convaincue, et tu m'oses répondre!  505
Te faut-il quelque chose encor pour te confondre?

CLARICE

Alcippe, si je sais quel visage a le fils . . .

ALCIPPE

La nuit étoit fort noire alors que tu le vis.
Il ne t'a pas donné quatre chœurs de musique,
Une collation superbe et magnifique,  510
Six services de rang, douze plats à chacun?

Son entretien alors t'étoit fort importun?
Quand ses feux d'artifice éclairoient le rivage,
Tu n'eus pas le loisir de le voir au visage?
Tu n'as pas avec lui dansé jusques au jour,                    515
Et tu ne l'as pas vu pour le moins au retour?
T'en ai-je dit assez? Rougis, et meurs de honte.

CLARICE

Je ne rougirai point pour le récit d'un conte.

ALCIPPE

Quoi! je suis donc un fourbe, un bizarre, un jaloux?

CLARICE

Quelqu'un a pris plaisir à se jouer de vous,                    520
Alcippe; croyez-moi.

ALCIPPE

                    Ne cherche point d'excuses;
Je connois tes détours, et devine tes ruses.
Adieu: suis ton Dorante, et l'aime désormais;
Laisse en repos Alcippe, et n'y pense jamais.

CLARICE

Écoutez quatre mots.

ALCIPPE

                    Ton père va descendre.                    525

CLARICE

Non, il ne descend point, et ne peut nous entendre;
Et j'aurai tout loisir de vous désabuser.

ALCIPPE

Je ne t'écoute point, à moins que m'épouser,
A moins qu'en attendant le jour du mariage,
M'en donner ta parole et deux baisers en gage.                    530

CLARICE

Pour me justifier vous demandez de moi,
Alcippe?

ALCIPPE

Deux baisers, et ta main, et ta foi.

CLARICE

Que cela?

ALCIPPE

Résous-toi, sans plus me faire attendre.

CLARICE

Je n'ai pas le loisir, mon père va descendre.

## SCÈNE IV

*Alcippe*

ALCIPPE

Va, ris de ma douleur alors que je te perds;               535
Par ces indignités romps toi-même mes fers;
Aide mes feux trompés à se tourner en glace;
Aide un juste courroux à se mettre en leur place.
Je cours à la vengeance, et porte à ton amant
Le vif et prompt effet de mon ressentiment.              540
S'il est homme de cœur, ce jour même nos armes
Régleront par leur sort tes plaisirs ou tes larmes;
Et plutôt que le voir possesseur de mon bien,
Puissé-je dans son sang voir couler tout le mien!
Le voici, ce rival, que son père t'amène:               545
Ma vieille amitié cède à ma nouvelle haine;
Sa vue accroît l'ardeur dont je me sens brûler:
Mais ce n'est pas ici qu'il faut le quereller.

## SCÈNE V

*Géronte, Dorante, Cliton*

GÉRONTE

Dorante, arrêtons-nous ; le trop de promenade
Me mettroit hors d'haleine, et me feroit malade.                550
Que l'ordre est rare et beau de ces grands bâtiments !

DORANTE

Paris semble à mes yeux un pays de romans.
J'y croyois ce matin voir une île enchantée :
Je la laissai déserte, et la trouve habitée ;
Quelque Amphion nouveau, sans l'aide des maçons,          555
En superbes palais a changé ses buissons.

GÉRONTE

Paris voit tous les jours de ces métamorphoses :
Dans tout le Pré-aux-Clercs tu verras mêmes choses,
Et l'univers entier ne peut rien voir d'égal
Aux superbes dehors du palais Cardinal.                         560
Toute une ville entière, avec pompe bâtie,
Semble d'un vieux fossé par miracle sortie,
Et nous fait présumer, à ses superbes toits,
Que tous ses habitants sont des dieux ou des rois.         564
Mais changeons de discours. Tu sais combien je t'aime ?

DORANTE

Je chéris cet honneur bien plus que le jour même.

GÉRONTE

Comme de mon hymen il n'est sorti que toi,
Et que je te vois prendre un périlleux emploi,
Où l'ardeur pour la gloire à tout oser convie,
Et force à tous moments de négliger la vie,                      570

Avant qu'aucun malheur te puisse être avenu,
Pour te faire marcher un peu plus retenu,
Je te veux marier.

DORANTE

Oh! ma chère Lucrèce!

GÉRONTE

Je t'ai voulu choisir moi-même une maîtresse,
Honnête, belle, riche.

DORANTE

Ah! pour la bien choisir,   575
Mon père, donnez-vous un peu plus de loisir.

GÉRONTE

Je la connois assez: Clarice est belle et sage,
Autant que dans Paris il en soit de son âge;
Son père de tout temps est mon plus grand ami,
Et l'affaire est conclue.

DORANTE

Ah! Monsieur, j'en frémi.   580
D'un fardeau si pesant accabler ma jeunesse!

GÉRONTE

Fais ce que je t'ordonne.

DORANTE

Il faut jouer d'adresse.
Quoi? Monsieur, à présent qu'il faut dans les combats
Acquérir quelque nom, et signaler mon bras . . .

GÉRONTE

Avant qu'être au hasard qu'un autre bras t'immole,   585
Je veux dans ma maison avoir qui m'en console;
Je veux qu'un petit-fils puisse y tenir ton rang,

Soutenir ma vieillesse et réparer mon sang.
En un mot, je le veux.

DORANTE

Vous êtes inflexible !

GÉRONTE

Fais ce que je te dis.

DORANTE

Mais s'il est impossible ?          590

GÉRONTE

Impossible ! et comment ?

DORANTE

Souffrez qu'aux yeux de tous
Pour obtenir pardon j'embrasse vos genoux.
Je suis . . .

GÉRONTE

Quoi ?

DORANTE

Dans Poitiers . . .

GÉRONTE

Parle donc, et te lève.

DORANTE

Je suis donc marié, puisqu'il faut que j'achève.

GÉRONTE

Sans mon consentement ?

DORANTE

On m'a violenté :          595
Vous ferez tout casser par votre autorité,

Mais nous fûmes tous deux forcés à l'hyménée
Par la fatalité la plus inopinée . . .
Ah! si vous le saviez!

GÉRONTE

Dis, ne me cache rien.

DORANTE

Elle est de fort bon lieu, mon père; et pour son bien, 600
S'il n'est du tout si grand que votre humeur souhaite . . .

GÉRONTE

Sachons, à cela près, puisque c'est chose faite.
Elle se nomme?

DORANTE

Orphise; et son père, Armédon.

GÉRONTE

Je n'ai jamais ouï ni l'un ni l'autre nom.
Mais poursuis.

DORANTE

Je la vis presque à mon arrivée.        605
Une âme de rocher ne s'en fût pas sauvée,
Tant elle avoit d'appas, et tant son œil vainqueur
Par une douce force assujettit mon cœur!
Je cherchai donc chez elle à faire connoissance;
Et les soins obligeants de ma persévérance       610
Surent plaire de sorte à cet objet charmant,
Que j'en fus en six mois autant aimé qu'amant.
J'en reçus des faveurs secrètes, mais honnêtes;
Et j'étendis si loin mes petites conquêtes,
Qu'en son quartier souvent je me coulois sans bruit,   615
Pour causer avec elle une part de la nuit.
Un soir que je venois de monter dans sa chambre
(Ce fut, s'il m'en souvient, le second de septembre;

Oui, ce fut ce jour-là que je fus attrapé),
Ce soir même son père en ville avoit soupé;          620
Il monte à son retour, il frappe à la porte: elle
Transit, pâlit, rougit, me cache en sa ruelle,
Ouvre enfin, et d'abord (qu'elle eut d'esprit et d'art!)
Elle se jette au cou de ce pauvre vieillard,
Dérobe en l'embrassant son désordre à sa vue:          625
Il se sied; il lui dit qu'il veut la voir pourvue;
Lui propose un parti qu'on lui venoit d'offrir.
Jugez combien mon cœur avoit lors à souffrir!
Par sa réponse adroite elle sut si bien faire,
Que sans m'inquiéter elle plut à son père.          630
Ce discours ennuyeux enfin se termina,
Le bonhomme partoit quand ma montre sonna;
Et lui, se retournant vers sa fille étonnée:
"Depuis quand cette montre? Et qui vous l'a donnée?
—Acaste, mon cousin, me la vient d'envoyer,          635
Dit-elle, et veut ici la faire nettoyer,
N'ayant point d'horlogiers au lieu de sa demeure;
Elle a déjà sonné deux fois en un quart d'heure.
—Donnez-la moi, dit-il, j'en prendrai mieux le soin."
Alors pour me la prendre elle vient en mon coin,          640
Je la lui donne en main; mais voyez ma disgrâce,
Avec mon pistolet le cordon s'embarrasse,
Fait marcher le déclin: le feu prend, le coup part;
Jugez de notre trouble à ce triste hasard.
Elle tombe par terre; et moi, je la crus morte.          645
Le père épouvanté gagne aussitôt la porte;
Il appelle au secours, il crie à l'assassin:
Son fils et deux valets me coupent le chemin.
Furieux de ma perte, et combattant de rage,
Au milieu de tous trois je me faisois passage,          650
Quand un autre malheur de nouveau me perdit;
Mon épée en ma main en trois morceaux rompit.
Désarmé, je recule, et rentre: alors Orphise,

De sa frayeur première aucunement remise,
Sait prendre un temps si juste en son reste d'effroi,   655
Qu'elle pousse la porte et s'enferme avec moi.
Soudain nous entassons, pour défenses nouvelles,
Bancs, tables, coffres, lits, et jusqu'aux escabelles:
Nous nous barricadons, et dans ce premier feu,
Nous croyons gagner tout à différer un peu.   660
Mais comme à ce rempart l'un et l'autre travaille,
D'une chambre voisine on perce la muraille:
Alors me voyant pris, il fallut composer.

*(Ici Clarice les voit de sa fenêtre; et Lucrèce, avec Isabelle,*
*les voit aussi de la sienne.)*

### GÉRONTE

C'est-à-dire en françois qu'il fallut l'épouser?

#### DORANTE

Les siens m'avoient trouvé de nuit seul avec elle.   665
Ils étoient les plus forts, elle me sembloit belle,
Le scandale étoit grand, son honneur se perdoit;
A ne le faire pas ma tête en répondoit;
Ses grands efforts pour moi, son péril, et ses larmes,
A mon cœur amoureux étoient de nouveaux charmes:   670
Donc, pour sauver ma vie ainsi que son honneur,
Et me mettre avec elle au comble du bonheur,
Je changeai d'un seul mot la tempête en bonace,
Et fis ce que tout autre auroit fait à ma place.
Choisissez maintenant de me voir ou mourir,   675
Ou posséder un bien qu'on ne peut trop chérir.

### GÉRONTE

Non, non, je ne suis pas si mauvais que tu penses,
Et trouve en ton malheur de telles circonstances,
Que mon amour t'excuse; et mon esprit touché
Te blâme seulement de l'avoir trop caché.   680

DORANTE

Le peu de bien qu'elle a me faisoit vous le taire.

GÉRONTE

Je prends peu garde au bien, afin d'être bon père.
Elle est belle, elle est sage, elle sort de bon lieu,
Tu l'aimes, elle t'aime ; il me suffit. Adieu :
Je vais me dégager du père de Clarice.          685

## SCÈNE VI

*Dorante, Cliton*

DORANTE

Que dis-tu de l'histoire, et de mon artifice ?
Le bonhomme en tient-il ? m'en suis-je bien tiré ?
Quelque sot en ma place y seroit demeuré ;
Il eût perdu le temps à gémir et se plaindre,
Et, malgré son amour, se fût laissé contraindre.          690
Oh ! l'utile secret que mentir à propos.

CLITON

Quoi ? ce que vous disiez n'est pas vrai ?

DORANTE

                              Pas deux mots ;
Et tu ne viens d'ouïr qu'un trait de gentillesse
Pour conserver mon âme et mon cœur à Lucrèce.

CLITON

Quoi ? la montre, l'épée, avec le pistolet . . .          695

DORANTE

Industrie.

CLITON

Obligez, Monsieur, votre valet:
Quand vous voudrez jouer de ces grands coups de maître,
Donnez-lui quelque signe à les pouvoir connoître;
Quoique bien averti, j'étois dans le panneau.

DORANTE

Va, n'appréhende pas d'y tomber de nouveau:                    700
Tu seras de mon cœur l'unique secrétaire,
Et de tous mes secrets le grand dépositaire.

CLITON

Avec ces qualités j'ose bien espérer
Qu'assez malaisément je pourrai m'en parer.
Mais parlons de vos feux. Certes cette maîtresse . . . 705

SCÈNE VII

*Dorante, Cliton, Sabine*

SABINE

(*Elle lui donne un billet.*)

Lisez ceci, Monsieur.

DORANTE

D'où vient-il?

SABINE

De Lucrèce.

DORANTE, *après l'avoir lu.*

Dis-lui que j'y viendrai.
(*Sabine rentre, et Dorante continue.*)
Doute encore, Cliton,
A laquelle des deux appartient ce beau nom.

Lucrèce sent sa part des feux qu'elle fait naître,
Et me veut cette nuit parler par sa fenêtre.          710
Dis encor que c'est l'autre, ou que tu n'es qu'un sot.
Qu'auroit l'autre à m'écrire, à qui je n'ai dit mot?

CLITON

Monsieur, pour ce sujet n'ayons point de querelle:
Cette nuit, à la voix, vous saurez si c'est elle.

DORANTE

Coule-toi là dedans, et de quelqu'un des siens          715
Sache subtilement sa famille et ses biens.

## SCÈNE VIII

### Dorante, Lycas

LYCAS, *présentant un billet.*

Monsieur.

DORANTE

Autre billet.
(*Il continue, après avoir lu tout bas le billet.*)
                    J'ignore quelle offense
Peut d'Alcippe avec moi rompre l'intelligence;
Mais n'importe, dis-lui que j'irai volontiers.
Je te suis.
        (*Lycas rentre, et Dorante continue seul.*)
            Je revins hier au soir de Poitiers,          720
D'aujourd'hui seulement je produis mon visage,
Et j'ai déjà querelle, amour et mariage:
Pour un commencement ce n'est point mal trouvé;
Vienne encore un procès, et je suis achevé.
Se charge qui voudra d'affaires plus pressantes,          725
Plus en nombre à la fois et plus embarrassantes:

Je pardonne à qui mieux s'en pourra démêler.
Mais allons voir celui qui m'ose quereller.


## ACTE III

### SCÈNE PREMIÈRE

*Dorante, Alcippe, Philiste*

#### PHILISTE

Oui, vous faisiez tous deux en hommes de courage,
Et n'aviez l'un ni l'autre aucun désavantage.      730
Je rends grâces au ciel de ce qu'il a permis
Que je sois survenu pour vous refaire amis,
Et que, la chose égale, ainsi je vous sépare:
Mon heur en est extrême, et l'aventure rare.

#### DORANTE

L'aventure est encor bien plus rare pour moi,      735
Qui lui faisois raison sans avoir su de quoi.
Mais, Alcippe, à présent tirez-moi hors de peine:
Quel sujet aviez-vous de colère ou de haine?
Quelque mauvais rapport m'auroit-il pu noircir?
Dites, que devant lui je vous puisse éclaircir.      740

#### ALCIPPE

Vous le savez assez.

#### DORANTE

　　　　　　　　Plus je me considère,
Moins je découvre en moi ce qui vous peut déplaire.

#### ALCIPPE

Eh bien! puisqu'il vous faut parler plus clairement,
Depuis plus de deux ans j'aime secrètement;
Mon affaire est d'accord et la chose vaut faite;      745

Mais pour quelque raison nous la tenons secrète.
Cependant à l'objet qui me tient sous sa loi,
Et qui sans me trahir ne peut être qu'à moi,
Vous avez donné bal, collation, musique ;
Et vous n'ignorez pas combien cela me pique,          750
Puisque, pour me jouer un si sensible tour,
Vous m'avez à dessein caché votre retour,
Et n'avez aujourd'hui quitté votre embuscade
Qu'afin de m'en conter l'histoire par bravade.
Ce procédé m'étonne, et j'ai lieu de penser          755
Que vous n'avez rien fait qu'afin de m'offenser.

### DORANTE

Si vous pouviez encore douter de mon courage,
Je ne vous guérirois ni d'erreur ni d'ombrage,
Et nous nous reverrions, si nous étions rivaux ;
Mais comme vous savez tous deux ce que je vaux,          760
Écoutez en deux mots l'histoire démêlée :
Celle que cette nuit sur l'eau j'ai régalée
N'a pu vous donner lieu de devenir jaloux ;
Car elle est mariée, et ne peut être à vous.
Depuis peu pour affaire elle est ici venue,          765
Et je ne pense pas qu'elle vous soit connue.

### ALCIPPE

Je suis ravi, Dorante, en cette occasion,
De voir finir sitôt notre division.

### DORANTE

Alcippe, une autre fois donnez moins de croyance
Aux premiers mouvements de votre défiance ;          770
Jusqu'à mieux savoir tout sachez vous retenir,
Et ne commencez pas par où l'on doit finir.
Adieu : je suis à vous.

## SCÈNE II

*Alcippe, Philiste*

#### PHILISTE

Ce cœur encor soupire.

#### ALCIPPE

Hélas! je sors d'un mal pour tomber dans un pire.
Cette collation, qui l'aura pu donner?                          775
A qui puis-je m'en prendre? et que m'imaginer?

#### PHILISTE

Que l'ardeur de Clarice est égale à vos flammes.
Cette galanterie était pour d'autres dames.
L'erreur de votre page a causé votre ennui;
S'étant trompé lui-même, il vous trompe après lui.            780
J'ai tout su de lui-même et des gens de Lucrèce.
Il avoit vu chez elle entrer votre maîtresse;
Mais il n'avoit pas vu qu'Hippolyte et Daphné
Ce jour-là, par hasard, chez elle avoient dîné.
Il les en voit sortir, mais à coiffe abattue,                785
Et sans les approcher il suit de rue en rue;
Aux couleurs, au carrosse, il ne doute de rien;
Tout étoit à Lucrèce, et le dupe si bien,
Que prenant ces beautés pour Lucrèce et Clarice,
Il rend à votre amour un très mauvais service.               790
Il les voit donc aller jusques au bord de l'eau,
Descendre de carrosse, entrer dans un bateau;
Il voit porter des plats, entend quelque musique
(A ce que l'on m'a dit, assez mélancolique).
Mais cessez d'en avoir l'esprit inquiété;                     795
Car enfin le carrosse avoit été prêté:
L'avis se trouve faux; et ces deux autres belles
Avoient en plein repos passé la nuit chez elles.

ALCIPPE

Quel malheur est le mien ! Ainsi donc sans sujet
J'ai fait ce grand vacarme à ce charmant objet ?          800

PHILISTE

Je ferai votre paix. Mais sachez autre chose :
Celui qui de ce trouble est la seconde cause,
Dorante, qui tantôt nous en a tant conté
De son festin superbe et sur l'heure apprêté,
Lui qui depuis un mois nous cachant sa venue,          805
La nuit, *incognito,* visite une inconnue,
Il vint hier de Poitiers, et sans faire aucun bruit,
Chez lui paisiblement a dormi toute nuit.

ALCIPPE

Quoi ! sa collation . . .

PHILISTE

                    N'est rien qu'un pur mensonge ;
Ou, quand il l'a donnée, il l'a donnée en songe.          810

ALCIPPE

Dorante, en ce combat si peu prémédité,
M'a fait voir trop de cœur pour tant de lâcheté.
La valeur n'apprend point la fourbe en son école :
Tout homme de courage est homme de parole ;
A des vices si bas il ne peut consentir,          815
Et fuit plus que la mort la honte de mentir.
Cela n'est point.

PHILISTE

                    Dorante, à ce que je présume,
Est vaillant par nature et menteur par coutume.
Ayez sur ce sujet moins d'incrédulité,
Et vous-même admirez notre simplicité :          820
A nous laisser duper nous sommes bien novices.
Une collation servie à six services,

Quatre concerts entiers, tant de plats, tant de feux,
Tout cela cependant prêt en une heure ou deux,
Comme si l'appareil d'une telle cuisine                     825
Fût descendu du ciel dedans quelque machine.
Quiconque le peut croire ainsi que vous et moi,
S'il a manque de sens, n'a pas manque de foi.
Pour moi, je voyois bien que tout ce badinage
Répondoit assez mal aux remarques du page;                 830
Mais vous?

### ALCIPPE

      La jalousie aveugle un cœur atteint,
Et sans examiner, croit tout ce qu'elle craint.
Mais laissons là Dorante avecque son audace;
Allons trouver Clarice et lui demander grâce:
Elle pouvoit tantôt m'entendre sans rougir.                 835

### PHILISTE

Attendez à demain et me laissez agir;
Je veux par ce récit vous préparer la voie,
Dissiper sa colère et lui rendre sa joie.
Ne vous exposez point, pour gagner un moment,
Aux premières chaleurs de son ressentiment.                 840

### ALCIPPE

Si du jour qui s'enfuit la lumière est fidèle,
Je pense l'entrevoir avec son Isabelle
Je suivrai tes conseils, et fuirai son courroux
Jusqu'à ce qu'elle ait ri de m'avoir vu jaloux.

# SCÈNE III

### *Clarice, Isabelle*

### CLARICE

Isabelle, il est temps, allons trouver Lucrèce.            845

#### ISABELLE

Il n'est pas encor tard, et rien ne vous en presse.
Vous avez un pouvoir bien grand sur son esprit:
A peine ai-je parlé, qu'elle a sur l'heure écrit.

#### CLARICE

Clarice à la servir ne seroit pas moins prompte.
Mais dis, par sa fenêtre as-tu bien vu Géronte?          850
Et sais-tu que ce fils qu'il m'avoit tant vanté
Est ce même inconnu qui m'en a tant conté?

#### ISABELLE

A Lucrèce avec moi je l'ai fait reconnoître;
Et sitôt que Géronte a voulu disparoître,
Le voyant resté seul avec un vieux valet,          855
Sabine à nos yeux même a rendu le billet.
Vous parlerez à lui.

#### CLARICE

                    Qu'il est fourbe, Isabelle.

#### ISABELLE

Eh bien! cette pratique est-elle si nouvelle?
Dorante est-il le seul qui de jeune écolier
Pour être mieux reçu s'érige en cavalier?          860
Que j'en sais comme lui qui parlent d'Allemagne,
Et si l'on veut les croire, ont vu chaque campagne!
Sur chaque occasion tranchent des entendus,
Content quelque défaite, et des chevaux perdus;
Qui dans une gazette apprenant ce langage,          865
S'ils sortent de Paris, ne vont qu'à leur village,
Et se donnent ici pour témoins approuvés
De tous ces grands combats qu'ils ont lus ou rêvés!
Il aura cru sans doute, ou je suis fort trompée,
Que les filles de cœur aiment les gens d'épée;          870

Et vous prenant pour telle, il a jugé soudain
Qu'une plume au chapeau vous plaît mieux qu'à la main.
Ainsi donc, pour vous plaire, il a voulu paroître,
Non pas pour ce qu'il est, mais pour ce qu'il veut être,
Et s'est osé promettre un traitement plus doux         875
Dans la condition qu'il veut prendre pour vous.

CLARICE

En matière de fourbe il est maître, il y pipe;
Après m'avoir dupée, il dupe encore Alcippe.
Ce malheureux jaloux s'est blessé le cerveau
D'un festin qu'hier au soir il m'a donné sur l'eau         880
(Juge un peu si la pièce a la moindre apparence).
Alcippe cependant m'accuse d'inconstance,
Me fait une querelle où je ne comprends rien.
J'ai, dit-il, toute nuit souffert son entretien;
Il me parle de bal, de danse, de musique,         885
D'une collation superbe et magnifique,
Servie à tant de plats, tant de fois redoublés,
Que j'en ai la cervelle et les esprits troublés.

ISABELLE

Reconnoissez par là que Dorante vous aime,
Et que dans son amour son adresse est extrême;         890
Il aura su qu'Alcippe étoit bien avec vous,
Et pour l'en éloigner il l'a rendu jaloux.
Soudain à cet effort il en a joint un autre:
Il a fait que son père est venu voir le vôtre.
Un amant peut-il mieux agir en un moment         895
Que de gagner un père et brouiller l'autre amant!
Votre père l'agrée, et le sien vous souhaite;
Il vous aime, il vous plaît: c'est une affaire faite.

CLARICE

Elle est faite, de vrai, ce qu'elle se fera.

ISABELLE

Quoi? votre cœur se change, et désobéira?                    900

CLARICE

Tu vas sortir de garde, et perdre tes mesures.
Explique, si tu peux, encor ses impostures:
Il étoit marié sans que l'on en sût rien;
Et son père a repris sa parole du mien,
Fort triste de visage et fort confus dans l'âme.          905

ISABELLE

Ah! je dis à mon tour: "Qu'il est fourbe, Madame!"
C'est bien aimer la fourbe, et l'avoir bien en main,
Que de prendre plaisir à fourber sans dessein.
Car pour moi, plus j'y songe, et moins je puis comprendre
Quel fruit auprès de vous il en ose prétendre.          910
Mais qu'allez-vous donc faire? et pourquoi lui parler?
Est-ce à dessein d'en rire, ou de le quereller?

CLARICE

Je prendrai du plaisir du moins à le confondre.

ISABELLE

J'en prendrois davantage à le laisser morfondre.

CLARICE

Je veux l'entretenir par curiosité.                    915
Mais j'entrevois quelqu'un dans cette obscurité,
Et si c'étoit lui-même, il pourroit me connoître;
Entrons donc chez Lucrèce, allons à sa fenêtre,
Puisque c'est sous son nom que je lui dois parler.
Mon jaloux, après tout, sera mon pis aller:          920
Si sa mauvaise humeur déjà n'est apaisée,
Sachant ce que je sais, la chose est fort aisée.

## SCÈNE IV

*Dorante, Cliton*

#### DORANTE

Voici l'heure et le lieu que marque le billet.

#### CLITON

J'ai su tout ce détail d'un ancien valet:
Son père est de la robe, et n'a qu'elle de fille;                925
Je vous ai dit son bien, son âge, et sa famille.
Mais, Monsieur, ce seroit pour me bien divertir,
Si comme vous Lucrèce excelloit à mentir:
Le divertissement seroit rare, ou je meure!
Et je voudrois qu'elle eût ce talent pour une heure;          930
Qu'elle pût un moment vous piper en votre art,
Rendre conte pour conte, et martre pour renard:
D'un et d'autre côté j'en entendrois de bonnes.

#### DORANTE

Le ciel fait cette grâce à fort peu de personnes:
Il y faut promptitude, esprit, mémoire, soins,               935
Ne se brouiller jamais, et rougir encor moins.
Mais la fenêtre s'ouvre, approchons.

## SCÈNE V

*Clarice, Lucrèce, Isabelle, à la fênetre;*
*Dorante, Cliton, en bas.*

#### CLARICE, à Isabelle.

Isabelle,
Durant notre entretien demeure en sentinelle.

ISABELLE

Lorsque votre vieillard sera prêt à sortir,
Je ne manquerai pas de vous en avertir.        940
   (*Isabelle descend de la fenêtre, et ne se montre plus.*)

LUCRÈCE, *à Clarice.*

Il conte assez au long ton histoire à mon père.
Mais parle sous mon nom, c'est à moi de me taire.

CLARICE

Êtes-vous là, Dorante?

DORANTE

                    Oui, Madame, c'est moi,
Qui veux vivre et mourir sous votre seule loi.

LUCRÈCE, *à Clarice.*

Sa fleurette pour toi prend encor même style.        945

CLARICE, *à Lucrèce.*

Il devroit s'épargner cette gêne inutile.
Mais m'auroit-il déjà reconnue à la voix?

CLITON, *à Dorante.*

C'est elle; et je me rends, Monsieur, à cette fois.

DORANTE, *à Clarice.*

Oui, c'est moi qui voudrois effacer de ma vie
Les jours que j'ai vécu sans vous avoir servie.        950
Que vivre sans vous voir est un sort rigoureux!
C'est ou ne vivre point, ou vivre malheureux;
C'est une longue mort; et pour moi, je confesse
Que pour vivre il faut être esclave de Lucrèce.

CLARICE, *à Lucrèce.*

Chère amie, il en conte à chacune à son tour. 955

LUCRÈCE, *à Clarice.*

Il aime à promener sa fourbe et son amour.

DORANTE

A vos commandements j'apporte donc ma vie,
Trop heureux si pour vous elle m'étoit ravie !
Disposez-en, Madame, et me dites en quoi
Vous avez résolu de vous servir de moi. 960

CLARICE

Je vous voulois tantôt proposer quelque chose ;
Mais il n'est plus besoin que je vous la propose,
Car elle est impossible.

DORANTE

Impossible ! Ah ! pour vous
Je pourrai tout, Madame, en tous lieux, contre tous.

CLARICE

Jusqu'à vous marier, quand je sais que vous l'êtes ? 965

DORANTE

Moi, marié ! ce sont pièces qu'on vous a faites ;
Quiconque vous l'a dit s'est voulu divertir.

CLARICE, *à Lucrèce.*

Est-il un plus grand fourbe ?

LUCRÈCE, *à Clarice.*

Il ne sait que mentir.

DORANTE

Je ne le fus jamais; et si par cette voie
On pense . .

CLARICE

Et vous pensez encor que je vous croie !          970

DORANTE

Que le foudre à vos yeux m'écrase, si je mens.

CLARICE

Un menteur est toujours prodigue de serments.

DORANTE

Non, si vous avez eu pour moi quelque pensée
Qui sur ce faux rapport puisse être balancée,
Cessez d'être en balance et de vous défier          975
De ce qu'il m'est aisé de vous justifier.

CLARICE, *à Lucrèce.*

On diroit qu'il dit vrai, tant son effronterie
Avec naïveté pousse une menterie.

DORANTE

Pour vous ôter de doute, agréez que demain
En qualité d'époux je vous donne la main.          980

CLARICE

Eh ! vous la donneriez en un jour à deux mille.

DORANTE

Certes, vous m'allez mettre en crédit par la ville,
Mais en crédit si grand que j'en crains les jaloux.

CLARICE

C'est tout ce que mérite un homme tel que vous,
Un homme qui se dit un grand foudre de guerre,    985
Et n'en a vu qu'à coups d'écritoire ou de verre;
Qui vint hier de Poitiers, et conte, à son retour,
Que depuis une année il fait ici sa cour;
Qui donne toute nuit festin, musique et danse,
Bien qu'il l'ait dans son lit passée en tout silence;    990
Qui se dit marié, puis soudain s'en dédit:
Sa méthode est jolie à se mettre en crédit!
Vous-même, apprenez-moi comme il faut qu'on le nomme.

CLITON, à Dorante.

Si vous vous en tirez, je vous tiens habile homme.

DORANTE, à Cliton.

Ne t'épouvante point, tout vient en sa saison.    995
(A Clarice.)

De ces inventions chacune a sa raison:
Sur toutes quelque jour je vous rendrai contente;
Mais à présent je passe à la plus importante:
J'ai donc feint cet hymen (pourquoi désavouer
Ce qui vous forcera vous-même à me louer?);    1000
Je l'ai feint, et ma feinte à vos mépris m'expose;
Mais si de ces détours vous seule étiez la cause?

CLARICE

Moi?

DORANTE

Vous. Écoutez-moi. Ne pouvant consentir . . .

CLITON, à Dorante.

De grâce, dites-moi si vous allez mentir.

DORANTE, *à Cliton.*

Ah ! je t'arracherai cette langue importune.        1005

(*A Clarice.*)

Donc, comme à vous servir j'attache ma fortune,
L'amour que j'ai pour vous ne pouvant consentir
Qu'un père à d'autres lois voulût m'assujettir . . .

CLARICE, *à Lucrèce.*

Il fait pièce nouvelle, écoutons.

DORANTE

Cette adresse
A conservé mon âme à la belle Lucrèce ;        1010
Et par ce mariage au besoin inventé,
J'ai su rompre celui qu'on m'avoit apprêté.
Blâmez-moi de tomber en des fautes si lourdes,
Appelez-moi grand fourbe et grand donneur de bourdes ;
Mais louez-moi du moins d'aimer si puissamment,        1015
Et joignez à ces noms celui de votre amant.
Je fais par cet hymen banqueroute à tous autres ;
J'évite tous leurs fers pour mourir dans les vôtres ;
Et libre pour entrer en des liens si doux,
Je me fais marié pour toute autre que vous.        1020

CLARICE

Votre flamme en naissant a trop de violence,
Et me laisse toujours en juste défiance.
Le moyen que mes yeux eussent de tels appas
Pour qui m'a si peu vue et ne me connoît pas ?

DORANTE

Je ne vous connois pas ! Vous n'avez plus de mère ;        1025
Périandre est le nom de Monsieur votre père ;

Il est homme de robe, adroit et retenu ;
Dix mille écus de rente en font le revenu ;
Vous perdîtes un frère aux guerres d'Italie,
Vous aviez une sœur qui s'appeloit Julie. 1030
Vous connois-je à présent ? dites encor que non.

CLARICE, *à Lucrèce.*

Cousine, il te connoît, et t'en veut tout de bon.

LUCRÈCE, *en elle-même.*

Plût à Dieu !

CLARICE, *à Lucrèce.*

Découvrons le fond de l'artifice.

(*A Dorante.*)

J'avois voulu tantôt vous parler de Clarice,
Quelqu'un de vos amis m'en est venu prier. 1035
Dites-moi, seriez-vous pour elle à marier ?

DORANTE

Par cette question n'éprouvez plus ma flamme.
Je vous ai trop fait voir jusqu'au fond de mon âme,
Et vous ne pouvez plus désormais ignorer
Que j'ai feint cet hymen afin de m'en parer. 1040
Je n'ai ni feux ni vœux que pour votre service,
Et ne puis plus avoir que mépris pour Clarice.

CLARICE

Vous êtes, à vrai dire, un peu bien dégoûté :
Clarice est de maison, et n'est pas sans beauté ;
Si Lucrèce à vos yeux paroît un peu plus belle, 1045
De bien mieux faits que vous se contenteroient d'elle.

DORANTE

Oui, mais un grand défaut ternit tous ses appas.

CLARICE

Quel est-il, ce défaut?

DORANTE

Elle ne me plaît pas;
Et plutôt que l'hymen avec elle me lie,
Je serai marié, si l'on veut, en Turquie.          1050

CLARICE

Aujourd'hui cependant on m'a dit qu'en plein jour
Vous lui serriez la main, et lui parliez d'amour.

DORANTE

Quelqu'un auprès de vous m'a fait cette imposture.

CLARICE, à *Lucrèce*.

Écoutez l'imposteur; c'est hasard s'il n'en jure.

DORANTE

Que du ciel . . .

CLARICE, à *Lucrèce*.

L'ai-je dit?

DORANTE

J'éprouve le courroux          1055
Si j'ai parlé, Lucrèce, à personne qu'à vous!

CLARICE

Je ne puis plus souffrir une telle impudence,
Après ce que j'ai vu moi-même en ma présence:
Vous couchez d'imposture, et vous osez jurer,
Comme si je pouvois vous croire, ou l'endurer!          1060
Adieu: retirez-vous, et croyez, je vous prie,
Que souvent je m'égaye ainsi par raillerie,
Et que pour me donner des passe-temps si doux,
J'ai donné cette baye à bien d'autres qu'à vous.

## SCÈNE VI

### *Dorante, Cliton*

CLITON

Eh bien! vous le voyez, l'histoire est découverte.     1065

DORANTE

Ah, Cliton, je me trouve à deux doigts de ma perte.

CLITON

Vous en avez sans doute un plus heureux succès,
Et vous avez gagné chez elle un grand accès;
Mais je suis ce fâcheux qui nuis par ma présence,
Et vous fais sous ces mots être d'intelligence.     1070

DORANTE

Peut-être. Qu'en crois-tu?

CLITON

                         Le peut-être est gaillard.

DORANTE

Penses-tu qu'après tout j'en quitte encor ma part,
Et tienne tout perdu pour un peu de traverse?

CLITON

Si jamais cette part tomboit dans le commerce,
Et qu'il vous vînt marchand pour ce trésor caché,     1075
Je vous conseillerois d'en faire bon marché.

DORANTE

Mais pourquoi si peu croire un feu si véritable?

CLITON

A chaque bout de champ vous mentez comme un diable.

DORANTE

Je disois vérité.

CLITON

Quand un menteur la dit,
En passant par sa bouche elle perd son crédit.          1080

DORANTE

Il faut donc essayer si par quelque autre bouche
Elle pourra trouver un accueil moins farouche.
Allons sur le chevet rêver quelque moyen
D'avoir de l'incrédule un plus doux entretien.
Souvent leur belle humeur suit le cours de la lune:          1085
Telle rend des mépris qui veut qu'on l'importune;
Et de quelques effets que les siens soient suivis,
Il sera demain jour, et la nuit porte avis.

## ACTE IV

### SCÈNE PREMIÈRE

*Dorante, Cliton*

CLITON

Mais, Monsieur, pensez-vous qu'il soit jour chez Lucrèce?
Pour sortir si matin elle a trop de paresse.          1090

DORANTE

On trouve bien souvent plus qu'on ne croit trouver,
Et ce lieu pour ma flamme est plus propre à rêver:
J'en puis voir sa fenêtre, et de sa chère idée
Mon âme à cet aspect sera mieux possédée.

CLITON

A propos de rêver, n'avez-vous rien trouvé          1095
Pour servir de remède au désordre arrivé?

DORANTE

Je me suis souvenu d'un secret que toi-même
Me donnois hier pour grand, pour rare, pour suprême:
Un amant obtient tout quand il est libéral.

CLITON

Le secret est fort beau, mais vous l'appliquez mal;     1100
Il ne fait réussir qu'auprès d'une coquette.

DORANTE

Je sais ce qu'est Lucrèce, elle est sage et discrète;
A lui faire présent mes efforts seroient vains:
Elle a le cœur trop bon; mais ses gens ont des mains;
Et bien que sur ce point elle les désavoue,          1105
Avec un tel secret leur langue se dénoue:
Ils parlent, et souvent on les daigne écouter;
A tel prix que ce soit, il m'en faut acheter.
Si celle-ci venoit qui m'a rendu sa lettre,
Après ce qu'elle a fait j'ose tout m'en promettre,     1110
Et ce sera hasard si sans beaucoup d'effort
Je ne trouve moyen de lui payer le port.

CLITON

Certes vous dites vrai, j'en juge par moi-même:
Ce n'est point mon humeur de refuser qui m'aime;
Et comme c'est m'aimer que me faire présent,         1115
Je suis toujours alors d'un esprit complaisant.

DORANTE

Il est beaucoup d'humeurs pareilles à la tienne.

CLITON

Mais, Monsieur, attendant que Sabine survienne,
Et que sur son esprit vos dons fassent vertu,
Il court quelque bruit sourd qu'Alcippe s'est battu.    1120

DORANTE

Contre qui?

CLITON

          L'on ne sait; mais ce confus murmure,
D'un air pareil au vôtre à peu près le figure,
Et si de tout le jour je vous avois quitté,
Je vous soupçonnerois de cette nouveauté.

DORANTE

Tu ne me quittas point pour entrer chez Lucrèce?    1125

CLITON

Ah! Monsieur, m'auriez-vous joué ce tour d'adresse?

DORANTE

Nous nous battîmes hier, et j'avois fait serment
De ne parler jamais de cet événement;
Mais à toi, de mon cœur l'unique secrétaire,
A toi, de mes secrets le grand dépositaire,          1130
Je ne cèlerai rien, puisque je l'ai promis.
Depuis cinq ou six mois nous étions ennemis:
Il passa par Poitiers, où nous prîmes querelle;
Et comme on nous fit lors une paix telle quelle,
Nous sûmes l'un à l'autre en secret protester        1135
Qu'à la première vue il en faudroit tâter.
Hier nous nous rencontrons; cette ardeur se réveille,
Fait de notre embrassade un appel à l'oreille,
Je me défais de toi, j'y cours, je le rejoins,
Nous vidons sur le pré l'affaire sans témoins;       1140

Et le perçant à jour de deux coups d'estocade
Je le mets hors d'état d'être jamais malade:
Il tombe dans son sang.

CLITON

A ce compte il est mort?

DORANTE

Je le laissai pour tel.

CLITON

Certes, je plains son sort:
Il étoit honnête homme; et le ciel ne déploie . . .   1145

## SCÈNE II

*Dorante, Alcippe, Cliton*

ALCIPPE

Je te veux, cher ami, faire part de ma joie.
Je suis heureux: mon père . . .

DORANTE

Eh bien?

ALCIPPE

Vient d'arriver.

CLITON, *à Dorante.*

Cette place pour vous est commode à rêver.

DORANTE

Ta joie est peu commune, et pour revoir un père
Un tel homme que nous ne se réjouit guère.   1150

ALCIPPE

Un esprit que la joie entièrement saisit
Présume qu'on l'entend au moindre mot qu'il dit.
Sache donc que je touche à l'heureuse journée
Qui doit avec Clarice unir ma destinée:
On attendoit mon père afin de tout signer.          1155

DORANTE

C'est ce que mon esprit ne pouvoit deviner;
Mais je m'en réjouis. Tu vas entrer chez elle?

ALCIPPE

Oui, je lui vais porter cette heureuse nouvelle;
Et je t'en ai voulu faire part en passant.

DORANTE

Tu t'acquiers d'autant plus un cœur reconnoissant.          1160
Enfin donc ton amour ne craint plus de disgrâce?

ALCIPPE

Cependant qu'au logis mon père se délasse,
J'ai voulu par devoir prendre l'heure du sien.

CLITON, à *Dorante.*

Les gens que vous tuez se portent assez bien.

ALCIPPE

Je n'ai de part ni d'autre aucune défiance.          1165
Excuse d'un amant la juste impatience:
Adieu.

DORANTE

Le ciel te donne un hymen sans souci!

## SCENE III

*Dorante, Cliton*

#### CLITON

Il est mort! Quoi? Monsieur, vous m'en donnez aussi,
A moi, de votre cœur l'unique secrétaire,
A moi, de vos secrets le grand dépositaire!     1170
Avec ces qualités j'avais lieu d'espérer
Qu'assez malaisément je pourrois m'en parer.

#### DORANTE

Quoi! mon combat te semble un conte imaginaire.

#### CLITON

Je croirai tout, Monsieur, pour ne vous pas déplaire;
Mais vous en contez tant, à toute heure, en tous lieux,
Qu'il faut bien de l'esprit avec vous, et bons yeux.     1176
More, juif ou chrétien, vous n'épargnez personne.

#### DORANTE

Alcippe te surprend, sa guérison t'étonne!
L'état où je le mis était fort périlleux,
Mais il est à présent des secrets merveilleux:     1180
Ne t'a-t-on point parlé d'une source de vie
Que nomment nos guerriers poudre de sympathie?
On en voit tous les jours des effets étonnants.

#### CLITON

Encor ne sont-ils pas du tout si surprenants,
Et je n'ai point appris qu'elle eût tant d'efficace     1185
Qu'un homme que pour mort on laisse sur la place,
Qu'on a de deux grands coups percé de part en part,
Soit dès le lendemain si frais et si gaillard.

DORANTE

La poudre que tu dis n'est que de la commune.
On n'en fait plus de cas; mais, Cliton, j'en sais une 1190
Qui rappelle sitôt des portes du trépas,
Qu'en moins d'un tournemain on ne s'en souvient pas;
Quiconque la sait faire a de grands avantages.

CLITON

Donnez-m'en le secret, et je vous sers sans gages.

DORANTE

Je te le donnerois, et tu serois heureux;                    1195
Mais le secret consiste en quelques mots hébreux,
Qui tous à prononcer sont si fort difficiles,
Que ce seroient pour toi des trésors inutiles.

CLITON

Vous savez donc l'hébreu?

DORANTE

               L'hébreu? parfaitement:
J'ai dix langues, Cliton, à mon commandement.        1200

CLITON

Vous auriez bien besoin de dix des mieux nourries,
Pour fournir tour à tour à tant de menteries;
Vous les hachez menu comme chair à pâtés.
Vous avez tout le corps bien plein de vérités,
Il n'en sort jamais une.

DORANTE

               Ah! cervelle ignorante! 1205
Mais mon père survient.

## SCÈNE IV

*Géronte, Dorante, Cliton*

GÉRONTE

Je vous cherchois, Dorante.

DORANTE

Je ne vous cherchois pas, moi. Que mal à propos
Son abord importun vient troubler mon repos!
Et qu'un père incommode un homme de mon âge.

GÉRONTE

Vu l'étroite union que fait le mariage,                    1210
J'estime qu'en effet c'est n'y consentir point,
Que laisser désunis ceux que le ciel a joint.
La raison le défend, et je sens dans mon âme
Un violent désir de voir ici ta femme.
J'écris donc à son père; écris-lui comme moi:             1215
Je lui mande qu'après ce que j'ai su de toi,
Je me tiens trop heureux qu'une si belle fille,
Si sage, et si bien née, entre dans ma famille.
J'ajoute à ce discours que je brûle de voir
Celle qui de mes ans devient l'unique espoir;            1220
Que pour me l'amener tu t'en vas en personne;
Car enfin il le faut, et le devoir l'ordonne:
N'envoyer qu'un valet sentiroit son mépris.

DORANTE

De vos civilités il sera bien surpris,
Et pour moi, je suis prêt; mais je perdrai ma peine: 1225
Il ne souffrira pas encor qu'on vous l'amène;
Elle est grosse.

GÉRONTE

Elle est grosse !

DORANTE

Et de plus de six mois.

GÉRONTE

Que de ravissement je sens à cette fois !

DORANTE

Vous ne voudriez pas hasarder sa grossesse ?

GÉRONTE

Non, j'aurai patience autant que d'allégresse ;             1230
Pour hasarder ce gage il m'est trop précieux.
A ce coup ma prière a pénétré les cieux :
Je pense en le voyant que je mourrai de joie.
Adieu : je vais changer la lettre que j'envoie,
En écrire à son père un nouveau compliment,               1235
Le prier d'avoir soin de son accouchement,
Comme du seul espoir où mon bonheur se fonde.

DORANTE, à Cliton.

Le bonhomme s'en va le plus content du monde.

GÉRONTE, se retournant.

Écris-lui comme moi.

DORANTE

Je n'y manquerai pas.
Qu'il est bon !

CLITON

Taisez-vous, il revient sur ses pas.       1240

GÉRONTE

Il ne me souvient plus du nom de ton beau-père.
Comment s'appelle-t-il?

DORANTE

                    Il n'est pas nécessaire;
Sans que vous vous donniez ces soucis superflus,
En fermant le paquet j'écrirai le dessus.

GÉRONTE

Étant tout d'une main, il sera plus honnête.        1245

DORANTE

Ne lui pourrai-je ôter ce souci de la tête?
Votre main ou la mienne, il n'importe des deux.

GÉRONTE

Ces nobles de province y sont un peu fâcheux.

DORANTE

Son père sait la cour.

GÉRONTE

                    Ne me fais plus attendre,
Dis-moi . . .

DORANTE

          Que lui dirai-je?

GÉRONTE

                    Il s'appelle?

DORANTE

                              Pyrandre.        1250

GÉRONTE

Pyrandre! tu m'as dit tantôt un autre nom:
C'étoit, je m'en souviens, oui, c'étoit Armédon.

DORANTE

Oui, c'est là son nom propre, et l'autre d'une terre,
Il portoit ce dernier quand il fut à la guerre,
Et se sert si souvent de l'un et l'autre nom,          1255
Que tantôt c'est Pyrandre, et tantôt Armédon.

GÉRONTE

C'est un abus commun qu'autorise l'usage,
Et j'en usois ainsi du temps de mon jeune âge.
Adieu: je vais écrire.

## SCÈNE V

*Dorante, Cliton*

DORANTE

Enfin j'en suis sorti.

CLITON

Il faut bonne mémoire après qu'on a menti.          1260

DORANTE

L'esprit a secouru le défaut de mémoire.

CLITON

Mais on éclaircira bientôt toute l'histoire.
Après ce mauvais pas où vous avez bronché,
Le reste encor longtemps ne peut être caché:
On le sait chez Lucrèce, et chez cette Clarice,          1265

Qui d'un mépris si grand piquée avec justice,
Dans son ressentiment prendra l'occasion
De vous couvrir de honte et de confusion.

DORANTE

Ta crainte est bien fondée, et puisque le temps presse,
Il faut tâcher en hâte à m'engager Lucrèce.      1270
Voici tout à propos ce que j'ai souhaité.

## SCÈNE VI

### *Dorante, Cliton, Sabine*

DORANTE

Chère amie, hier au soir j'étois si transporté,
Qu'en ce ravissement je ne pus me permettre
De bien penser à toi quand j'eus lu cette lettre;
Mais tu n'y perdras rien, et voici pour le port.      1275

SABINE

Ne croyez pas, Monsieur . . . .

DORANTE

Tiens.

SABINE

Vous me faites tort.
Je ne suis pas de . . .

DORANTE

Prends.

SABINE

Eh! Monsieur.

DORANTE

　　　　　　　　　　Prends, te dis-je:
Je ne suis point ingrat alors que l'on m'oblige;
Dépêche, tends la main.

CLITON

　　　　　　　Qu'elle y fait de façons!
Je lui veux par pitié donner quelques leçons.　　　　1280
　　　Chère amie, entre nous, toutes tes révérences
En ces occasions ne sont qu'impertinences,
Si ce n'est assez d'une, ouvre toutes les deux:
Le métier que tu fais ne veut point de honteux.
Sans te piquer d'honneur, crois qu'il n'est que de prendre,
Et que tenir vaut mieux mille fois que d'attendre.
Cette pluie est fort douce; et quand j'en vois pleuvoir,
J'ouvrirois jusqu'au cœur pour la mieux recevoir.
On prend à toutes mains dans le siècle où nous sommes,
Et refuser n'est plus le vice des grands hommes.　　　1290
Retiens bien ma doctrine; et pour faire amitié,
Si tu veux, avec toi je serai de moitié.

SABINE

Cet article est de trop.

DORANTE

　　　　　　　　Vois-tu, je me propose
De faire avec le temps pour toi tout autre chose.
Mais comme j'ai reçu cette lettre de toi,　　　　1295
En voudrois-tu donner la réponse pour moi?

SABINE

Je la donnerai bien, mais je n'ose vous dire
Que ma maîtresse daigne ou la prendre, ou la lire:
J'y ferai mon effort.

CLITON

Voyez, elle se rend
Plus douce qu'une épouse, et plus souple qu'un gant. 1300

DORANTE

Le secret a joué. Présente-la, n'importe ;
Elle n'a pas pour moi d'aversion si forte.
Je reviens dans une heure en apprendre l'effet.

SABINE

Je vous conterai lors tout ce que j'aurai fait.

## SCÈNE VII

*Cliton, Sabine*

CLITON

Tu vois que les effets préviennent les paroles.        1305
C'est un homme qui fait litière de pistoles ;
Mais comme auprès de lui je puis beaucoup pour toi . . .

SABINE

Fais tomber de la pluie, et laisse faire à moi.

CLITON

Tu viens d'entrer en goût.

SABINE

Avec mes révérences,
Je ne suis pas encor si dupe que tu penses.          1310
Je sais bien mon métier, et ma simplicité
Joue aussi bien son jeu que ton avidité.

CLITON

Si tu sais ton métier, dis-moi quelle espérance
Doit obstiner mon maître à la persévérance.
Sera-t-elle insensible? en viendrons-nous à bout?   1315

SABINE

Puisqu'il est si brave homme, il faut te dire tout.
Pour te désabuser, sache donc que Lucrèce
N'est rien moins qu'insensible à l'ardeur qui le presse;
Durant toute la nuit elle n'a point dormi;
Et si je ne me trompe, elle l'aime à demi.   1320

CLITON

Mais sur quel privilège est-ce qu'elle se fonde,
Quand elle aime à demi, de maltraiter le monde?
Il n'en a cette nuit reçu que des mépris.
Chère amie, après tout, mon maître vaut son prix.
Ces amours à demi sont d'une étrange espèce;   1325
Et s'il vouloit me croire, il quitteroit Lucrèce.

SABINE

Qu'il ne se hâte point, on l'aime assurément.

CLITON

Mais on le lui témoigne un peu bien rudement;
Et je ne vis jamais de méthodes pareilles.

SABINE

Elle tient, comme on dit, le loup par les oreilles;   1330
Elle l'aime, et son cœur n'y sauroit consentir,
Parce que d'ordinaire il ne fait que mentir.
Hier même elle le vit dedans les Tuileries,
Où tout ce qu'il conta n'étoit que menteries.
Il en a fait autant depuis à deux ou trois.   1335

CLITON

Les menteurs les plus grands disent vrai quelquefois.

SABINE

Elle a lieu de douter et d'être en défiance.

CLITON

Qu'elle donne à ses feux un peu plus de croyance;
Il n'a fait toute nuit que soupirer d'ennui.

SABINE

Peut-être que tu mens aussi bien comme lui.        1340

CLITON

Je suis homme d'honneur, tu me fais injustice.

SABINE

Mais dis-moi, sais-tu bien qu'il n'aime plus Clarice?

CLITON

Il ne l'aima jamais.

SABINE

            Pour certain?

CLITON

            Pour certain.

SABINE

Qu'il ne craigne donc plus de soupirer en vain.
Aussitôt que Lucrèce a pu le reconnoître,        1345
Elle a voulu qu'exprès je me sois fait paroître,
Pour voir si par hasard il ne me diroit rien;
Et s'il l'aime en effet, tout le reste ira bien.
Va-t'en; et sans te mettre en peine de m'instruire,
Crois que je lui dirai tout ce qu'il lui faut dire.        1350

CLITON

Adieu: de ton côté si tu fais ton devoir,
Tu dois croire du mien que je ferai pleuvoir.

## SCÈNE VIII

*Lucrèce, Sabine*

SABINE

Que je vais bientôt voir une fille contente !
Mais la voici déjà; qu'elle est impatiente !
Comme elle a les yeux fins, elle a vu le poulet.          1355

LUCRÈCE

Eh bien ! que t'ont conté le maître et le valet ?

SABINE

Le maître et le valet m'ont dit la même chose.
Le maître est tout à vous, et voici de sa prose.

LUCRÈCE, *après avoir lu.*

Dorante avec chaleur fait le passionné ;
Mais le fourbe qu'il est nous en a trop donné,          1360
Et je ne suis pas fille à croire ses paroles.

SABINE

Je ne les crois non plus; mais j'en crois ses pistoles.

LUCRÈCE

Il t'a donc fait présent ?

SABINE

Voyez.

LUCRÈCE

Et tu l'as pris?

SABINE

Pour vous ôter du trouble où flottent vos esprits,
Et vous mieux témoigner ses flammes véritables,          1365
J'en ai pris les témoins les plus indubitables;
Et je remets, Madame, au jugement de tous
Si qui donne à vos gens est sans amour pour vous,
Et si ce traitement marque une âme commune.

LUCRÈCE

Je ne m'oppose pas à ta bonne fortune;          1370
Mais comme en l'acceptant tu sors de ton devoir,
Du moins une autre fois ne m'en fais rien savoir.

SABINE

Mais à ce libéral que pourrai-je promettre?

LUCRÈCE

Dis-lui que, sans la voir, j'ai déchiré sa lettre.

SABINE

O ma bonne fortune, où vous enfuyez-vous!          1375

LUCRÈCE

Mêles-y de ta part deux ou trois mots plus doux;
Conte-lui dextrement le naturel des femmes;
Dis-lui qu'avec le temps on amollit leurs âmes;
Et l'avertis surtout des heures et des lieux
Où par rencontre il peut se montrer à mes yeux.          1380
Parce qu'il est grand fourbe, il faut que je m'assure.

SABINE

Ah! si vous connoissiez les peines qu'il endure,
Vous ne douteriez plus si son cœur est atteint;
Toute nuit il soupire, il gémit, il se plaint.

LUCRÈCE

Pour apaiser les maux que cause cette plainte,          1385
Donne-lui de l'espoir avec beaucoup de crainte;
Et sache entre les deux toujours le modérer,
Sans m'engager à lui ni le désespérer.

## SCÈNE IX

*Clarice, Lucrèce, Sabine*

CLARICE

Il t'en veut tout de bon, et m'en voilà défaite;
Mais je souffre aisément la perte que j'ai faite:          1390
Alcippe la répare, et son père est ici.

LUCRÈCE

Te voilà donc bientôt quitte d'un grand souci?

CLARICE

M'en voilà bientôt quitte; et toi, te voilà prête
A t'enrichir bientôt d'une étrange conquête.
Tu sais ce qu'il m'a dit.

SABINE

S'il vous mentoit alors,          1395
A présent il dit vrai; j'en réponds corps pour corps.

CLARICE

Peut-être qu'il le dit; mais c'est un grand peut-être.

LUCRÈCE

Dorante est un grand fourbe, et nous l'a fait connoître;
Mais s'il continuoit encore à m'en conter,
Peut-être avec le temps il me feroit douter.     1400

CLARICE

Si tu l'aimes, du moins, étant bien avertie,
Prends bien garde à ton fait, et fais bien ta partie.

LUCRÈCE

C'en est trop: et tu dois seulement présumer
Que je penche à le croire, et non pas à l'aimer.

CLARICE

De le croire à l'aimer la distance est petite:     1405
Qui fait croire ses feux fait croire son mérite,
Ces deux points en amour se suivent de si près,
Que qui se croit aimée aime bientôt après.

LUCRÈCE

La curiosité souvent dans quelques âmes
Produit le même effet que produiroient des flammes.     1410

CLARICE

Je suis prête à le croire afin de t'obliger.

SABINE

Vous me feriez ici toutes deux enrager.
Voyez qu'il est besoin de tout ce badinage!
Faites moins la sucrée, et changez de langage,
Ou vous n'en casserez, ma foi, que d'une dent.     1415

LUCRÈCE

Laissons là cette folle, et dis-moi cependant,
Quand nous le vîmes hier dedans les Tuileries,

Qu'il te conta d'abord tant de galanteries,
Il fut, ou je me trompe, assez bien écouté.
Etoit-ce amour alors, ou curiosité ?          1420

CLARICE

Curiosité pure, avec dessein de rire
De tous les compliments qu'il auroit pu me dire.

LUCRÈCE

Je fais de ce billet même chose à mon tour ;
Je l'ai pris, je l'ai lu, mais le tout sans amour :
Curiosité pure, avec dessein de rire          1425
De tous les compliments qu'il aurait pu m'écrire.

CLARICE

Ce sont deux que de lire, et d'avoir écouté :
L'un est grande faveur ; l'autre, civilité ;
Mais trouves-y ton compte, et j'en serai ravie ;
En l'état où je suis j'en parle sans envie.          1430

LUCRÈCE

Sabine lui dira que je l'ai déchiré.

CLARICE

Nul avantage ainsi n'en peut être tiré.
Tu n'es que curieuse.

LUCRÈCE

          Ajoute : à ton exemple.

CLARICE

Soit. Mais il est saison que nous allions au temple.

LUCRÈCE, à Clarice.

Allons.

(A Sabine.)

          Si tu le vois, agis comme tu sais.          1435

SABINE

Ce n'est pas sur ce coup que je fais mes essais:
Je connois à tous deux où tient la maladie,
Et le mal sera grand si je n'y remédie;
Mais sachez qu'il est homme à prendre sur le vert.

LUCRÈCE

Je te croirai.

SABINE

Mettons cette pluie à couvert.      1440

# ACTE V

## SCÈNE PREMIÈRE

*Géronte, Philiste*

GÉRONTE

Je ne pouvois avoir rencontre plus heureuse
Pour satisfaire ici mon humeur curieuse.
Vous avez feuilleté le *Digeste* à Poitiers,
Et vu, comme mon fils, les gens de ces quartiers:
Ainsi vous me pouvez facilement apprendre      1445
Quelle est et la famille et le bien de Pyrandre.

PHILISTE

Quel est-il, ce Pyrandre?

GÉRONTE

                    Un de leurs citoyens:
Noble, à ce qu'on m'a dit, mais un peu mal en biens.

PHILISTE

Il n'est dans tout Poitiers bourgeois ni gentilhomme
Qui, si je m'en souviens, de la sorte se nomme.        1450

GÉRONTE

Vous le connoîtrez mieux peut-être à l'autre nom;
Ce Pyrandre s'appelle autrement Armédon.

PHILISTE

Aussi peu l'un que l'autre.

GÉRONTE

                    Et le père d'Orphise,
Cette rare beauté qu'en ces lieux même on prise!
Vous connoissez le nom de cet objet charmant        1455
Qui fait de ces cantons le plus digne ornement?

PHILISTE

Croyez que cette Orphise, Armédon et Pyrandre,
Sont gens dont à Poitiers on ne peut rien apprendre.
S'il vous faut sur ce point encor quelque garant . . .

GÉRONTE

En faveur de mon fils vous faites l'ignorant;        1460
Mais je ne sais que trop qu'il aime cette Orphise,
Et qu'après les douceurs d'une longue hantise,
On l'a seul dans sa chambre avec elle trouvé;
Que par son pistolet un désordre arrivé
L'a forcé sur-le-champ d'épouser cette belle.        1465
Je sais tout; et de plus ma bonté paternelle
M'a fait y consentir; et votre esprit discret
N'a plus d'occasion de m'en faire un secret.

PHILISTE

Quoi! Dorante a fait donc un secret mariage?

GÉRONTE

Et, comme je suis bon, je pardonne à son âge.                    1470

PHILISTE

Qui vous l'a dit?

GÉRONTE

Lui-même.

PHILISTE

Ah ! puisqu'il vous l'a dit,
Il vous fera du reste un fidèle récit ;
Il en sait mieux que moi toutes les circonstances :
Non qu'il vous faille en prendre aucunes défiances ;
Mais il a le talent de bien imaginer,                           1475
Et moi je n'eus jamais celui de deviner.

GÉRONTE

Vous me feriez par là soupçonner son histoire.

PHILISTE

Non, sa parole est sûre, et vous pouvez l'en croire ;
Mais il nous servit hier d'une collation
Qui partoit d'un esprit de grande invention ;                   1480
Et si ce mariage est de même méthode,
La pièce est fort complète et des plus à la mode.

GÉRONTE

Prenez-vous du plaisir à me mettre en courroux ?

PHILISTE

Ma foi, vous en tenez aussi bien comme nous ;
Et pour vous en parler avec toute franchise,                    1485
Si vous n'avez jamais pour bru que cette Orphise,
Vos chers collatéraux s'en trouveront fort bien.
Vous m'entendez ? adieu : je ne vous dis plus rien.

## SCÈNE II

### *Géronte*

#### GÉRONTE

O vieillesse facile! O jeunesse impudente!
O de mes cheveux gris honte trop évidente!          1490
Est-il dessous le ciel père plus malheureux?
Est-il affront plus grand pour un cœur généreux?
Dorante n'est qu'un fourbe; et cet ingrat que j'aime,
Après m'avoir fourbé, me fait fourber moi-même;
Et d'un discours en l'air, qu'il forge en imposteur,          1495
Il me fait le trompette et le second auteur!
Comme si c'étoit peu pour mon reste de vie
De n'avoir à rougir que de son infamie,
L'infâme, se jouant de mon trop de bonté,
Me fait encor rougir de ma crédulité!          1500

## SCÈNE III

### *Géronte, Dorante, Cliton*

#### GÉRONTE

Êtes-vous gentilhomme?

#### DORANTE

Ah! rencontre fâcheuse!
Étant sorti de vous, la chose est peu douteuse.

#### GÉRONTE

Croyez-vous qu'il suffit d'être sorti de moi?

#### DORANTE

Avec toute la France aisément je le crois.

GÉRONTE

Et ne savez-vous point, avec toute la France,                    1505
D'où ce titre d'honneur a tiré sa naissance,
Et que la vertu seule a mis en ce haut rang
Ceux qui l'ont jusqu'à moi fait passer dans leur sang?

DORANTE

J'ignorerois un point que n'ignore personne,
Que la vertu l'acquiert, comme le sang le donne?        1510

GÉRONTE

Où le sang a manqué, si la vertu l'acquiert,
Où le sang l'a donné, le vice aussi le perd.
Ce qui naît d'un moyen périt par son contraire,
Tout ce que l'un a fait, l'autre peut le défaire;
Et dans la lâcheté du vice où je te voi,                      1515
Tu n'est plus gentilhomme, étant sorti de moi.

DORANTE

Moi?

GÉRONTE

        Laisse-moi parler, toi de qui l'imposture
Souille honteusement ce don de la nature:
Qui se dit gentilhomme, et ment comme tu fais,
Il ment quand il le dit, et ne le fut jamais.                 1520
Est-il vice plus bas, est-il tâche plus noire,
Plus indigne d'un homme élevé pour la gloire?
Est-il quelque foiblesse, est-il quelque action
Dont un cœur vraiment noble ait plus d'aversion,
Puisqu'un seul démenti lui porte une infamie                 1525
Qu'il ne peut effacer s'il n'expose sa vie,
Et si dedans le sang il ne lave l'affront
Qu'un si honteux outrage imprime sur son front?

DORANTE

Qui vous dis que je mens?

GÉRONTE

Qui me le dit, infâme?
Dis-moi, si tu le peux, dis le nom de ta femme.          1530
Le conte qu'hier au soir tu m'en fis publier . . .

CLITON, à Dorante.

Dites que le sommeil vous l'a fait oublier.

GÉRONTE

Ajoute, ajoute encore avec effronterie
Le nom de ton beau-père et de sa seigneurie;
Invente à m'éblouir quelques nouveaux détours.          1535

CLITON, à Dorante.

Appelez la mémoire ou l'esprit au secours.

GÉRONTE

De quel front cependant faut-il que je confesse
Que ton effronterie a surpris ma vieillesse,
Qu'un homme de mon âge a cru légèrement
Ce qu'un homme du tien débite impudemment?          1540
Tu me fais donc servir de fable et de risée,
Passer pour esprit foible, et pour cervelle usée!
Mais dis-moi, te portois-je à la gorge un poignard?
Voyois-tu violence ou courroux de ma part?
Si quelque aversion t'éloignoit de Clarice,          1545
Quel besoin avois-tu d'un si lâche artifice?
Et pouvois-tu douter que mon consentement
Ne dût tout accorder à ton contentement,
Puisque mon indulgence, au dernier point venue,
Consentoit à tes yeux l'hymen d'une inconnue?          1550

Ce grand excès d'amour que je t'ai témoigné
N'a point touché ton cœur, ou ne l'a point gagné:
Ingrat, tu m'as payé d'une impudente feinte,
Et tu n'as eu pour moi respect, amour, ni crainte.
Va, je te désavoue.

DORANTE

Eh! mon père, écoutez.                    1555

GÉRONTE

Quoi? des contes en l'air et sur l'heure inventés?

DORANTE

Non, la vérité pure.

GÉRONTE

En est-il dans ta bouche?

CLITON, à Dorante.

Voici pour votre adresse une assez rude touche.

DORANTE

Épris d'une beauté qu'à peine j'ai pu voir
Qu'elle a pris sur mon âme un absolu pouvoir,      1560
De Lucrèce, en un mot, vous pouvez la connoître . . .

GÉRONTE

Dis vrai: je la connois, et ceux qui l'ont fait naître,
Son père est mon ami.

DORANTE

Mon cœur en un moment
Étant de ses regards charmé si puissamment,
Le choix que vos bontés avoient fait de Clarice,      1565
Sitôt que je le sus, me parut un supplice;
Mais comme j'ignorois si Lucrèce et son sort
Pouvoient avec le vôtre avoir quelque rapport,

Je n'osai pas encor vous découvrir la flamme
Que venoient ses beautés d'allumer dans mon âme,    1570
Et j'avois ignoré, Monsieur, jusqu'à ce jour
Que l'adresse d'esprit fût un crime en amour.
Mais si je vous osois demander quelque grâce,
A présent que je sais et son bien et sa race,
Je vous conjurerois, par les nœuds les plus doux    1575
Dont l'amour et le sang puissent m'unir à vous,
De seconder mes vœux auprès de cette belle :
Obtenez-la d'un père, et je l'obtiendrai d'elle.

GÉRONTE

Tu me fourbes encor.

DORANTE

Si vous ne m'en croyez,
Croyez-en pour le moins Cliton que vous voyez :    1580
Il sait tout mon secret.

GÉRONTE

Tu ne meurs pas de honte
Qu'il faille que de lui je fasse plus de conte,
Et que ton père même, en doute de ta foi,
Donne plus de croyance à ton valet qu'à toi !
Écoute : je suis bon et malgré ma colère,    1585
Je veux encore un coup montrer un cœur de père ;
Je veux encore un coup pour toi me hasarder.
Je connois ta Lucrèce, et la vais demander ;
Mais si de ton côté le moindre obstacle arrive . . .

DORANTE

Pour vous mieux assurer, souffrez que je vous suive.    1590

GÉRONTE

Demeure ici, demeure, et ne suis point mes pas :
Je doute, je hasarde, et je ne te crois pas.
Mais sache que tantôt si pour cette Lucrèce

Tu fais la moindre fourbe ou la moindre finesse,
Tu peux bien fuir mes yeux et ne me voir jamais ;     1595
Autrement souviens-toi du serment que je fais.
Je jure les rayons du jour qui nous éclaire
Que tu ne mourras point que de la main d'un père,
Et que ton sang indigne à mes pieds répandu
Rendra prompte justice à mon honneur perdu.     1600

## SCÈNE IV

*Dorante, Cliton*

DORANTE

Je crains peu les effets d'une telle menace.

CLITON

Vous vous rendez trop tôt et de mauvaise grâce,
Et cet esprit adroit, qui l'a dupé deux fois,
Devoit en galant homme aller jusques à trois :
Toutes tierces, dit-on, sont bonnes ou mauvaises.     1605

DORANTE

Cliton, ne raille point, que tu ne me déplaises :
D'un trouble tout nouveau j'ai l'esprit agité.

CLITON

N'est-ce point du remords d'avoir dit vérité ?
Si pourtant ce n'est point quelque nouvelle adresse,
Car je doute à présent si vous aimez Lucrèce,     1610
Et vous vois si fertile en semblables détours,
Que, quoi que vous disiez, je l'entends au rebours.

DORANTE

Je l'aime, et sur ce point ta défiance est vaine ;
Mais je hasarde trop, et c'est ce qui me gêne.

Si son père et le mien ne tombent point d'accord,        1615
Tout commerce est rompu, je fais naufrage au port.
Et d'ailleurs, quand l'affaire entre eux seroit conclue,
Suis-je sûr que la fille y soit bien résolue?
J'ai tantôt vu passer cet objet si charmant;
Sa compagne, ou je meure! a beaucoup d'agrément.        1620
Aujourd'hui que mes yeux l'ont mieux examinée,
De mon premier amour j'ai l'âme un peu gênée:
Mon cœur entre les deux est presque partagé,
Et celle-ci l'auroit s'il n'étoit engagé.

CLITON

Mais pourquoi donc montrer une flamme si grande,        1625
Et porter votre père à faire une demande?

DORANTE

Il ne m'auroit pas cru, si je ne l'avois fait.

CLITON

Quoi? même en disant vrai, vous mentiez en effet!

DORANTE

C'étoit le seul moyen d'apaiser sa colère.
Que maudit soit quiconque a détrompé mon père!        1630
Avec ce faux hymen j'aurois eu le loisir
De consulter mon cœur, et je pourrois choisir.

CLITON

Mais sa compagne enfin n'est autre que Clarice.

DORANTE

Je me suis donc rendu moi-même un bon office.
Oh! qu'Alcippe est heureux, et que je suis confus!        1635
Mais Alcippe, après tout, n'aura que mon refus.
N'y pensons plus, Cliton, puisque la place est prise.

CLITON

Vous en voilà défait aussi bien que d'Orphise.

DORANTE

Reportons à Lucrèce un esprit ébranlé,
Que l'autre à ses yeux même avoit presque volé.    1640
Mais Sabine survient.

SCÈNE V

*Dorante, Sabine, Cliton*

DORANTE

                    Qu'as-tu fait de ma lettre?
En de si belles mains as-tu su la remettre?

SABINE

Oui, Monsieur, mais . . .

DORANTE

                    Quoi? mais!

SABINE

                              Elle a tout déchiré.

DORANTE

Sans lire?

SABINE

          Sans rien lire.

DORANTE

                    Et tu l'as enduré?

SABINE

Ah! si vous aviez vu comme elle m'a grondée!    1645
Elle me va chasser, l'affaire en est vidée.

DORANTE

Elle s'apaisera; mais pour t'en consoler,
Tends la main.

SABINE

Eh ! Monsieur.

DORANTE

Ose encor lui parler.
Je ne perds pas sitôt toutes mes espérances.

CLITON

Voyez la bonne pièce avec ses révérences !          1650
Comme ses déplaisirs sont déjà consolés,
Elle vous en dira plus que vous n'en voulez.

DORANTE

Elle a donc déchiré mon billet sans le lire?

SABINE

Elle m'avoit donné charge de vous le dire;
Mais à parler sans fard . . .

CLITON

Sait-elle son métier !          1655

SABINE

Elle n'en a rien fait et l'a lu tout entier.
Je ne puis si longtemps abuser un brave homme.

CLITON

Si quelqu'un l'entend mieux, je l'irai dire à Rome.

DORANTE

Elle ne me hait pas, à ce compte?

SABINE

Elle ? non.

DORANTE

M'aime-t-elle ?

SABINE

Non plus.

DORANTE

Tout de bon ?

SABINE

Tout de bon.    1660

DORANTE

Aime-t-elle quelque autre ?

SABINE

Encor moins.

DORANTE

Qu'obtiendrai-je ?

SABINE

Je ne sais.

DORANTE

Mais enfin, dis-moi.

SABINE

Que vous dirai-je ?

DORANTE

Vérité.

SABINE

Je la dis.

DORANTE

Mais elle m'aimera ?

SABINE

Peut-être.

DORANTE

Et quand encor?

SABINE

Quand elle vous croira.

DORANTE

Quand elle me croira? Que ma joie est extrême!          1665

SABINE

Quand elle vous croira, dites qu'elle vous aime.

DORANTE

Je le dis déjà donc, et m'en ose vanter,
Puisque ce cher objet n'en sauroit plus douter:
Mon père . . .

SABINE

La voici qui vient avec Clarice.

## SCÈNE VI

*Clarice, Lucrèce, Dorante, Sabine, Cliton*

CLARICE, *à Lucrèce.*

Il peut te dire vrai, mais ce n'est pas son vice.          1670
Comme tu le connois, ne précipite rien.

DORANTE, *à Clarice.*

Beauté qui pouvez seule et mon mal et mon bien . . . .

CLARICE, *à Lucrèce.*

On diroit qu'il m'en veut, et c'est moi qu'il regarde.

LUCRÈCE, *à Clarice.*

Quelques regards sur toi sont tombés par mégarde.
Voyons s'il continue.

DORANTE, *à Clarice.*

                Ah! que loin de vos yeux    1675
Les moments à mon cœur deviennent ennuyeux!
Et que je reconnois par mon expérience
Quel supplice aux amants est une heure d'absence!

CLARICE, *à Lucrèce.*

Il continue encor.

LUCRÈCE, *à Clarice.*

                Mais vois ce qu'il m'écrit.

CLARICE, *à Lucrèce.*

Mais écoute.

LUCRÈCE, *à Clarice.*

           Tu prends pour toi ce qu'il me dit.    1680

CLARICE

Éclaircissons-nous-en. Vous m'aimez donc, Dorante?

DORANTE, *à Clarice.*

Hélas! que cette amour vous est indifférente!
Depuis que vos regards m'ont mis sous votre loi . . .

CLARICE, *à Lucrèce.*

Crois-tu que le discours s'adresse encore à toi?

LUCRÈCE, *à Clarice.*

Je ne sais où j'en suis.

CLARICE, *à Lucrèce.*

               Oyons la fourbe entière.    1685

LUCRÈCE, *à Clarice.*

Vu ce que nous savons, elle est un peu grossière.

CLARICE, *à Lucrèce.*

C'est ainsi qu'il partage entre nous son amour:
Il te flatte de nuit, et m'en conte de jour.

DORANTE, *à Clarice.*

Vous consultez ensemble ! Ah ! quoi qu'elle vous die,
Sur de meilleurs conseils disposez de ma vie:          1690
Le sien auprès de vous me seroit trop fatal:
Elle a quelque sujet de me vouloir du mal.

LUCRÈCE, *en elle-même.*

Ah ! je n'en ai trop, et si je ne me venge . . .

CLARICE, *à Dorante.*

Ce qu'elle me disoit est de vrai fort étrange.

DORANTE

C'est quelque invention de son esprit jaloux.          1695

CLARICE

Je le crois; mais enfin me reconnoissez-vous?

DORANTE

Si je vous reconnois ! quittez ces railleries,
Vous que j'entretins hier dedans les Tuileries,
Que je fis aussitôt maîtresse de mon sort.

CLARICE

Si je veux toutefois en croire son rapport,          1700
Pour une autre déjà votre âme inquiétée . . .

DORANTE

Pour une autre déjà je vous aurois quittée?
Que plutôt à vos pieds mon cœur sacrifié . . .

CLARICE

Bien plus, si je la crois, vous êtes marié.

DORANTE

Vous me jouez, Madame, et sans doute pour rire,　1705
Vous prenez du plaisir à m'entendre redire
Qu'à dessein de mourir en des liens si doux
Je me fais marié pour toute autre que vous.

CLARICE

Mais avant qu'avec moi le nœud d'hymen vous lie,
Vous serez marié, si l'on veut, en Turquie.　1710

DORANTE

Avant qu'avec toute autre on me puisse engager,
Je serai marié, si l'on veut, en Alger.

CLARICE

Mais enfin vous n'avez que mépris pour Clarice?

DORANTE

Mais enfin vous savez le nœud de l'artifice,
Et que pour être à vous je fais ce que je puis.　1715

CLARICE

Je ne sais plus moi-même, à mon tour, où j'en suis.
Lucrèce, écoute un mot.

DORANTE, à Cliton.

Lucrèce! que dit-elle?

CLITON, *à Dorante.*

Vous en tenez, Monsieur: Lucrèce est la plus belle;
Mais laquelle des deux? J'en ai le mieux jugé,
Et vous auriez perdu si vous aviez gagé.          1720

DORANTE, *à Cliton.*

Cette nuit à la voix j'ai cru la reconnoître.

CLITON, *à Dorante.*

Clarice sous son nom parloit à sa fenêtre;
Sabine m'en a fait un secret entretien.

DORANTE

Bonne bouche, j'en tiens; mais l'autre la vaut bien,
Et comme dès tantôt je la trouvois bien faite,          1725
Mon cœur déjà penchoit où mon erreur le jette.
Ne me découvre point; et dans ce nouveau feu
Tu me vas voir, Cliton, jouer un nouveau jeu.
Sans changer de discours, changeons de batterie.

LUCRÈCE, *à Clarice.*

Voyons le dernier point de son effronterie;          1730
Quand tu lui diras tout il sera bien surpris.

CLARICE, *à Dorante.*

Comme elle est mon amie, elle m'a tout appris:
Cette nuit vous l'aimiez, et m'avez méprisée.
Laquelle de nous deux avez-vous abusée?
Vous lui parliez d'amour en termes assez doux.          1735

DORANTE

Moi! depuis mon retour je n'ai parlé qu'à vous.

CLARICE

Vous n'avez point parlé cette nuit à Lucrèce?

DORANTE

Vous n'avez point voulu me faire un tour d'adresse?
Et je ne vous ai point reconnue à la voix?

CLARICE

Nous diroit-il bien vrai pour la première fois?          1740

DORANTE

Pour me venger de vous j'eus assez de malice
Pour vous laisser jouir d'un si lourd artifice,
Et vous laissant passer pour ce que vous vouliez,
Je vous en donnai plus que vous ne m'en donniez.
Je vous embarrassai, n'en faites point la fine:          1745
Choisissez un peu mieux vos dupes à la mine.
Vous pensiez me jouer; et moi je vous jouois,
Mais par de faux mépris que je désavouois;
Car enfin je vous aime, et je hais de ma vie
Les jours que j'ai vécu sans vous avoir servie.          1750

CLARICE

Pourquoi, si vous m'aimez, feindre un hymen en l'air,
Quand un père pour vous est venu me parler?
Quel fruit de cette fourbe osez-vous promettre?

LUCRÈCE, à Dorante.

Pourquoi, si vous l'aimez, m'écrire cette lettre?

DORANTE, à Lucrèce.

J'aime de ce courroux les principes cachés:              1755
Je ne vous déplais pas, puisque vous vous fâchez.
Mais j'ai moi-même enfin assez joué d'adresse.
Il faut vous dire vrai, je n'aime que Lucrèce.

CLARICE, à Lucrèce.

Est-il un plus grand fourbe? et peux-tu l'écouter?

DORANTE, *à Lucrèce.*

Quand vous m'aurez ouï, vous n'en pourrez douter.      1760
Sous votre nom, Lucrèce, et par votre fenêtre,
Clarice m'a fait pièce, et je l'ai su connoître;
Comme en y consentant vous m'avez affligé,
Je vous ai mise en peine, et je m'en suis vengé.

LUCRÈCE

Mais que disiez-vous hier dedans les Tuileries?      1765

DORANTE

Clarice fut l'objet de mes galanteries . . .

CLARICE, *à Lucrèce.*

Veux-tu longtemps encore écouter ce moqueur?

DORANTE, *à Lucrèce.*

Elle avoit mes discours, mais vous aviez mon cœur,
Où vos yeux faisoient naître un feu que j'ai fait taire,
Jusqu'à ce que ma flamme ait eu l'aveu d'un père:      1770
Comme tout ce discours n'étoit que fiction,
Je cachois mon retour et ma condition.

CLARICE, *à Lucrèce.*

Vois que fourbe sur fourbe à nos yeux il entasse
Et ne fait que jouer des tours de passe-passe.

DORANTE, *à Lucrèce.*

Vous seule êtes l'objet dont mon cœur est charmé.      1775

LUCRÈCE, *à Dorante.*

C'est ce que les effets m'ont fort mal confirmé.

DORANTE

Si mon père à présent porte parole au vôtre,
Après son témoignage, en voudrez-vous quelque autre?

LUCRÈCE

Après son témoignage il faudra consulter
Si nous aurons encor quelque lieu d'en douter.          1780

DORANTE, *à Lucrèce.*

Qu'à de telles clartés votre erreur se dissipe.

(*A Clarice.*)

Et vous, belle Clarice, aimez toujours Alcippe;
Sans l'hymen de Poitiers il ne tenoit plus rien;
Je ne lui ferai pas ce mauvais entretien;
Mais entre vous et moi vous savez le mystère.          1785
Le voici qui s'avance, et j'aperçois mon père.

## SCÈNE VII

*Géronte, Dorante, Alcippe, Clarice, Lucrèce,*
*Isabelle, Sabine, Cliton*

ALCIPPE, *sortant de chez Clarice et parlant à elle.*
Nos parents sont d'accord, et vous êtes à moi.

GÉRONTE, *sortant de chez Lucrèce et parlant à elle.*
Votre père à Dorante engage votre foi.

ALCIPPE, *à Clarice.*
Un mot de votre main, l'affaire est terminée.

GÉRONTE, *à Lucrèce.*
Un mot de votre bouche achève l'hyménée.          1790

DORANTE, *à Lucrèce.*

Ne soyez pas rebelle à seconder mes vœux.

ALCIPPE

Êtes-vous aujourd'hui muettes toutes deux?

CLARICE

Mon père a sur mes vœux une entière puissance.

LUCRÈCE

Le devoir d'une fille est dans l'obéissance.

GÉRONTE, *à Lucrèce.*

Venez donc recevoir ce doux commandement.        1795

ALCIPPE, *à Clarice.*

Venez donc ajouter ce doux consentement.

(*Alcippe rentre chez Clarice avec elle et Isabelle, et le reste rentre chez Lucrèce.*)

SABINE, *à Dorante, comme il rentre.*

Si vous vous mariez, il ne pleuvra plus guères.

GÉRONTE

Je changerai pour toi cette pluie en rivières.

SABINE

Vous n'aurez pas loisir seulement d'y penser.
Mon métier ne vaut rien quand on s'en peut passer.        1800

CLITON, *seul.*

Comme en sa propre fourbe un menteur s'embarrasse!
Peu sauroient comme lui s'en tirer avec grâce.
Vous autres qui doutiez s'il en pourroit sortir,
Par un si rare exemple apprenez à mentir.

# GENERAL NOTE ON *LE CID*

Corneille's tragi-comedy, *le Cid,* now generally called a tragedy, was first performed at the end of December 1636 or in the early days of January 1637, at the Théâtre du Marais, and not, as sometimes stated, at the Hôtel de Bourgogne. The immediate model of Corneille was a drama on the youthful exploits of the Cid (*Las Mocedades del Cid*) by Guillén de Castro. His task was in part to transform a sprawling Spanish play relying chiefly on picturesque incident and unconfined by the unities of time and place, into a work more in harmony with French aesthetic requirements. He consequently made the action centre about one striking incident, a quarrel between two rival families, with the consequent effect on the loves of Rodrigue and Chimène. Their position is like that of Romeo and Juliet, though the outcome of the situation is different. Moreover, Corneille was forced to compress within twenty-four hours the events of many months in the Spanish model. This was almost an impossibility because he was obliged to bring about too rapidly changes of feeling, such as the transformation from a dominating desire of vengeance for a father's murder to a dominating love for the murderer.

Corneille faced another obstacle with regard to the unity of place. His play was composed in accordance with the dramatic conventions permissible at his time of the "simultaneous" stage-setting. The action of the *Cid* takes place in at least four spots: a public thoroughfare, Chimène's home, the King's rooms and those of the Infanta. But the rule of the absolute unity of place was being rapidly accepted, and Corneille was attacked for violating the precepts of art.

# NOTES ON THE TEXT

PAGE
3. **Madame de Combalet.** A niece of Richelieu.
4. **Mariana.** Juan de Mariana (1537-1623), author of a *Historia de España.*

   **Avia pocos dias.** "A few days before, he had had a duel with Don Gomez, Count of Gormaz. He defeated and killed him. The result of this affair was that he married Doña Ximena, daughter and heiress of the same count. She even asked the king either to give him to her as husband, for she was much attracted by him, or else to punish him in conformity with the laws for having

PAGE killed her father. The wedding, which pleased every one, took place, by which through the great dowry of his wife which was added to his own inheritance from his father, he became more powerful and wealthy."

5. **l'a notée dans son livre.** Has blamed her. This refers to the *Histoire générale d'Espagne* of Loys de Mayerne Turquet, 1587.

6. **Engañarse engañando.** To be deceived while deceiving.

   **A mirar.** "If the world is right in thinking that to have desires to conquer and occasions to reject, tests a woman's worth I should say what I think, for it would add lustre to my honor. But malice based on honor badly understood makes open faults of defeated temptations. And thus she who both desires and resists wins twice if she adds silence to resistance."

7. **qu'on a priés d'en juger.** The committee of the Academy (Chapelain and others), who prepared the *Sentiments* of the Academy on the *Cid*.

   **M. de Balzac.** The seventeenth-century rhetorician, Jean-Louis Guez de Balzac, who was considered a supreme authority on literary style and *éloquence*, lived a retired life in the country near Angoulême.

   **deux derniers trésors.** The *Lettres choisies du sieur de Balzac,* published in two parts in 1647.

   **compromis de ma réputation.** Explained as "exposer (sa dignité, son autorité) à recevoir quelque déchet, quelque diminution."

8. **du côté de la politique.** To interpret Aristotle according to personal bias.

9. **Horace.** Horace in his *De arte poetica* prescribed five acts.

   **un des plus doctes commentateurs.** The Italian Aristotelian critic of the sixteenth century, Robortello.

   **J'oubliois à vous dire.** This paragraph appeared only in the editions to which the references were applicable. Corneille explains that passages drawn from others and quotations by his characters of other speeches ("quelque chose qui s'est dit ailleurs que sur le théâtre") are in italics ("d'une autre lettre").

10. **Romance primero.** "Before the King of Leon Doña Ximena one evening asks justice for the murder of her father. She asks it against the Cid, Don Rodrigo de Bivar, who made her an orphan when she was still a young child. 'Whether I am right or wrong, you know well enough, O King, for affairs of honor cannot be hidden. Every day that dawns I see the wolf of my blood, a rider upon a horse, increase my woe. Order him,

PAGE good King, since you are able, not to prowl about my street, for a man of worth does not take vengeance upon women. If my father affronted his, he has well avenged his father; for, if death can atone for honor, be that enough for his requital. You have me under your protection; let me not be insulted, for an offence to me is an offence to your crown.' 'Silence, Doña Ximena, for you grieve me sorely; I will find a good remedy for all your woes. I cannot offend the Cid, for he is a man of much worth. He defends my realms and I want him to guard them. But I' will make an arrangement with him which will not be bad for you. I will make him pledge to marry you.' Ximena remained content with the favor which was given her, that he who had made her an orphan should himself protect her."

11. **Romance segundo.** "The King took the pledge and hand of Ximena and of Rodrigo to unite them in presence of Layn Calvo. Old hostilities were appeased with love, since where love holds sway great wrongs are forgotten. The betrothed arrived together, and at the time of giving hand and kiss, the Cid, looking upon the bride, said to her with emotion: 'I killed your father, Ximena, but not treacherously. I killed him from man to man, to avenge a true insult. I killed a man and give a man. Here I am at your command, and instead of the dead father you have gained an honored husband.' This seemed good to all, they approved his discretion, and thus took place the wedding of Rodrigo the Castilian."

12. **conduite.** Arrangement.

14. **remettre à s'excuser de leur obéir.** Postpone declining to obey them.

16. **J'ai dit ailleurs.** In the *Discours du poème dramatique* Corneille calls attention to the fact that the Infanta's love is a detached episode, and in the *Examen of Clitandre* that Don Fernand acts as judge and that this king "remplit assez mal la dignité d'un si grand rôle." He reverts to the matter in the *Examen* of *Horace*.

18. **que j'ai marqué ailleurs.** *Discours du poème dramatique.*
   **se venir faire de fête.** To come without being invited.

20. **moucheurs de chandelles.** Men employed to snuff the candles at intervals were necessary officials in the old theatres.

24. **Don Fernand.** Rôle based on the historical Ferdinand I, the Great, king of Castile in the eleventh century.

   **Séville.** Seville was still in the hands of the Moors, but Corneille introduced the (anachronism) intentionally to facilitate the technical construction of the play. *error in chronology*

LINE

5. **si je ne m'abuse.** If I do not deceive myself.

49. **a résolu son père.** *Résoudre* is used transitively.

82. **cavalier.** In Corneille's day this word was replacing, under the influence of Italian and Spanish, the word *chevalier* in the sense of a knight or warrior. Here we have a recurrent theme of seventeenth-century novel and romantic play,—the heroic youth (whose noble birth is sometimes at first unsuspected), who wins the love of a queen or princess. Note especially the line, "L'amour est un tyran qui n'épargne personne," which is practically the key to seventeenth-century tragi-comedy.

96. **pourroient l'autoriser.** Could justify it.

117. **que l'amour me contraigne.** The indicative would be more natural. The subjunctive is probably to be explained by the idea of emotion expressed in the whole of Corneille's original line, "Je suis au désespoir que l'amour me contraigne," but which is here relegated to the qualifying words "avec chagrin."

135. **perdre l'espoir.** The style of this conversation is characterized by the artificial phraseology frequent in the love-passages of seventeenth-century literature. Note, for instance, the antithesis in "un mal si doux et si cuisant." In "Ma plus douce espérance est de perdre l'espoir" we have a *pointe* such as Molière makes fun of in *le Misanthrope:*

> Belle Philis, on désespère
> Alors qu'on espère toujours.

157. **Pour grands que soient.** However great may be.

167. **je n'ai qu'un fils.** The old pronunciation of *fils* (without sounding the *s*) is still occasionally heard, especially in rural districts.

169. **l'acceptez pour gendre.** Note the tendency in the seventeenth century to place the objective pronoun after the first of two imperatives and before the second.

170. **beau fils.** The adjective is sarcastic ("this fine son of yours"), as is much of the whole passage.

189. **ordonner une armée.** Draw up an army in battle array.

211. **discours superflus.** Cf. *Horace,* Act II, Sc. 3.

> Et pour trancher enfin ces discours superflus,
> Albe vous a nommé, je ne vous connais plus.

218. **En être refusé.** Unusual but intelligible construction of *en.*

237. **O rage!** Here begins one of the most famous and characteristic rhetorical tirades in Corneille.

LINE
298. **l'étrange peine!** Terrible (not "peculiar").
319. **pour venger mon honneur.** We have the characteristic Cornelian conflict between love and honor or duty.
331. **sans tirer ma raison.** Without avenging myself. Archaic idiom.
337. **ce penser suborneur.** Infinitive form used as a substantive, i.e. *pensée*.
352. **l'a porté trop haut.** Was too presuming. "Le porter haut" = to manifest pride or arrogance.
359. **submissions** = *soumissions*.
360. **satisfactions.** Reparations.
385. **conte** = *compte*.
390. **le foudre.** The word, now feminine, was then of either gender. The *laurier* was supposed, by a superstition of the ancients, to protect against the *foudre*.
400. **Le sais-tu?** Note the effective rhetorical repetition. This whole scene contains some of the most famous passages in seventeenth-century drama, such as "Je suis jeune, il est vrai," etc.; "Mes pareils à deux fois," etc.; "Ton bras est invaincu, mais non pas invincible."
418. **invaincu.** This word, criticized by Voltaire as a venturesome innovation of Corneille, was in the latter's time perfectly good French.
447. **pour le voir différer.** The preposition *pour* here indicates cause.
465. **sensible.** Responsive to.
476. **discord.** This word, meaning "disagreement," though employed by Corneille, was becoming less used in ordinary language.
505. **promptitude.** Haste (in leaving you).
515. **chez moi;** i.e. "in my heart."
547. **où vous portez son bras.** Léonor suggests that the Infante is building much on the results of a combat (*ensuite d'un combat*) which may not have taken place.
572. **vous assurer de lui.** Arrest him.
598. **chef.** Head. The word (from *caput*) was even then becoming poetical and obsolete in a literal sense.
604. **perdu d'honneur.** Dishonored.
657. **Vous parlerez après.** Spoken to Don Diègue.
676. **Son sang sur la poussière.** Example of the artificial rhetoric and strained metaphorical language which prevailed so much in France and in England in the early seventeenth century.
690. **allégeance.** Relief.
711. **harnois.** Battle-trappings.
764. **la redoubler.** The pronoun refers to *colère*.

LINE

771. **je la voi.** This spelling of the first person of the verb, without an *s*, was etymologically justifiable (from *video*). The *s* was introduced by analogy with the second person.

780. **trop fort** = *très fort.* The adverb did not necessarily imply excess.

790. **mon injure.** My wrong.

798. **a sa trame coupée.** For *a coupé sa trame.* Archaic construction not infrequent in Corneille, which placed the object between the auxiliary and the participle.

799. **Pleurez, pleurez, mes yeux.** Such rhetorical apostrophes aroused the mirth of Corneille's critics. As Charles Sorel wrote in his *Parasite Mormon* (1650): "Mettons la main sur la conscience. Nous arrive-t-il d'apostropher ainsi les parties de notre corps? Disons-nous jamais: Pleurez, pleurez, mes yeux, non plus que, Mouchez, mouchez-vous, mon nez? Ça! courage, mes pieds, allons-nous-en au Faubourg Saint-Germain?"

800. **La moitié de ma vie.** Characteristic Cornelian antithesis.

820. **Je ne consulte point.** I do not hesitate.

827. **Je demande sa tête.** We have here a modified example of the primitive "head *motif*" (a life for a life, a head for a head), transmitted from earlier literature, and used by Corneille in other plays as well (cf. L. M. Riddle, *The Genesis and Sources of Corneille's Tragedies from Médée to Pertharite,* p. 30 and *passim*):

> Tu pourras donc, cruel, me présenter sa tête,
> Et demander ma main pour prix de ta conquête!
> 
> *Horace,* Act II, Sc. 5.

> Sa tête est le seul prix dont il peut m'acquérir.
> 
> *Cinna,* Act I, Sc. 2.

832. **je ne l'orrai pas!** Future of the archaic and defective verb *ouïr.*

842. **Il y va de ma gloire.** My honor is at stake.

855. **Écoute-moi.** Note the change from *vous* to *tu,* indicating increasing tenderness.

878. **Je le ferois encor.** Corneille uses this same line in *Polyeucte,* Act V, Sc. 3.

887. **A moins que d'opposer.** Elliptical expression: "If I had not opposed to the memory of your charms the thought that a man of honor did not deserve you." The *que* clauses are objects of *opposer.* Note the disagreeable sound in the repetition of *que* and *qui* in this passage.

927. **Car enfin n'attends pas.** Chimène is here re-echoing Rodrigue's words above in line 871.

940. **Je suis ta partie.** Your opponent.

LINE
945. **De quoi qu'en ma faveur.** Rodrigue is re-echoing Chimène's words in line 929.

952. **tu m'en veux donner.** You wish to deceive me.

957. **point d'honneur.** The *point d'honneur* was the recurrent motivation of the heroic play. It was, in one form or another, the obstacle to the course of true love.

994. **Tant que.** Until.

997. **qu'on te voie** = *qu'on ne te voie.*

1022. **Ou si je vois.** Or can it be that I see? The *si* has an adversative value.

1126. **Pour avoir soin de lui.** *Pour* has a causal meaning, "because." In translation the infinite must, therefore, be turned into a finite tense.

1133. **quoi qu'on die** = *quoi qu'on dise* (archaic form of the subjunctive).

1137. **Pompe.** Used in a perfectly dignified sense, without any suggestion of "pompousness." Cf. the "pomp of power" in Gray's *Elegy*. An undertaker is, in modern French, an "entrepreneur des pompes funèbres."

1196. **cyprès.** The cypress was the tree of mourning.

1208. **Après mon père mort.** Latin construction: *post patrem mortuum.*

1212. **essai.** Cf. line 410: "Et pour leurs coups d'essai veulent des coups de maître."

1222. **Cid.** Corruption of Seyid, "lord." Cf. the modern form used in North Africa, "Sidi."

1229. **honte.** Modesty, diffidence.

1232. **reçoi.** Cf. above, note on *voi*, line 771.

1257. **Sous moi donc.** This is one of the finest passages of narrative in French seventeenth-century poetry. It shows what Corneille could have done if he had attempted an epic. With great skill also Corneille makes his hero describe his own victory over the Moors, without seeming a *matamore*, the boastful "Moor-slayer" of seventeenth-century comic literature.

1273. **Cette obscure clarté.** Commentators compare this expression to the "darkness visible" of Milton's "Paradise Lost."

1297. **alfanges.** Scimitars, cutlasses.

1319. **Cependant que** = *pendant que.*

1334. **avant que sortir** = *avant de sortir.*

1340. **Il est mort.** The king plays a trick on Chimène which would scarcely be dignified in a monarch of tragedy. But this is a tragi-comedy.

1367. **Mourir pour le pays.** A recurrent theme of heroic drama, transmitted from traditions of Roman patriotism and

LINE such maxims as Horace's "Dulce et decorum est pro patria mori." (Book III, Ode ii.)

1378. **lieu de franchise.** Refuge. Many places were in the Middle Ages sanctuaries where criminals could not be touched.

1388. **la même équité** =*l'équité même.*

1461. **loin d'avouer.** Far from approving.

1499. **estomac.** In the sixteenth and early seventeenth centuries this word had a perfectly dignified use in the sense of *poitrine,* or even of *cœur.*

1564. **c'est trop peu que de vous.** Rostand must have had this passage in mind when, at the ending of the first act of *Cyrano de Bergerac,* he makes the hero, in a somewhat similar emotional situation, exclaim:

> Maintenant . . .
> Mais je vais être frénétique et fulminant!
> Il me faut une armée entière à déconfire!
> J'ai dix cœurs; j'ai vingt bras; il ne me peut suffire
> De pourfendre des nains . . . Il me faut des géants!

The idiom itself, "c'est trop peu que de vous" is a peculiar one grammatically, but traditionally accepted in formal rhetoric, in the sense of "You are too few."

1572. **pour être** = *quoique.*

1605. **qu'il s'en faut encor!** Far from it! A legitimate use of *s'en falloir.*

1706. **encore toute trempée.** Almost a repetition of the action and of the language of Chimène in Act III, Sc. 4, when Rodrigue offers her his sword.

1714. **Exécrable assassin.** The emotional situation is not unlike the scene between Hermione and Oreste in the last act of Racine's *Andromaque.*

1726. **J'ai bien voulu.** Stronger in meaning than in the modern use of the expression. *Bien* = "indeed."

1798. **Pour vous en revancher.** In return. The word *revanche* does not necessarily imply the vindictiveness of the English word "revenge," and is often merely "rejoinder," "retaliation."

1812. **D'avoir trempé mes mains dans le sang paternel.** These last words of Chimène seem to suggest a refusal. It is wrong to say that she actually promises to marry Rodrigue. All we can do is to hope.

# GENERAL NOTE ON *HORACE*

Several years after *le Cid* Corneille produced *Horace* (occasionally called *les Horaces*) in 1640. This play is a strictly regular tragedy and borrows its theme from Roman history. It follows the law of the unities, though Corneille felt he was straining that of action by placing his hero in jeopardy *twice:* in the combat with the Curiatii and in his trial for the murder of his sister. Our criticism is rather that the fifth act is an anti-climax, being practically a trial before the king, with formal speeches for the prosecution and for the defence, followed by the verdict.

In writing *Horace* Corneille faced the same difficulty as in *le Cid*, that of adapting to the *bienséances* of the French seventeenth century a story illustrating conditions of a primitive semi-barbarous civilization. Consequently, the murder of Camille by her brother shocked the critics, like the abbé d'Aubignac, who suggested various makeshift *dénoûments,* such as a misstep by Camille which would have made her fall on her brother's sword. Thus she would have been pierced by it and he would have remained guiltless of her actual murder.

This tragedy, like the *Cid,* contains famous rhetorical tirades, such as the scenes between Horace and Curiace in the second act, the false news of the defeat and the tidings of victory in the third and the curses of Camille in the fourth. Boileau called the cry of old Horace, "Qu'il mourût," one of the truly sublime passages of literature, like the "Let there be light" of the Book of Genesis.

# NOTES ON THE TEXT

PAGE
107. **V. É.** Votre Éminence.

    **aucune chose plus noble.** *Nec ferme res antiqua alia est nobilior* (Livy, Bk. I, Ch. 24).

108. **une muse de province.** Corneille, the inhabitant of Rouen, apologizes for his provincialism.

    **Scipion et Lælie.** Scipio and Lælius were credited with having a hand in the comedies of Terence.

109. **Totum muneris hoc tui est.** A slight variation from Horace, Bk. IV, Ode iii: "It is entirely through your favor that I am pointed out by passers-by as a not insignificant craftsman for the stage. That I breathe and please, if please I do, is owing to you."

110. **dans cette impression.** In this printing (edition).

　　**qui nous apprend.** *Poetics,* Ch. XI.

　　**Médée qui tue ses enfants.** Cf. the precept of the *Art of Poetry* of Horace: *Ne pueros coram populo Medea trucidet.*

　　**Quand elle s'enferreroit.** Corneille is answering the abbé d'Aubignac who argued (cf. p. 401) that the legend and decorum might be reconciled if Camille were to rush upon Horace and be run through by his sword unintentionally on his part.

　　**cette action.** The death of Camille.

112. **Servetur ad imum.** *Art of Poetry,* lines 126-127: "Let it be kept until the end such as it was at the beginning, and be consistent with itself."

　　**Pertharite.** Corneille's play of this name was a failure in 1652.

　　**Tantum series.** *Art of Poetry,* line 242: "Such power has the order and connection of the parts."

　　**dans l'*Andromède* et dans l'*Œdipe.*** The first of these plays belonged to 1650, the second to 1659.

113. **la protase.** The first part of the play giving the exposition.

　　**artificieux.** Constructed with art.

114. **Quelques-uns ne veulent pas.** Such as the abbé d'Aubignac.

　　**un amant mal voulu.** An unwelcome suitor.

118. **Tulle.** In the first half of the seventeenth century writers tended to give a French ending to Latin names even more generally than later. The same Roman emperor is called Tite by Corneille (in *Tite et Bérénice*) and Titus by Racine (in *Bérénice*).

　6. **désordre.** The word indicates an emotional upheaval, as in "désordre d'esprit."

　14. **le sexe.** Women.

　50. **pavillons.** The word originally meant "tent," then by extension "banner." Probably the second meaning is intended here.

　59. **se laissant ravir à.** The preposition *à* has frequently the meaning "by," like the Latin ablative.

　61. **vu que.** Prosaic expression.

　62. **son peuple.** The Albans.

　71. **flatter ma peine.** Soothe my sorrow.

　72. **j'ai fait vanité.** I was proud.

　91. **Égale.** Impartial.

　95. **traverses.** Afflictions.

LINE

104. **détestoit.** Felt abhorrence for.
111. **entretint.** Conversed with.
115. **fraternelle.** Here "sisterly."
122. **pareils aux siens.** Like hers.
129. **à la faire parler.** In Corneille's time *à,* as well as *de,* could be used after *essayer.*
141. **mon plus unique bien.** Pleonastic but effective.
172. **le salaire.** The reward.
206. **que je parlais à lui.** Construction permissible with *parler* in the seventeenth century for "que je lui parlais," and justifiable also because of emphasis.
219. **de suite.** Connectedly.
264. **Camille.** As the name on this page rhymes with *ville,* the *ll* was evidently not liquid in the seventeenth century.
282. **pour donner.** To attack.
286. **démon.** Among the ancients the word "spirit," which we use metaphorically, indicated more literally an attendant spirit or demon, linked with the experiences in life of each human being.
290. **neveux.** Descendants.
299. **divorces.** Dissensions.
303. **Que si.** For if. A Latinism, equivalent to *quod si,* frequent in the seventeenth century.
305. **l'apaiser,** i.e. ambition.
331. **attendant qu'on les nomme.** Absolute construction.
338. **donner la main.** Marry.
340. **Le devoir d'une fille.** An almost identical line appears in *le Menteur,* Act V, Sc. 7.
349. **superbe.** Proud.
386. **Ce noble désespoir,** i.e. the noble desperation to do or die.
388. **Que mes derniers,** etc. Unless (Latin *quin*).
427. **Je mets à faire pis.** I defy to do worse.
431. **la barrière.** The lists (in a combat).
462. **consulté.** Hesitated.
466. **autant que Rome vous a fait.** As much as Rome does you. Note the vague use of *faire,* as we use "do" in English.
479. **je plains.** I regret.
515. **état.** Here is equivalent to "honor."
528. **avec lui,** i.e. *avec votre amant.*
567. **sa tête.** Here is another instance of the "head" theme. Cf. above, note on *le Cid,* l. 827.
574. **Il l'éteint,** i.e. "mon amant" does so.
596. **le secours d'un crime.** The crime of being unjust to Camille.
610. **y joignez-vous ma sœur?** The *y* refers to Camille.

LINE

648. **pour haut appareil,** *etc.* As proud adornments of a stately honor.

662. **Se fassent jour ici,** i.e. "through my heart."

679. **Qu'est-ce-ci.** We no longer say *qu'est-ce-ci,* but we still say *qu'est-ce là.*

739. **grossière.** Harsh.

752. **Je songe par quels bras.** Note the rhetorical antitheses of this monologue. This verse corresponds to the line above, "Songeons pour quelle cause, et non par quelles mains." Similarly, the fourth verse below, "En l'une je suis fille, en l'autre je suis femme," corresponds to the earlier verse, "En l'une je suis femme, en l'autre je suis fille."

761. **Quels foudres.** Usually masculine in Corneille. Cf. note to *le Cid,* verse 390.

768. **hosties.** Victims.

769. **m'enviant.** Begrudging me.

780. **Leur vue.** Their presence (the view of them).

790. **détestent.** Denounce (Latin *detestari*).

801. **déplore.** This verb is now applied to things more than to persons.

806. **Que pas un d'eux,** etc. Involved and irregular construction. More naturally it would be something like "Et mourront . . . plutôt que l'un d'eux ne renonce aux honneurs d'un tel choix." The *que* here is dependent on the *plutôt* two lines before, and the negative idea is strong enough to make Julie use the expression *pas un d'eux.*

828. **n'avoueront point.** Will not justify.

831. **que je vous die.** Archaic subjunctive (*die* for *dise*).

834. **flatte mon ennui.** Soothes my sorrow.

843. **bas étages.** An unpoetical expression.

857. **Quand la faveur,** *etc.* This sentence, together with other passages in Corneille, such as the opening scene of *Polyeucte,* shows that in the discussions of Grace between the Jansenists and the Jesuits, he would, with the Jesuits, be a partisan of the freedom of the will.

899. **caractères.** Marks.

964. **étonnement.** Fear.

965. **n'a leur gloire flétrie** = *n'a flétri leur gloire.*

970. **mol.** Today we should use *mou* before a consonant.

1009. **Tout beau.** Softly. Important idiom, not infrequent in Corneille, but considered by later critics lacking in tragic dignity, because used in familiar language, as in a command to dogs.

1013. **invaincu.** Another effective instance of this word criti-

LINE cized by such commentators as Voltaire. Cf. above, note
to *le Cid,* verse 418.

1021. **Qu'il mourût!** This is considered by the admirers of
French classical tragedy, from Boileau on, as one of the
really sublime moments in dramatic poetry. The next
line, however, weakens the effect.

1065. **pour mon regard.** So far as I am concerned.

1106. **un pas si dangereux.** So dangerous a situation.

1112. **coups.** Wounds (blows received).

1156. **Faire office.** Unusual expression in this connection, with
"de douleur et de joie." It is influenced by such a phrase
as "faire office d'ami."

1198. **astre injurieux.** Unjust fate. The stars were supposed
to have an influence on destiny.

1203. **En vit-on jamais un,** i.e. *sort.*

1216. **La partie.** The project.

1225. **Son rival.** Valère.

1249. **constamment.** With constancy.

1272. **respire.** Desires ardently.

1319. **ma patience.** A much discussed passage. It is argued
that in killing his sister Horace is not yielding to reason
but to passion. The thought of Corneille, however, is
that patriotism justifies slaying one who curses his country, even though it be a sister. Horace proclaims that
he has shown forbearance in not punishing her before.

1381. **ce qu'elle a prétendu.** What she aspired to.

1382. **là-bas.** In the nether world.

Acte V. The fifth act of *Horace* seems in some ways
to the modern reader an anti-climax. The emotional
tension connected with the slaying of Camille is over
and the act is practically a legal trial (cf. p. 401).
Corneille himself admitted the validity of the criticism.

1403. **objet funeste.** Spectacle of death. The word *objet* refers
to the dead Camille, and *funeste* is taken in its etymological sense, connected with the Latin *funus.*

1447. **sa parole.** That of Valère.

1458. **je doute.** I do not know.

1501. **ce barbare vainqueur.** This is the subject of the clause.

1502. **ne pardonne pas à.** Does not spare.

1532. **le premier parricide.** Romulus murdered Remus.

1552. **cherche son assurance.** Seeks its security.

1560. **son effet.** *Son* refers to *vertu.*

1587. **votre aveu.** Your consent.

1597. **sacrés genoux.** In modern French this adjective follows
the noun in the sense here implied.

1605. **Ce n'en sera point.** *En* stands for *victime.*

LINE

1701. **Vous les préviendrez.** *Les* refers to Rome and Alba.

1731. **les forces plus pressantes.** A superlative, not a comparative, the second article being in the seventeenth century sometimes omitted. *Forces* = "arguments."

1778. **son esprit.** Her shade (spirit).

# GENERAL NOTE ON *POLYEUCTE*

*Polyeucte* belongs probably to the winter of 1641-2, though it was not published until 1643, and it was separated from *Horace* by *Cinna*. It is, in many ways, Corneille's masterpiece though it offended those contemporaries who objected to a religious plot in a "profane," even though "heroic" play. It is structurally "correct," in accordance with the exigencies of the unities. As regards the broader question of *vraisemblance* it is more perfect than *le Cid* or *Horace,* because Corneille has succeeded in grafting upon his antique theme a modern one. His play is not merely the picture of a religious enthusiast, but contains the woman forced to choose between two loves.

The idea of *Polyeucte* was probably suggested to Corneille by the *Polietto* of the Italian Girolamo Bartolommei, though he did not borrow much from it, but went back to sources recorded in chronicles of the saints by such writers as Simeon Metaphrastes in the tenth century and Surius and Mosander in the sixteenth. The anniversary of St. Polyeuctus in the Catholic calendar is February 13. The original story is of a Christian martyr whose religious enthusiasm makes him prefer death to the dearest earthly ties. The fanaticism of the new convert is rationalized by Corneille's Neo-Stoicism to suit the spirit of the seventeenth century. But Polyeucte still remained to some of Corneille's critics *déraisonnable,* and to-day we excuse such conduct only through religious exaltation and not as a result of balancing *pros* and *cons.*

At first sight Pauline seems inhuman, to such a degree does reason lord it over her feelings. But this is far from Corneille's intention. Sévère, the former suitor of Pauline, whose introduction into the plot permits the developments of the modern love-theme, is one of the best examples in Corneille of the seventeenth-century *honnête homme* masquerading under an ancient name. He has honor, dignity, good breeding and respect for the feelings of others. Félix is the shifty politician, yet not absolutely devoid of good: he is always desirous to protect his son-in-law Polyeucte in so far as is consistent with preserving his governorship of Armenia.

NOTES ON THE TEXT

PAGE
189. **Reine Régente.** Anne of Austria, widow of Louis XIII, Queen Regent during the minority of Louis XIV.

   **par son titre.** The King of France wàs *roi très chrétien.*

190. **son roi.** Louis XIV.

   **grands courages.** Noble hearts.

   **prise de Thionville.** Victory of 1643. The French under Feuquières had been defeated at Thionville in 1639.

191. **Siméon Métaphraste.** Simeon Metaphrastes of the tenth century in Constantinople paraphrased lives of the saints. These were reproduced in the lives by Lippomani in Venice in the early sixteenth century. The transmission of the story of Polyeuctus was carried on by Surius of Lübeck in 1570 and Mosander. Such is the source of Corneille's tragedy.

192. **écartée.** Out of the way.

   **Baronius.** Caesar Baronius (1538-1607), author of the *Annales Ecclesiastici.*

194. **Coëffeteau.** Nicolas Coëffeteau (1574-1623), author of a history of Rome from Augustus to Constantine.

195. **Minturnus.** His treatise *De Poeta* appeared at Venice in 1559.

196. **Heinsius.** Dutch scholar (1580-1655). His *De Tragœdiae Constitutione* helped to transmit the critical theory of neo-classical tragedy. His *Herodes Infanticida* on the Massacre of the Innocents caused a controversy with Balzac.

   **Grotius.** Dutch publicist and writer on law (1583-1645), wrote three dramas in Latin: *Christus patiens, Sophomphaneas,* on Joseph and his brethren, and *Adamus exul,* which gave hints to Milton.

   **Buchanan.** George Buchanan (1506-1582), great Scottish humanist, wrote the *Jephthes, sive Votum* and the *Baptistes, sive Calumnia.*

197. **Bersabée.** For Bethsabée. David was smitten with her beauty on seeing her at her bath. He committed adultery with her, caused her husband to be slain and afterwards took her to wife.

199. **ses lauriers.** From *Pompée,* Act II, Sc. 1.

LINE
   5. **un songe.** The device of a dream, borrowed from the ancients, especially Seneca, was frequently used in modern tragedy. It was particularly useful to the French classicists, because it enabled them to transcend the

LINE unities by the indirect introduction of material remote in time or space.

7. **vapeurs de la nuit.** Empty visions of night. The internal organs of the body were supposed to emit "vapors," which, rising from the neighborhood of the heart to the brain, caused temporary or chronic mental disturbances.

9. **ce que c'est qu'une femme.** Translate here by "wife."

14. **qu'elle a songée.** Which she has seen in a dream.

16. **tâche à m'empêcher.** To-day the preposition *de* is much more usual with this verb.

29. **grâce.** This passage, like one in *Horace* (Act III, Sc. 3), is significant in determining the psychology of the Cornelian hero, whose soul kept its freedom of choice. Sainte-Beuve was wrong in suggesting an unconscious Jansenism in this play because Polyeucte uses the word *efficace* dear to the Jansenists. The Jesuits believed in a *grâce suffisante* offered to all men, the Jansenists in a *grâce efficace* granted by God to a few and inevitably determining action. But the grace referred to here is one that it is in his own power to accept or to reject.

45. **caractère.** Mark, stamp.

53. **vous abuse.** Deceives you.

105. **par la vue.** By its presence.

110. **Y va-t-il de l'honneur?** Is honor at stake?

137. **traite ici d'entière confidence.** The preposition *avec* is now more naturally used with *traiter*. Similarly, *confiance* is used instead of *confidence* in this sense.

138. **prudence.** Wisdom (without any idea of calculating caution).

166. **que la raison surmonte.** Important passage for the interpretation of the character of Pauline and of the Cornelian heroine in general. In emotional conflicts reason is victorious.

176. **Perses.** This form is applied to the ancient Persians. The modern Persians are *Persans*.

196. **l'aimable trahison.** The meaning is, "My reason never admitted that knowing Sévère had betrayed me into loving him."

223. **tristes lambeaux,** i.e. a shroud.

279. **son crédit.** His influence.

281. **cette grande journée.** Cf. such expressions as "The day of Waterloo" for the battle of Waterloo.

309. **croître.** Used transitively.

326. **Il nous perdra.** He will destroy us.

353. **Elle vaincra sans doute.** Language characteristic of a

LINE Cornelian heroine. The issue is not in doubt; it is in the struggle that the anguish lies.

393. **Qu'à des pensers.** Exclamatory. "[Can you suggest] that *à des pensers . . ."* *Pensers* instead of the more usual *pensées.*

405. **quand tu l'en as priée.** When you interceded for me. The *en* is vague but refers to the possibility of a meeting between Pauline and Sévère.

428. **Achevons de mourir.** Language of seventeenth-century sentimental love-making, jarring to the modern reader. Similarly, below: "Je ne veux que la voir, soupirer et mourir."

437. **Vous vous échapperez.** You will lose your self-control.

450. **Eût gagné l'un par l'autre.** Obscure passage. Voltaire wrote of it: *"L'un par l'autre* ne se rapporte à rien; on devine seulement qu'il eût gagné Félix par Pauline." As a matter of fact, *l'un* probably refers to *devoir,* three lines above, and *l'autre* to *son père:* he would have won over her father first, and through him her sense of duty, thus gaining her hand in marriage.

467. **la rigueur de votre premier sort.** Sévère's poverty.

469. **illustres marques.** Noble qualities.

477. **Et sur mes passions ma raison souveraine.** A key to the interpretation of the Cornelian heroic character.

513. **le vainquit.** *Le* refers back to *mérite.*

545. **Que je me prive.** Corneille affects the abrupt one-line rejoinders somewhat like the stichomythia of Greek tragedy.

557. **pompeuse.** Glorious.

560. **J'ai de la vie assez.** Seventeenth-century labored love-style.

585. **retenue.** Moderation.

678. **Qui craint de le nier.** He who fears to deny him is thereby really denying him in his heart.

701. **lâches défenses.** Cowardly excuses.

714. **un bois pourri.** The idols are of wood, stone and metal.

735. **d'un œil bien égal.** With indifference.

744. **prête à recevoir** = *prête à être reçue.*

778. **digne du jour.** Worthy to live.

784. **un chrétien.** This whole speech of Stratonice was considered very daring, almost irreverent, in Corneille's time. Many people, indeed, thought a religious theme unsuited for dramatization.

788. **tu parles à moi.** The emphatic disjunctive pronoun, for "tu me parles" or the longer "c'est à moi que tu parles," was used more frequently in the seventeenth century than now.

LINE

819. **Que si.** But. Expression frequent in seventeenth-century style, recalling the Latin *quod si.*

827. **assuré son aspect.** Directed his gaze.

838. **mêmes.** Corneille used both *mêmes* and *même* for what is now only *même.*

840. **Oyez.** The verb *ouïr* is now archaic. This imperative form penetrated into English legal procedure, as an expression equivalent to "Hear ye!"

849. **est immense.** The adjective really refers to all immediately preceding nouns.

925. **le crime d'État.** Treason.

944. **Et vous portait.** The *vous* corresponds to an ethical dative of the Latin.

966. **Il est de votre choix.** Obscure passage. *Il* probably refers to *amour,* in which case the meaning is, "My love is the token of my pride in your choice." But *il* may refer to Polyeucte, in which case the meaning is "He had the honor of being your choice."

980. **m'en toucher.** *En* refers to *pitié.*

988. **je veux l'entretenir.** I wish to speak with him (Albin).

1010. **pitoyables.** Compassionate.

1040. **les plus remis.** The most peaceful.

1059. **Qu'à des pensers.** *Qu'à* in this line and *que* in the next have the double value of "than" after *plutôt* and "that" before *puisse* and *ose.*

1068. **Je ne puis que résoudre.** Clumsy line. To avoid perhaps the repetition of *je ne sais* twice in the verse, Corneille writes *je ne puis que résoudre* under the influence of *je ne puis résoudre* and *je ne sais que résoudre.*

1208. **Des aïeux de Décie.** The name Decius was an honored one in Roman history. Two early consuls of that name, father and son, had sacrificed their lives to save Rome from its foes.

1215. **Tout beau.** Softly! Cf. note to *Horace,* l. 1009.

1283. **tu veux donc me séduire?** Note how Pauline drops into the *tu* form in tenderness and persuasion. Polyeucte continues to use *vous.*

1332. **Brisons là.** To-day a colloquialism.

1333. **chaleur.** This word, with *feux,* forms figurative language based on the false analogy of the warmth of excitement and heat of love.

1336. **Mon Polyeucte.** The possessive adjective clearly shows Pauline's tender love for her husband.

1367. **Qu'est-ce-ci?** Cf. note to *Horace,* verse 679.

1419. **Cérès Eleusine.** Ceres was the Roman equivalent of Demeter, goddess of agriculture, worshipped at Eleusis.

LINE The *Bona Dea,* goddess of fertility, was worshipped in
1423. Rome.

monstres d'Egypte. In the course of time Rome became
the home of various foreign rites, such as the cult of
Isis, and many others.

1427. sans fard. Without disguise, i.e. "frankly." Compare
the name given by François Gacon (1666-1725) to his
volume of satires, *Le poète sans fard.*

1447. fourbe. Archaic as a substantive for *fourberie.*

1451. Que tu discernes mal. *Discerner* = "to distinguish."

1457. Tranchant du généreux. By playing a magnanimous
part.

1458. l'éventer. The verb, meaning primarily "to air" (*vent*),
here means "to reveal," "to lay bare" his true feelings.

1500. intelligence. Collusion.

1508. C'est à faire à = *j'en serai quitte pour.*

1572. docteurs. Teachers.

1611. m'entretienne. Compare the line in the *Cid* (Act III,
Sc. 4): "De quoi qu'en ta faveur notre amour m'entretienne."

1612. Je ne vous connais plus. Compare the line in *Horace*
(Act II, Sc. 3): "Albe vous a nommé, je ne vous connais
plus."

1671. Je le ferois encor. This same line appears in the *Cid*
(Act III, Sc. 4).

1720. hostie. Victim.

1811. aventure. Voltaire wrote concerning this line, *"Notre
heureuse aventure,* immédiatement après avoir coupé le
cou à son gendre, fait un peu rire."

# GENERAL NOTE ON *LE MENTEUR*

Corneille's best comedy, *le Menteur,* is of 1642. The type of play to which it belongs and the chief character are familiar to theatre-goers. Many farces of the French and the English stage portray the ridiculous and uncomfortable situations which result from mistaken identity. One person is taken for another, and the rest of the play presents the resulting entanglements. The chief character is often led to pile lie upon lie as he becomes more involved. In *le Menteur* the young hero is a liar by nature and partly responsible for his own troubles. This, again, is an entertaining figure to those who enjoy seeing on the stage the bland self-assurance of the confirmed prevaricator.

Dorante, arriving in Paris from the provinces, sees a pretty girl and seeks to discover her name. Owing to the vagueness of inquiries concerning "la plus belle des deux," he is told, not her name, but that of her most intimate girl-friend. He makes love to the right person under the wrong name with obvious complications. Moreover, in order to seem a Parisian man-about-town and to impress the young woman, Dorante lies and brags unblushingly about his exploits of all kinds.

Owing to the success of *le Menteur,* Corneille was led to write a sequel, *la Suite du Menteur,* which, though inferior, is also entertaining. In the second play he presents the justification of the Liar, or the Noble Lie. Dorante interrupts a duel between two gentlemen. Arrested himself by the police as one of the culprits he shoulders responsibility for a misdemeanor of which he is innocent. He obtains his reward later, however, in the love of the sister of one of the combattants whom he had saved from imprisonment by his action.

## NOTES ON THE TEXT

PAGE

285. **ma dernière.** The play of *Pompée.*

   **de ma première réputation.** Corneille began his dramatic career by writing attractive comedies.

   **naïf.** Natural.

286. **conduire au fameux Lope de Vega.** Corneille discovered afterwards that he had been mistaken in the authorship of his model, *la Verdad sospechosa* which was by Alarcón, as he explains in his *Examen. Au =* "par le."

   **intriques** = *intrigues.* Often so written in the early seventeenth century.

413

PAGE    ainsi qu'aux peintres. Horace, *Art of Poetry*, lines 9 and 10:

Pictoribus atque poetis
Quidlibet audendi semper fuit aequa potestas.

celle qui la suit. The *Suite du Menteur* was adapted from Lope de Vega's *Amar sin saber á quien*, "To Love Without Knowing Whom One Loves."

287.    que je n'aye. Old subjunctive form for *que je n'aie*.

dont il fait le nouveau revenu. From which he pretends to have just returned.

288.    M. de Zuylichem. Constantijn Huygens, Lord of Zuylichem (1596-1687), Dutch poet and diplomatist.

leur fameuse querelle. The dispute over Heinsius's tragedy, *Herodes infanticida*. Cf. above, note to p. 196.

épigrammes. Now feminine.

Elzévier. The Elzevirs were famous Dutch printers, whose editions are still admired by collectors.

Je vous les donne ici. These insignificant poems, one in Latin and one in French, are generally omitted from modern editions. A translation of the Latin poem is as follows:

"Stern with the tragic buskin, long stained in the blood of the grim stage, Corneille was famous as true object of French admiration and glory of poetry. It was discussed whether he deserved the praise of comic poet with equal lustre and grace, and the ignorant denied it. For once he had to comply with these fools; aye, he complied with them to give them the lie; for by jests which Terence, the source of delight, which Menander, which Plautus, pure nectar of Gods and men, would, if restored to life acknowledge for their own and which they would be sorry to reject, at last he stands forth a poet: by craft, deceit, plot and counterfeit scene, he has justified himself. To what Aristotle did it occur, do you think, to anticipate him? By what algebra did any mathematician precede him, or what Euclid thought before him to prove a truth by a lie?"

Constanter. Allusion to the author's name, Constantine.

291.    quelque chose à dire. Something to criticize.

294.    The names of the characters in the play are stock ones of seventeenth-century comedy. "Géronte," a fairly frequent name for an elderly man, is probably derived from the Greek γέρων. The scene of the first act is in the gardens of the Tuileries, of the others in the Place Royale.

LINE
1. **l'épée.** Dorante has preferred a military career, instead of following his father's wish that he take up a legal vocation (*la robe*).
3. **suive.** Instead of the more regular *suivisse,* though the present is justified because the action is still pursued.
5. **Tuileries.** The Tuileries and the Place Royale were both "pays du beau monde et des galanteries."
7. **cavalier.** Under the influence of Italian the word *cavalier* tended in the early seventeenth century to replace chevalier, with the meaning of knightly gentleman or warrior (cf. *le Cid,* note to line 82). To-day *cavalier* denotes one who rides a horse.
9. **royaumes du Code.** The realm of the law.
14. **Bartole.** Fourteenth-century jurisconsult and commentator on law.
28. **pratiquer l'amour.** This expression would be vulgar to-day, but is here used facetiously, as akin to "pratiquer la médecine."
30. **donner tablature.** As we might figuratively say, "to give odds." *Tablature* implies the old system of musical notation, very difficult to decipher. So, *donner de la tablature* = to furnish difficulties to another; hence, by implication, to have greater skill oneself in some particular thing.
37. **Pour me connaître mal.** *Pour* indicates cause, not purpose.
46. **les chandelles.** Colloquial saying, usually with the singular ("le jeu n'en vaut pas la chandelle"), perhaps originally alluding to a candle illuminating a gaming-table or theatre.
66. **passe à la montre.** Passes muster. A *montre* is a military inspection or review.
81. **s'y fait de mise.** Shows himself to good advantage (in society). *Mise* implies "outlay" (Cf. *mise et recette*).
82. **autant comme** = *autant que.*
90. **La façon de donner.** This line has become a proverb.
95. **d'un tel contre-temps.** So clumsily.
96. **tâche à** = *tâche de.*
98. **ces dames.** Clarice and Lucrèce.
100. **gibier.** Used colloquially for the object of one's favorite pursuit. Montaigne informs us in his "Essays" that his favorite *gibier* is history.
106. **donne lieu de.** Affords an opportunity for.
129. **Aussi ne croyez pas.** This speech of Dorante is a specimen of the literary pretentiousness and mannerisms then acceptable in comedy, rather than a natural expression of

LINE true feeling. It belongs to the period when French sentimentality and preciosity were at hand, and Spanish subtleties in the background.

167. **gazette.** The *Gazette de France,* a seventeenth-century periodical.

198. **son nom est Lucrèce.** This is the misunderstanding on which the play turns. As a result of the ambiguity of "la plus belle des deux," he is led to think that the name of Clarice is that of her friend Lucrèce.

199. **Royale.** The Place Royale (now Place des Vosges) was, in the seventeenth century the social centre of the new fashionable quarter, the Marais. Corneille wrote a comedy called the *Place Royale.* Cliton in an off-hand way terms it *la Place,* but has to be more specific in answer to the provincial Dorante.

206. **je crois que ce soit l'autre.** The subjunctive was then permissible in a subordinate clause after *je crois.* To-day the indicative would be used.

222. **l'objet qui vous blesse.** The person who has caught your fancy.

228. **sur l'eau la musique et la collation.** A favorite way of entertainment and of diversion among the well-to-do.

234. **j'ai rompu** = *j'ai interrompu.*

253. **fait maîtresse.** Won a lady-love.

274. **d'orange.** The same word was then often used both for the fruit (*orange*) and the tree (*oranger*).

284. **quatre concerts.** It was customary in the seventeenth century to play harmonies or *concerts* with groups of instruments of kindred types (e.g. all flutes), instead of the modern orchestration by all kinds of instruments. We are told that, in musical gatherings, it was common to have, as here, four "concerts."

302. **Il s'est fallu passer à.** It was necessary to be content with.

305. **Faites état de moi.** Count upon me.

307. **Les signes du festin.** The details describing the banquet.

316. **oy.** From *ouïr,* i.e. *je vous entends.*

324. **des universités.** A youth issuing from the university was assumed to be a novice in affairs of the heart. So, in Alfred de Musset's *A quoi rêvent les jeunes filles:* "Hélas! je sors d'hier de l'université."

325. **rubriques.** Rubrics were titles, printed in red, in legal or theological treatises. Dorante uses the word loosely in the sense of articles of the Code.

331. **homme à paragraphe.** A man always preoccupied with petty clauses of the law.

LINE

333. **gît.** Archaic, from *gésir*. Still found, in the form *ci-gît*, on tombstones (*hic jacet*).

336. **Lamboy**, etc. Names of foreign generals in the Thirty Years' War.

337. **de qui les noms barbares.** *De qui* for *dont*.

349. **un fâcheux.** A nuisance, a bore. A frequent word in the seventeenth century, and we have Molière's comedy, *les Fâcheux*. To-day archaic as a noun, though the expression *c'est fâcheux* is in use.

350. **Nous pourrons.** The whole verse is obscure and ambiguous. Dorante, it is suggested, means that, in the presence of a third person, he and his lady will understand each other with figurative language drawn from military attacks, used in the lover's metaphorical siege of the heart of his mistress.

353. **Urgande et Mélusine.** Famous fairies of old literary and popular tradition.

367. **on a lors** = *on a alors*.

370. **intrigues.** Complications (cf. note to p. 286). Often masculine in the seventeenth century.

375. In the second act we are in the Place Royale.

386. **la même justice** = *la justice même*.

392. **donner.** *Air* and *donner* were good rhymes in the seventeenth century. The last syllable of the infinitive was then pronounced differently.

398. **Je cherche à l'arrêter.** I am trying to make him settle down (*l'arrêter*), because he is an only son.

423. **qu'il parle à vous** = *qu'il vous parle*.

438. **défaite.** The word was used figuratively of a girl who decides to marry, i.e. to let herself be "won over."

445. **Savoir qu'il me fût propre.** Know him to be suitable for me.

471. **Qui vous fait.** The interrogative *qui* is here used of a thing.

485. **Je meure** = *que je meure*.

489. **fol.** This form was often used, as well as *fou*, even before a consonant.

499. **connoi.** Spelling then admitted for the first person etymologically justifiable.

550. **me feroit malade.** We should now use *rendrait*.

555. **Amphion.** Allusion to the legend of the ancient hero who built the walls of Thebes by making the stones rise in orderly array to the sound of his lyre. By the *île enchantée* Corneille means the Ile Saint-Louis in the Seine, settled and developed in the early seventeenth century.

LINE

558. **Pré-aux-Clercs.** This large open space on the left bank of the river, long the resort of students and merry-makers in general, was built over in the first half of the seventeenth century.

560. **palais Cardinal.** The residence which Richelieu built for himself was bequeathed to the king and became the Palais-Royal.

580. **j'en frémi.** Permissible spelling. See above, l. 499, note on *connoi.*

585. **Avant qu'être au hasard.** The sense is: "Before incurring the risk of your death by another's hand." *Avant que* is equivalent to *avant que de* or *avant de.* The noun *hasard* means "danger" or "risk."

588. **réparer mon sang.** Maintain my family line.

601. **du tout** = *tout-à-fait.*

615. **quartier.** Room. Compare our word "quarters" for "abode," "lodging."

621. **il frappe à la porte: elle,** etc. Unusual verse-overflow (*enjambement*), used to give vividness and emphasis to the narrative.

622. **ruelle.** The vacant space between the bed and the wall.

632. **ma montre sonna.** Watches which struck the time were not unusual.

637. **horlogiers** = *horlogers.*

654. **aucunement remise.** Somewhat recovered. *Aucunement* is positive, not negative, in meaning.

663. **il fallut composer.** It was necessary to come to terms.

668. **A ne le faire pas,** *etc.* Not to do it would have cost my life.

687. **en tient-il?** Does he swallow it all? Does he let himself be deceived by my yarns?

693. **un trait de gentillesse.** A smart device.

696. **Industrie.** Clever trick. Compare the modern *chevalier d'industrie,* for "sharper."

701. **secrétaire.** Confidant (of one's secrets).

704. **m'en parer.** To ward off. Compare the English "to parry."

715. **Coule-toi là dedans.** Into Lucrèce's house.

729. Between Act II and Act III a duel has been fought by Dorante and Alcippe, interrupted by Philiste.

733. **la chose égale.** With equal credit.

745. **est d'accord.** Is settled.

745. **vaut faite.** Is as good as done.

785. **à coiffe abattue.** Partly concealed by a scarf drawn about the face.

808. **toute nuit** = *toute la nuit.*

LINE

818. **vaillant par nature et menteur par coutume.** This line is the key to Dorante's character.

852. **qui m'en a tant conté.** Who wooed me so assiduously.

863. **tranchent des entendus.** Pass themselves off as experts.

872. **une plume au chapeau.** The phrase cannot easily be rendered into English because we differentiate between "pen" and "plume." In those days pens were made of quills.

877. **En matière de fourbe.** *Fourbe* is here a noun, equivalent to *fourberie.* The verb *pipe* is used intransitively.

881. **la pièce.** The trick. A scheme thus elaborated beforehand is treated as if it were a little play. The expression was frequent.

900. **sortir de garde.** Clarice uses a term from fencing.

917. **me connoître** = *me reconnaître.*

920. **mon pis aller.** The one on whom I shall fall back as compensation.

925. **de la robe.** Connected with the law.

927. **ce seroit pour me bien divertir.** It would prove amusing.

929. **ou je meure** = *ou que je meure.*

932. **martre pour renard.** The expression implies giving back better than one gets.

933. **j'en entendrois de bonnes.** That is to say, *de bonnes histoires.*

950. **Les jours que j'ai vécu.** Accurate grammatical usage calls for *vécus,* but the rule for the agreement of the past participle was not carefully followed in Corneille's time.

966. **pièces.** A trick. Cf. line 881.

985. **foudre de guerre.** Warlike hero.

986. **à coups d'écritoire ou de verre.** That is to say, he has had no personal experience of war.

1009. **pièce.** Cf. lines 881 and 966.

1032. **t'en veut tout de bon.** Cares for you in good earnest.

1043. **un peu bien.** Somewhat.

1044. **de maison.** Of a good family. To Montaigne an "enfant de maison" was a youth of good birth and social standing.

1059. **Vous couchez d'imposture.** A figure based on laying out stakes (*coucher*) in gaming. *Coucher d'imposture* suggests heavy bluffing. A more customary modern equivalent is *payer d'imposture.*

1073. **un peu de traverse.** A slight obstacle.

1083. **sur le chevet.** To think over the matter after going to bed; to "sleep on the question."

1086. **rend des mépris.** Makes a display of scorn.

LINE

1089. **pensez-vous qu'il soit jour chez Lucrèce?** Do you think that Lucrèce is up? It is now the following morning under Lucrèce's window.

1093. **idée.** Image.

1104. **le cœur trop bon.** Not merely a *kind*, but a *noble* heart.

1104. **ont des mains.** Have hands (outstretched for gifts).

1123. **de tout le jour.** At any time during the day.

1136. **il en faudroit tâter.** We should have to fight (*en venir aux mains*).

1138. **un appel.** A challenge.

1164. **Les gens que vous tuez se portent assez bien.** This line has become proverbial.

1168. **vous m'en donnez.** You are deceiving me.

1182. **poudre de sympathie.** Powder of sympathy was a preparation which was supposed to heal by absent treatment.

1184. **pas du tout** = *pas tout à fait*.

1212. **que le ciel a joint.** We now write, *que le ciel a joints*.

1240. **Qu'il est bon!** How foolish he is!

1245. **il sera plus honnête.** It will be more suitable (*plus convenable*).

1249. **sait la cour.** Is at home in the best circles of society.

1283. **toutes les deux.** Both (hands).

1285. **Sans te piquer d'honneur.** Without standing on a point of honor.

1286. **tenir vaut mieux.** A French proverb says: "Un *tient* vaut mieux que deux *tu l'auras*," i.e. "A bird in the hand is worth two in the bush."

1301. **Le secret a joué.** The trick [secret device] succeeded.

1306. **qui fait litère de pistoles.** Who squanders his money.

1308. **Fais tomber de la pluie.** Refers to Cliton's words in line 1287, "Cette pluie est fort douce."

1314. **Doit obstiner mon maître.** *Obstiner* is used somewhat exceptionally as a transitive verb.

1316. **brave homme.** A man of commendable qualities. The expression is here more dignified than in modern usage, where it has become off-hand and familiar.

1318. **rien moins qu'insensible** = *tout à fait sensible*.

1330. **le loup par les oreilles.** The Latin proverb *lupum auribus tenere* means "to be in a situation of doubt and difficulty," afraid to hold on and afraid to let go.

1352. **pleuvoir.** Cf. lines 1287 and 1308.

1355. **le poulet.** The love-letter.

1381. **il faut que je m'assure.** I must be on my guard.

1402. **ton fait.** Your behaviour.

1402. **fais bien ta partie.** Play your part well.

1414. **Faites moins la sucrée.** Do not pretend to be so demure.

LINE
1415. **vous n'en casserez, etc.** This idiom is rather obscure, but is taken to mean, "not to get all one hoped for."

1417. **hier dedans les Tuileries.** This shows that the action is stretched over more than one day.

1434. **au temple.** In seventeenth-century comedy the word *église* was usually replaced by *temple* as better suited to a light play.

1439. **à prendre sur le vert.** The expression undoubtedly means here "to take him while he is fresh," before his tastes have had time to harden or change. The old dictionary of Richelet gives as illustration: "Ceux-ci ont été pris sur le vert (*immatura morte perierunt*), c'est-à-dire ont été pris et sont morts qu'ils étaient encore fort jeunes." Some define *prendre sur le vert* here, "who is never at a loss," i.e. who takes what is green if nothing is ripe. This would make good sense, though the reasoning seems confused. *Vert* is often used of something sturdy and fresh, as opposed to the mellow and over-ripe; cf. *vert galant*. The explanation is complicated by the saying *prendre sans vert*, meaning "prendre au dépourvu." The dictionaries, such as Littré, the *Dictionnaire général* of Hatzfeld and Darmesteter and the etymological dictionary of Bloch (*Additions et Corrections*) trace the expression to a game (*jouer au vert*) in which participants wore a green sprig, and the one caught *sans vert* had to pay a forfeit. La Fontaine wrote a comedy, *Je vous prends sans vert.*

1454. **ces lieux même.** The forms *même* and *mêmes* were used without much distinction.

1484. **vous en tenez.** You let yourself be taken in. Cf. line 687.

1489. **O vieillesse facile.** These exclamations remind us somewhat of Don Diègue's cry in *le Cid:* "O rage; ô désespoir! ô vieillesse ennemie!"

1550. **Consentoit à tes yeux l'hymen.** In the seventeenth century *consentir* was frequently transitive.

1559. **une assez rude touche.** A rather severe blow. The expression is taken from the terms of fencing.

1570. **Que venoient ses beautés.** This inversion reminds one of the famous passage in Molière's *Bourgeois gentilhomme,* where M. Jourdain tries to find the noblest order for: "Belle marquise, vos beaux yeux me font mourir d'amour." It makes the various forms suggested by M. Jourdain's teacher seem less ridiculous.

1592. **je hasarde.** I am uncertain (I must venture at chance).

1605. **bonnes ou mauvaises.** The third crisis in a fever was supposed to be decisive as to death or recovery.

1650. **la bonne pièce.** Here used figuratively and sarcastically to imply a tricky *person.*

1673. **qu'il m'en veut.** That he is after me.

1688. **m'en conte de jour.** Vague *en,* suggesting sweet flattery.

1712. **en Alger.** *En* was frequently used before names of cities beginning with a vowel.

1718. **Vous en tenez.** Cf. lines 687 and 1484.

1724. **Bonne bouche.** A difficult passage. The expression *avoir bonne bouche* was used as equivalent to "to keep a secret." So the commentators explain it here as elliptically meaning "Keep still!" (*bouche close, bouche cousue*). For *j'en tiens,* cf. l. 1718.

1762. **m'a fait pièce.** Cf. lines 881, 966 and 1009.

1773. **Vois que** = *vois à quel point.*

1794. **Le devoir d'une fille.** This verse and the following appear in *Horace,* lines 340 and 341.

1797. **il ne pleuvra.** The rain of money several times mentioned in the play.

# GLOSSARY OF RECURRING WORDS

The following list contains recurring words in the four plays of this volume which deserve explanation and comment. For further details the reader may consult the *Lexique* at the end of the Marty-Laveaux edition of Corneille (*Grands Ecrivains de la France*); Godefroy, *Lexique de la langue de Corneille*, 2 vols., 1862; Cayrou, *Le français classique*, 1923; Huguet, *Petit glossaire des classiques français*, 1907.

**Admirer.** To behold with amazement or surprise; independently of the question of approval (Latin *admirari*). *Horace*, Act III, Sc. 2:

"L'autre d'un si grand zèle admire la fureur."

**Aimable.** Lovable, more often than merely "pleasing" or "agreeable," (Latin *amabilem*). *Le Cid*, Act I, Sc. 2:

"Jusques à cet hymen Rodrigue m'est aimable."

**Amant.** In the seventeenth century an *amant* was an acceptable lover or a betrothed, as opposed to the *amoureux* whose love was unrequited. In the list of characters of *le Cid*, Don Rodrigue is "amant de Chimène," Don Sanche is "amoureux de Chimène." *Horace*, Act IV, Sc. 5:

"Rome a qui vient ton bras d'immoler mon amant!"

The feminine *amante*, like *maîtresse*, had no unfavorable implication. In tragedy the *amante* was apt to say *tu* and the *amant* said *vous*. So in the first two acts of *Horace*.

**Appas.** This word, meaning literally "bait" (cf. *amorce*) was used in the singular and the plural to indicate what "attracts" or "allures." *Polyeucte*, Act. IV, Sc. 2:

"N'en goûte plus l'appas dont il était charmé."

In the plural especially it was one of the conventional terms used to indicate "charms," "attractiveness," "beauty" of persons or of things (cf. below, *chaînes, charmes*, etc.). The word referred chiefly to feminine beauty, though it was occasionally applied to a man. *Le Menteur*, Act II, Sc. 2:

"Ah! bon Dieu! si Dorante avait autant d'appas."

In modern popular French, which like any popular language tends to degrade the meaning of a term, it often designates a woman's bust.

**Camp.** Frequently used of an (encamped) *army* as well as of a "camp."

**Charmes** (also **charmantes, charmés**). The *spell* of anything, frequently a woman's beauty, exciting an almost magical power; stronger than *appas* or *attraits*. Cf. the Latin *carmen* ("magic incantation"), and the English *charm,* in the sense of "amulet." *Le Cid,* Act I, Sc. 1:

"Tous mes sens à moi-même en sont encor charmés."

*Horace,* Act III, Sc. 3:

"Il se tait et ces mots semblent être des charmes."

*Polyeucte,* Act II, Sc. 2:

"Un je ne sais quel charme encor vers vous m'emporte."

**Cœur.** Often "bravery of heart" or "courage." See **Courage.** *Le Cid,* Act I, Sc. 5:

"Rodrigue, as-tu du cœur?"

**Courage.** Often used for "heart," as well as for "bravery." *Le Cid,* Act II, Sc. 5:

"Vous laissez choir ainsi ce glorieux courage."

The word is a lengthened form of *cœur,* carrying with it the meaning of the original word. Thus *cœur* often means "courage," and *courage* often means "heart."

**Déplaisir.** Usually much stronger in meaning than the modern "displeasure;" equivalent to "grief," "sorrow." *Horace,* Act III, Sc. 4:

"Parmi nos déplaisirs souffrez que je vous blâme."

*Horace,* Act V, Sc. 2:

"Sire, avec déplaisir, mais avec patience."

**Discours.** Word of extensive shades of meaning, ranging from the *mental* process of reasoning (Cf. Shakespeare's "A beast that wants discourse of reason") to its expression in *written* (Cf. Descartes's *Discôurs de la méthode*), or in *spoken* words. *Le Cid,* Act IV, Sc. 2:

"Qu'a de fâcheux pour toi ce discours populaire?"

*Horace,* Act I, Sc. 2:

"—A mes tristes discours je mêle moins dè pleurs?"

**Disgrâce.** Misfortune. *Horace,* Act III, Sc. 1:

"Prenons parti, mon âme, en de telles disgrâces."

*Le Menteur,* Act II, Sc. 5:

"Je la lui donne en main, mais voyez ma disgrâce."

**Ennui.** Grief, sorrow, despair. *Polyeucte,* Act III, Sc. 2:

"Tu prépares mon âme à d'étranges ennuis."

**Esprit.** Word with extensive shades of meaning, from the "spirit" of life to "mind," "intelligence," "reason." Not frequently, as yet, in the sense of "wit." *Le Cid,* Act IV, Sc. 2:

"Ah! cruels déplaisirs à l'esprit d'une amante!"

In the plural the meaning is sometimes influenced by the current physiological theories of "animal spirits," subtle intangible vapors acting as communication between mind and body. *Le Menteur,* Act III, Sc. 3:

"J'en ai la cervelle et les esprits troublés."

**Étonner.** To astound, to amaze, to overwhelm with surprise. Cf. Latin *attonitus* and English "thunderstruck." *Horace,* Act I, Sc. 1:

"Quoique le mien s'étonne à ces rudes alarmes."

*Polyeucte,* Act I, Sc. 4:

"Rappelle cependant tes forces étonnées."

**Fer.** Used of a sword (cf. English "steel"), and often in the plural for the fetters, either of love or of actual bondage.

**Feux.** Hyperbolical word used to designate ardent (burning) love. See below, **Flammes.**

**Flambeau.** Figurative word frequent in older poetry. Cf. "torches of Hymen." *Horace,* Act V, Sc. 2:

"Près d'être éclairés du nuptial flambeau."

**Flammes.** Used for the fires of love. See above, **Feux.** *Le Menteur,* Act III, Sc. 2:

"L'ardeur de Clarice est égale à vos flammes."

**Flanc.** Poetical equivalent for *sein, cœur, entrailles. Horace,* Act II, Sc. 3:

"Je vois que votre honneur demande tout mon sang,
Que tout le mien consiste à vous percer le flanc."

**Foudre.** In both genders, either literally or figuratively for that which strikes suddenly like a thunderbolt. *Polyeucte,* Act III, Sc. 5:

"Je redoute leur foudre et celui de Décie."

**Gêne, gêner.** Torture. Much stronger than to-day, when it suggests inconvenience, annoyance, or even merely financial embarrassment. *Polyeucte,* Act V, Sc. 1:

"Dieux! que vous vous gênez par cette défiance!"

**Généreux.** Of noble race, noble nature, noble feelings (Latin *generosus*). Not merely associated, as usually to-day, with the idea of "liberality." *Le Cid,* Act III, Sc. 3:

"Toute excuse est honteuse aux esprits généreux."

**Gloire.** Important word for the understanding of the Cornelian hero. In a man it is a feeling of "honor" or "pride," even though not appreciated by others and hence not resulting in outward "glory," as we now use that term. *Horace,* Act IV, Sc. 7:

> "Participe à ma gloire, au lieu de la souiller."

In a woman, the idea of honor sometimes merges into that of "good name," "reputation." *Polyeucte,* Act II, Sc. 2:

> "Ah! puisque votre gloire en prononce l'arrêt."

The word typifies the strong, self-contained character, and suggests a detached sufficiency which to-day might be called selfish. Horace prefers to kill his sister rather than tarnish his *gloire. Horace,* Act V, Sc. 2:

> "Permettez, ô grand Roi, que de ce bras vainqueur
> Je m'immole à ma gloire, et non pas à ma sœur."

Compare Addison's *Cato,* Act II:

> "Honour's a sacred tie, the law of kings,
> The noble mind's distinguishing perfection,
> That aids and strengthens virtue where it meets her,
> And imitates her actions where she is not."

**Heur.** Happiness. Now obsolete (from Latin *augurium*), except in derivatives like *bonheur* and *malheur. Horace,* Act IV, Sc. 5:

> "Et rends ce que tu dois à l'heur de ma victoire."

**Honnête.** A fundamental term for the interpretation of seventeenth-century society. Primitively, it meant "honorable" (rather than merely "honest" in financial matters, which may be a *bourgeois* virtue); then, "well-bred," i.e. possessing the qualities of the *honnête homme,* that seventeenth-century equivalent of the "gentleman." The idea included the traits of a man of culture, such as good breeding and the social graces, theoretically (but not always in practice) superimposed on a foundation of honor and justice. The conception was more characteristic of an aristocratic than of a democratic society, which declares that a "rough diamond" may be at heart a gentleman. *Polyeucte,* Act I, Sc. 3:

> "Hélas! c'était lui-même et jamais notre Rome
> N'a produit plus grand cœur, ni vu plus honnête homme."

**Hymen, hyménée.** Poetical substitutes for the word *mariage. Horace,* Act V, Sc. 2:

> "les nœuds de l'hymen."

**Journée.** Often "exploit" or "battle," i.e. the achievement of a notable day; as "gagner une journée" or "perdre une journée."

**Magnanime.** Noble-minded. The quality of a "grande âme" (cf. Latin *magnanimitas*). A term implying more than the modern "magnanimous."

**Maîtresse.** A woman loved by a man; a word free from the unfavorable suggestion of the modern "mistress." Compare the English seventeenth-century use of the words "mistress" and "servant" for the lady and her lover. *Polyeucte,* Act I, Sc. 3:

> "Mon père fut ravi qu'il me prît pour maîtresse."

**Mânes.** The shades of the dead (Latin *manes*).

**Objet.** A term constantly applied, like *sujet,* to human beings, as well as to inanimate things. *Polyeucte,* Act II, Sc. 2:

> "O trop aimable objet, qui m'avez trop charmé,
> Est-ce là comme on aime, et m'avez-vous aimé?"

**Œil.** Beauty was supposed to reside largely in the eyes, because of their power of expression. Love also entered through the eyes. Hence, the eyes are often spoken of as the equivalent of a woman's beauty, and the expression "un bel œil" is often used in the gallant style of the seventeenth century, even in tragedy. *Horace,* Act II, Sc. 5:

> "Q'un bel œil est fort avec un tel secours."

*Polyeucte,* Act I, Sc. 1:

> "Sur mes pareils, Néarque, un bel œil est bien fort."

Cf. Shakespeare's *Love's Labour's Lost:*

> "But love, first learned in a lady's eyes,
> Lives not alone immured in the brain."

**Prince.** A sovereign, a ruler, a monarch, the leader of a state (Latin *princeps*). Not merely an aristocratic title as in "Prince of Wales." *Horace,* Act I, Sc. 3:

> "Quand notre dictateur devant les rangs s'avance,
> Demande à votre prince un moment de silence," etc.

**Querelle.** Often merely "cause," or sometimes "grievance." Not necessarily a "quarrel" in the modern sense of a dispute. *Horace,* Act V, Sc. 3:

> "Trois en un même jour sont morts pour sa querelle."

**Ruisseaux.** Poetic exaggeration for "tears." Horace,

> "Et combien de ruisseaux coulèrent de mes yeux!"

**Sang.** Often "family," "race," as well as "blood," because the same blood flows in the veins of those of one stock. *Le Cid,* Act I, Sc. 5:

> "Je reconnais mon sang à ce noble courroux;
> Ma jeunesse revit en cette ardeur si prompte.
> Viens, mon fils, viens, mon sang, viens réparer ma honte."

**Soupirs.** Poetic term to indicate the pangs of love as well as of grief.

**Succès.** Result, outcome; that which *succeeds* something else, as one king succeeds another. No necessary implication of a "successful" result in the modern sense. *Polyeucte,* Act I, Sc. 4:

> "Ce n'est pas le succès que mon âme redoute."

**Sujet.** See under **Objet.**

**Tantôt.** Used to designate a period near at hand, whether in the past (*tout à l'heure*), or in the future (*bientôt*). *Le Cid,* Act I, Sc. 3:

> "Je vous blâmais tantôt, je vous plains à présent."

*Polyeucte,* Act IV, Sc. 3:

> "Est-ce trop l'acheter que d'une triste vie
> Qui tantôt, qui soudain me peut être ravie?"

**Traître.** Scoundrel, rascal, wretch. A word used in French with meanings more general than the specific one of traitor to one's country. *Polyeucte,* Act III, Sc. 2:

> "En public! à ma vue! il en mourra, le traître."

**Trépas.** Poetic equivalent of *mort.* Cf. *transpassare* and the English *to pass away.*

**Troubles.** In the plural, *trouble* often indicates a disturbed or "troubled" condition, whether of the emotions, or of public or family peace (wars, dissensions). *Horace,* Act I, Sc. 2:

> "Vous avez vu depuis les troubles de mon âme."

**Vertu.** Closer in meaning to the Latin *virtus* than to the modern "virtue," in which the moral implications are stressed above all others. It implies the "energy," "valor," "vigor" of physical courage, or the loftiness of a noble soul. The word may suggest many different attributes of character. Indeed, in English, we even speak of the "virtues" of certain plants. *Le Cid,* Act II, Sc. 2:

> "Sais-tu que ce vieillard fut la même vertu?"

*Horace,* Act II, Sc. 5:

> "Et laissez-moi sauver ma vertu de vos pleurs."

*Horace,* Act IV, Sc. 7:

"Embrasse ma vertu pour vaincre ta faiblesse."

*Polyeucte,* Act I, Sc. 4:

"Tandis que sa vertu succomba sous le nombre."

**Vœux.** Wishes, prayers, love. *Horace,* Act I, Sc. 3:

"Tu fuis une bataille à tes vœux si funeste."

*Polyeucte,* Act II, Sc. 1:

"Pourrai-je prendre un temps à mes vœux si propice?"

# The Modern Student's Library

## NOVELS

**AUSTEN: Pride and Prejudice**
With an introduction by WILLIAM DEAN HOWELLS

**BUNYAN: The Pilgrim's Progress**
With an introduction by SAMUEL MCCHORD CROTHERS

**COOPER: The Spy**
With an introduction by TREMAINE MCDOWELL, Associate Professor of English, University of Minnesota

**ELIOT: Adam Bede**
With an introduction by LAURA JOHNSON WYLIE, formerly Professor of English, Vassar College

**FIELDING: The Adventures of Joseph Andrews**
With an introduction by BRUCE MCCULLOUGH, Associate Professor of English, New York University

**GALSWORTHY: The Patrician**
With an introduction by BLISS PERRY, Professor of English Literature, Harvard University

**HARDY: The Return of the Native**
With an introduction by J. W. CUNLIFFE, Professor of English, Columbia University

**HAWTHORNE: The Scarlet Letter**
With an introduction by STUART P. SHERMAN, late Literary Editor of the New York *Herald Tribune*

**MEREDITH: Evan Harrington**
With an introduction by GEORGE F. REYNOLDS, Professor of English Literature, University of Colorado

**MEREDITH: The Ordeal of Richard Feverel**
With an introduction by FRANK W. CHANDLER, Professor of English and Comparative Literature, and Dean of the College of Liberal Arts, University of Cincinnati

**SCOTT: The Heart of Midlothian**
With an introduction by WILLIAM P. TRENT, Professor of English Literature, Columbia University

**STEVENSON: The Master of Ballantrae**
With an introduction by H. S. CANBY, Assistant Editor of the *Yale Review* and Editor of the *Saturday Review*

**THACKERAY: The History of Pendennis**
With an introduction by ROBERT MORSS LOVETT, Professor of English, University of Chicago. 2 vols.; $1.50 *per set*

**TROLLOPE: Barchester Towers**
With an introduction by CLARENCE D. STEVENS, Professor of English, University of Cincinnati

**WHARTON: Ethan Frome**
With a special introduction by EDITH WHARTON

**THREE EIGHTEENTH CENTURY ROMANCES: The Castle of Otranto, Vathek, The Romance of the Forest**
With an introduction by HARRISON R. STEEVES, Professor of English, Columbia University

## POETRY

**BROWNING: Poems and Plays**
Edited by HEWETTE E. JOYCE, Assistant Professor of English, Dartmouth College

**BROWNING: The Ring and the Book**
Edited by FREDERICK MORGAN PADELFORD, Professor of English, University of Washington

**TENNYSON: Poems**
Edited by J. F. A. PYRE, Professor of English, University of Wisconsin

**WHITMAN: Leaves of Grass**
Edited by STUART P. SHERMAN, late Literary Editor of the New York *Herald Tribune*

**WORDSWORTH: Poems**
Edited by GEORGE M. HARPER, Professor of English, Princeton University

**AMERICAN SONGS AND BALLADS**
Edited by LOUISE POUND, Professor of English, University of Nebraska

**ENGLISH POETS OF THE EIGHTEENTH CENTURY**
Edited by ERNEST BERNBAUM, Professor of English, University of Illinois

**MINOR VICTORIAN POETS**
Edited by JOHN D. COOKE, Professor of English, University of Southern California

**ROMANTIC POETRY OF THE EARLY NINETEENTH CENTURY**
Edited by ARTHUR BEATTY, Professor of English, University of Wisconsin

## ESSAYS AND MISCELLANEOUS PROSE

**ADDISON AND STEELE: Selections**
Edited by WILL D. HOWE, formerly head of the Department of English, Indiana University

**ARNOLD: Prose and Poetry**
Edited by ARCHIBALD L. BOUTON, Professor of English and Dean of the Graduate School, New York University

**BACON: Essays**
Edited by MARY AUGUSTA SCOTT, late Professor of the English Language and Literature, Smith College

**BROWNELL: American Prose Masters**
Edited by STUART P. SHERMAN, late Literary Editor of the New York *Herald Tribune*

**BURKE: Selections**
Edited by LESLIE NATHAN BROUGHTON, Assistant Professor of English, Cornell University

**CARLYLE: Past and Present**
Edited by EDWIN MIMS, Professor of English, Vanderbilt University

**CARLYLE: Sartor Resartus**
Edited by ASHLEY H. THORNDIKE, Professor of English, Columbia University

**EMERSON: Essays and Poems**
Edited by ARTHUR HOBSON QUINN, Professor of English, University of Pennsylvania

**FRANKLIN AND EDWARDS: Selections**
Edited by CARL VAN DOREN, Associate Professor of English, Columbia University

**HAZLITT: Essays**
Edited by PERCY V. D. SHELLY, Professor of English, University of Pennsylvania

**LINCOLN: Selections**
Edited by NATHANIEL WRIGHT STEPHENSON, author of "Lincoln: His Personal Life"

**MACAULAY: Historical Essays**
Edited by CHARLES DOWNER HAZEN, Professor of History, Columbia University

**MEREDITH: An Essay on Comedy**
Edited by LANE COOPER, Professor of the English Language and Literature, Cornell University

PARKMAN: The Oregon Trail
  Edited by JAMES CLOYD BOWMAN, Professor of English, Northern State Normal College, Marquette, Mich.
POE: Tales
  Edited by JAMES SOUTHALL WILSON, Edgar Allan Poe Professor of English, University of Virginia
RUSKIN: Selections and Essays
  Edited by FREDERICK WILLIAM ROE, Professor of English, University of Wisconsin
STEVENSON: Essays
  Edited by WILLIAM LYON PHELPS, Lampson Professor of English Literature, Yale University
SWIFT: Selections
  Edited by HARDIN CRAIG, Professor of English, University of Iowa
THOREAU: A Week on the Concord and Merrimack Rivers
  Edited by ODELL SHEPARD, James J. Goodwin Professor of English, Trinity College
CONTEMPORARY ESSAYS
  Edited by ODELL SHEPARD, James J. Goodwin Professor of English, Trinity College
CRITICAL ESSAYS OF THE EARLY NINETEENTH CENTURY
  Edited by RAYMOND M. ALDEN, late Professor of English, Leland Stanford University
SELECTIONS FROM THE FEDERALIST
  Edited by JOHN S. BASSETT, late Professor of History, Smith College
NINETEENTH CENTURY LETTERS
  Edited by BYRON JOHNSON REES, late Professor of English, Williams College
ROMANTIC PROSE OF THE EARLY NINETEENTH CENTURY
  Edited by CARL H. GRABO, Professor of English, University of Chicago
SEVENTEENTH CENTURY ESSAYS
  Edited by JACOB ZEITLIN, Associate Professor of English, University of Illinois

# BIOGRAPHY

BOSWELL: Life of Johnson
  Abridged and Edited by CHARLES GROSVENOR OSGOOD, Professor of English, Princeton University
CROCKETT: Autobiography of David Crockett
  Edited by HAMLIN GARLAND

# PHILOSOPHY SERIES
## Editor, Ralph Barton Perry
*Professor of Philosophy, Harvard University*

ARISTOTLE: Selections
  Edited by W. D. ROSS, Professor of Philosophy, Oriel College, University of Oxford
BACON: Selections
  Edited by MATTHEW THOMPSON McCLURE, Professor of Philosophy, University of Illinois
BERKELEY: Selections
  Edited by MARY W. CALKINS, late Professor of Philosophy and Psychology, Wellesley College
DESCARTES: Selections
  Edited by RALPH M. EATON, late Assistant Professor of Philosophy, Harvard University
HEGEL: Selections
  Edited by JACOB LOEWENBERG, Professor of Philosophy, University of California
HOBBES: Selections
  Edited by FREDERICK J. E. WOODBRIDGE, Johnsonian Professor of Philosophy, Columbia University

**HUME: Selections**
Edited by CHARLES W. HENDEL, JR., Professor of Philosophy, McGill University

**KANT: Selections**
Edited by THEODORE M. GREENE, Associate Professor of Philosophy, Princeton University

**LOCKE: Selections**
Edited by STERLING P. LAMPRECHT, Professor of Philosophy, Amherst College

**PLATO: The Republic**
With an introduction by C. M. BAKEWELL, Professor of Philosophy, Yale University

**PLATO: Selections**
Edited by RAPHAEL DEMOS, Assistant Professor of Philosophy, Harvard University

**SCHOPENHAUER: Selections**
Edited by DEWITT H. PARKER, Professor of Philosophy, University of Michigan

**SPINOZA: Selections**
Edited by JOHN D. WILD, Instructor in Philosophy, Harvard University

**MEDIEVAL PHILOSOPHY**
Edited by RICHARD MCKEON, Assistant Professor of Philosophy, Columbia University

# FRENCH SERIES
### Editor, Horatio Smith

*Professor of French Language and Literature, Brown University*

**BALZAC: Le Père Goriot**
With an introduction by HORATIO SMITH, Brown University

**FLAUBERT: Madame Bovary**
With an introduction by CHRISTIAN GAUSS, Dean of the College, Princeton University

**MADAME DE LA FAYETTE: La Princesse de Clèves**
With an introduction by H. ASHTON, Professor of French Language and Literature, University of British Columbia

**MOLIÈRE: Les Précieuses Ridicules, Le Tartuffe, Le Misanthrope**
Edited by WILLIAM A. NITZE and HILDA L. NORMAN, University of Chicago

**PRÉVOST: Histoire du Chevalier des Grieux et de Manon Lescaut**
With an introduction by LOUIS LANDRÉ, Associate Professor of French, Brown University

**STENDHAL: Le Rouge et le Noir**
With an introduction by PAUL HAZARD, Collège de France

**VOLTAIRE: Candide and Other Philosophical Tales**
Edited by MORRIS BISHOP, Assistant Professor of the Romance Languages and Literature, Cornell University

**FRENCH ROMANTIC PLAYS: Dumas's "Antony," Hugo's "Hernani" and "Ruy Blas," Vigny's "Chatterton," Musset's "On ne badine pas avec l'amour."**
Edited by W. W. COMFORT, President, Haverford College

**FRENCH ROMANTIC PROSE**
Edited by W. W. COMFORT, President, Haverford College

**FOUR FRENCH COMEDIES OF THE EIGHTEENTH CENTURY: Lesage's "Turcaret," Marivaux's "Le jeu de l'amour et du hasard," Sedaine's "Le philosophe sans le savoir," Beaumarchais's "Le barbier de Séville"**
Edited by CASIMIR D. ZDANOWICZ, Professor of French, University of Wisconsin